Alois Prinz
Lieber wütend als traurig

Für Matthias und Mirjam

Alois Prinz

Lieber wütend als traurig

Die Lebensgeschichte der Ulrike Marie Meinhof

Alois Prinz, geboren 1958 in Wurmannsquick (Niederbayern), studierte Literaturwissenschaft und Philosophie in München und lebt heute mit seiner Familie in Feldkirchen-Westerham. Im Programm Beltz & Gelberg veröffentlichte er bereits die Biographien *Das Paradies ist nirgendwo. Die Lebensgeschichte des Georg Forster, Beruf Philosophin oder Die Liebe zur Welt. Die Lebensgeschichte der Hannah Arendt* (Evangelischer Buchpreis) sowie *»Und jedem Anfang wohnt ein Zauber inne«. Die Lebensgeschichte des Hermann Hesse* (Auswahlliste Deutscher Jugendliteraturpreis).

www.beltz.de
© 2003 Beltz Verlag, Weinheim, Basel, Berlin
Programm Beltz & Gelberg, Weinheim
Alle Rechte vorbehalten
Neue Rechtschreibung
Lektorat Frank Griesheimer
Einband rgb, Hamburg
unter Verwendung eines Fotos
von Ullstein Bilderdienst
Bildnachweis im Anhang
Gesamtherstellung
Druckhaus Beltz, 69494 Hemsbach
Printed in Germany
ISBN 3 407 80905 0
2 3 4 5   07 06 05 04 03

Inhalt

Prolog

Man besucht Orte, weil dort ein berühmter Mensch gelebt hat. Wie ist es aber, wenn man den Lebensspuren einer Frau folgt, die in den 70er Jahren die terroristische »Rote Armee Fraktion« mitbegründet hat, die der Bundesrepublik Deutschland den Kampf angesagt hat und des mehrfachen Mordes angeklagt war? Ist es immer noch so, wie es der Psychoanalytiker Horst-Eberhard Richter beklagte, dass bereits »das bloße Verstehen-Wollen« als ein geheimes Einverständnis mit den Taten der RAF-Täter gewertet wird?

Ich fuhr über Frankfurt. Der Zug folgte seit Gießen dem Flusslauf der Lahn. Die schneelose Winterlandschaft verengte sich allmählich zum Flusstal mit steilen Hängen. »Nächster Halt: Weilburg«, tönte es dann aus dem Lautsprecher im Abteil.

Nur ein paar Leute stiegen mit mir aus dem Zug. Auf dem Bahnsteig wehte ein kalter Wind. In der Wartehalle waren alle vier Schließfächer belegt. Ärgerlich. Ich musste also wohl oder übel meine schwere Reisetasche mit mir herumschleppen. An den Bushaltestellen vorbei ging ich die Bahnhofstraße entlang Richtung Stadtzentrum. Die Wolken hingen tief und verstärkten noch das Gefühl der Enge, das man in diesem Flusstal hat. Bald lag der Gebirgsstock vor mir, um den die Lahn eine Schleife zieht und auf dem die Altstadt

7

liegt. Über dem Steilhang erstreckte sich die breite, ockerfarbene Ostfront des Weilburger Schlosses.

Einem befreundeten Kunsthistoriker hatte ich erzählt, dass ich nach Weilburg fahren wolle, und er hatte gemeint, ich dürfe ja nicht versäumen, das Renaissanceschloss anzuschauen. Ich folgte seinem Rat und ging über die alte Steinbrücke und dann weiter eine schmale Straße bergan in die Altstadt. Durch enge Gassen mit Kopfsteinpflaster, vorbei an Fachwerkhäusern erreichte ich das Schloss und stand in dem wunderbaren Innenhof, der seit seiner Fertigstellung Mitte des 16. Jahrhunderts fast unverändert geblieben ist. Im Sommer soll dieser Hof efeuumrankt sein und es finden hier Konzerte statt. Es leuchtete mir jetzt ein, dass ein Maler namens Otto Ubbelohde für seine Illustration der Grimm'schen Märchen die Geschichte vom Dornröschen in das Weilburger Schloss verlegte. Aber ich war ja nicht wegen Dornröschen hier, sondern wegen Ulrike Meinhof.

An der Orangerie vorbei und durch den Schlossgarten kam ich auf den Stadtplatz. Ich fragte eine junge Frau nach dem Weg zum alten Gymnasium. Sie deutete auf eine Gasse und meinte, dort entlang und dann links, es sei nicht weit. In der Mauerstraße stand ich dann vor dem alten Schulhaus, über dessen Eingang immer noch mit vergoldeten Buchstaben die Inschrift »GYMNASIUM« steht, obwohl hier seit 1965 kein Unterricht mehr gehalten wird. Weiter außerhalb hat man ein neues Gymnasium gebaut. Heute befinden sich in der alten Schule die Stadt- und Kreisbücherei sowie die Büros von Anwälten und Steuerberatern. Das Gebäude ist über zweihundert Jahre alt und sieht aus wie die Gymnasien in Vorkriegsfilmen. Hier und zeitweise auch in dem gegenüberliegenden, so genannten »Komödienbau« war Ulrike Meinhof also zur Schule gegangen, vom Herbst 1952 bis zum März 1955. Sie war eine gute Schülerin, außer vielleicht in Mathematik und Latein. Sie spielte Geige im Schulorchester und gründete mit anderen eine Schülerzeitung. Sie muss sehr offen und auch lebenslustig gewesen sein. Mitschüler erinnern sich, dass sie Pfeife und selbst gedrehte Zigaretten geraucht und manchmal bis zur Erschöpfung Boogie-Woogie getanzt hat. In einer Beurteilung der Schule heißt es, sie sei ihren Klassenkameradinnen an geistiger und menschlicher Reife weit überlegen, »menschlich unkompliziert, offen, ehrlich und schlicht«. Und die Gespräche im Unterricht lenke sie »ins Ernsthafte«. Zu diesem Ernst gehörte für Ulrike auch, dass man eine Haltung einnimmt und sich darin nicht so leicht beirren lässt. Einmal soll sie sogar einen brüllenden Lehrer in die Schranken gewiesen haben. Aber das gehört vielleicht schon zur Mythenbildung. Ziemlich sicher bin ich mir, dass sie etwas Besonderes darstellte in ihrer Klasse. Sie war Vollwaise und lebte allein bei ihrer Pflegemutter, einer Professorin, und genoss Freiheiten, auch geistige, die in normalen Familien dieser Zeit nicht selbstverständlich waren. Andererseits gibt es Hinweise darauf, dass sie auch sehr unsicher und sensibel war. Engere Freundschaften ging sie nur wenige ein. Sie zog sich gern zurück und las viel.

Das war so ungefähr das Bild, das ich von der Schülerin Ulrike Meinhof hatte, als ich vor ihrer alten Schule stand. Ein Bild mit vielen Widersprüchen und großen Lücken, gerade in den Jahren ihrer Kindheit und Jugend, als sie noch keine öffentliche Person war.

Ich ging weiter die Mauerstraße entlang, den früheren Schulweg von Ulrike Meinhof. Rechts, in den Bebauungslücken, hat man einen Blick hinunter auf die Lahn und auf das gegenüberliegende steile Ufer mit dem Hauseley-Felsen. Zu Zeiten von Ulrike Meinhof war im Erdgeschoss des dreistöckigen Fachwerkhauses neben der Schule das Buch- und Schreibwarengeschäft des Willi Hindersin. Hier kauften Generationen von Schülern ihre Stifte, Hefte und Bücher. Wahrscheinlich auch Ulrike Meinhof. Sie las viel und sie schwärmte von den Büchern Hermann Hesses.

Die Mauerstraße ist eng und schwere Lastwagen donnern nah an einem vorbei. Vom Schleppen der Taschen war mein Nacken schon ganz verspannt. Und weil ich auch hungrig und durchgefroren war, ging ich in das nächste Café. Ich setzte mich an einen Tisch am Panoramafenster, mit Aussicht über das Lahntal, und bestellte mir eine Suppe und später Kaffee und Kuchen. Hinter den großen Fenstern hingen Meisenknödel an langen Schnüren vom Dach. Draußen begann es in dicken Flocken zu schneien.

Mir kamen Zweifel an meiner Reise nach Weilburg. Was wollte ich hier finden? Eigentlich doch eine Antwort auf die Frage, wie aus einem mehr oder weniger normalen Mädchen später eine gesuchte Terroristin werden konnte, die Banken überfiel und es vertretbar fand, »Bullenschweine« abzuknallen. Wahrscheinlich steckt schon im Versuch, diese Frage zu beantworten, eine große Gefahr. Man findet immer leicht Zusammenhänge, wenn man ein Leben von seinem

Ende her betrachtet. Alles scheint auf das Spätere hinzudeuten. Aber nichts ist zwangsläufig. Das Spätere kann das Frühere höchstens erhellen, daraus ableiten lässt es sich nicht. Das konkrete Leben spielt sich nun einmal in der Gegenwart ab und die lässt immer viele Türen offen.

Durchaus vorstellbar, dass Ulrike Meinhof bis heute eine Journalistin geblieben wäre, eine erfolgreiche und bekannte, mit eigener Talkshow im Fernsehen. Oder es hätte sie in die Politik verschlagen und sie wäre heute Spitzenfrau in einer Partei. Alles denkbar. Allerdings waren diese Möglichkeiten mit dem Sprung aus dem Fenster der Bibliothek in Berlin zunichte gemacht. Damals, als sie bei der gewaltsamen Befreiung von Andreas Baader mit dabei war. Schon am nächsten Tag hing ihr Steckbrief an den Litfaßsäulen und sie war zum »Staatsfeind Nr. 1« erklärt. Viele mit den gleichen Erfahrungen und der gleichen politischen Einstellung wie sie haben diesen Sprung nicht gemacht. Warum gerade sie? War dieser Sprung ein bewusster Entschluss? Oder doch nur eine Kurzschlusshandlung? Ging diesem Sprung eine Entwicklung voraus, die weit zurückreicht? War für sie die Weilburger Zeit nur ein Dornröschenschlaf, aus dem sie erst später erwachte?

Ich bezahlte und fragte die Bedienung nach dem Weg zu den Gebäuden der Neuen Kaserne, wo Ulrike Meinhof mit ihrer Pflegemutter gewohnt hatte, und zum neuen Gymnasium, wo ich mit dem Direktor verabredet war. Sie holte gleich einen Stadtplan, damit ich mich ja nicht verirrte, und erklärte mir ausführlich, welche Straße ich nehmen und welche ich nicht nehmen solle, bis ich jede Übersicht verlor. Als sie aufblickte und mein fragendes Gesicht sah, faltete sie den Plan wieder zusammen und meinte, ich könne ihn behalten.

Draußen schneite es leicht. Ich ging durch das alte Stadttor und dann weiter die Frankfurter Straße entlang, die schnurgerade und ansteigend stadtauswärts führt. Das war auch der Weg, den Ulrike Meinhof von der Schule nach Hause nehmen musste. Der imposante, denkmalgeschützte Gebäudekomplex der Neuen Kaserne erstreckt sich im rechten Winkel zur Frankfurter Straße. Früher hatte er als Unteroffiziersschule und Höhere Landwirtschaftsschule gedient. 1945 war dann das Institut für Lehrerfortbildung eingezogen, an dem Ulrikes Pflegemutter Renate Riemeck als Professorin tätig war. Jetzt ist hier eine Technikerschule untergebracht. Wie damals sind in den Seitenflügeln Dienstwohnungen eingerichtet. Auch Renate Riemeck bewohnte hier eine geräumige Wohnung, mit großen, hohen Räumen. Ulrike hatte ihr eigenes Zimmer, in dem sie oft nächtelang las und die Zigaretten ihrer Pflegemutter rauchte.

Von der Frankfurter Straße bog ich links ab und musste noch lange marschieren, bis ich zum neuen Gymnasium, dem Philippinum, kam. Es ist einer jener modernen Flachdachbauten, die in den 60er und 70er Jahren entstanden sind, und es erinnerte mich an meine eigene Schule. Mein Gymnasium in einer niederbayerischen Kleinstadt hatte einen Pausenhof mit Brunnen, und dort stand ich mit Freunden an jenem sonnigen Maitag im Jahr 1976, als von irgendwoher die Nachricht kam, dass Ulrike Meinhof sich in ihrer Zelle im Stammheimer Gefängnis erhängt habe.

Ich weiß noch, dass diese Nachricht unter uns, die wir da um den Brunnen standen, Verlegenheit und Ratlosigkeit auslöste. Dass es da irgendwo eine »Bande« gab, die unserem Staat und der Generation unserer Eltern den Kampf angesagt hatte, das war ziemlich unfassbar und beunruhigend. Wollten die nicht eine bessere Welt, ein sinnvolleres Leben und eine gerechtere Gesellschaft? So viel immerhin wusste man von ihren Motiven und das konnte man gut mit eigenen Träumen und Sehnsüchten verbinden. Schließlich führten auch wir unsere kleinen Rebellionen, selbst wenn die nur darin bestanden, sich am Wochenende zu besaufen oder einem Lehrer freche Antworten zu geben. Diese Leute aber, so schien es, mochten sich nicht mehr mit den kleinen Fluchten zufrieden geben. Sie wollten sich nicht mehr mit leeren Versprechungen abspeisen lassen. Sie wollten alles oder nichts. Sie machten Ernst und riskierten dabei Kopf und Kragen.

Allerdings riskierten sie nicht nur ihren eigenen Kopf. Auf ihrem Weg gingen sie über viele Leichen. Und diese zwei Seiten konnte ich nicht zusammenbringen. Es blieb eine Verstörung, eine Frage, die ich nicht einmal richtig ausdrücken konnte und die sich auch nicht beruhigen ließ durch Formeln wie »Kein Ziel heiligt alle Mittel« oder »Gewalt ist nie ein Weg«. Da war einerseits diese Sehnsucht nach einem größeren, besseren, wilderen Leben. Und andererseits dieses kalte Morden und dieser unversöhnliche Hass.

Der Direktor des Weilburger Gymnasiums empfing mich in seinem Büro. Er hatte schon am Telefon gesagt, er hätte da etwas für mich in seinem Tresor. Nun holte er tatsächlich aus einem Wandsafe einen Stapel Bücher und Blätter und legte ihn auf den niedrigen Tisch, an dem ich saß. Es waren Artikel aus dem *Weilburger Tageblatt* und Beiträge von Ulrike Meinhof aus der Schülerzeitung *Spektrum*. Weilburg sei verständlicherweise nicht sehr stolz darauf, dass Ulrike Meinhof einige Jahre hier gelebt hat, erzählte der Direktor. Aber auch an die eigene Geschichte im Dritten Reich werde man nicht gern erinnert. Die Stadt sei relativ früh vom Nationalsozialismus »infiziert« worden, und man habe Wert darauf gelegt, schnell »judenfrei« zu werden. Noch heute stoße man manchmal auf Schwierigkeiten, wenn man an das Schicksal der Juden in Weilburg erinnern wolle.

In der Bibliothek der Schule machte ich Kopien von den Unterlagen. In einem Zeitungsartikel war ein Bild der Schülerin Ulrike Meinhof abgedruckt, mit fast noch kindlichen Gesichtszügen, zurückgekämmtem Haar, dunklen Augen und nachdenklichem Blick. In der ersten Nummer der Schülerzeitung *Spektrum* lässt sie das neue Blatt mit ihrer Stimme sprechen. »Ich bin das Spektrum«, schreibt sie. »Ich bin da, und wenn euch das nicht erschreckt, verwundert, erstaunt, ja dann … dann … dann bin ich trotzdem da und ihr habt euch mit mir abzufinden.« Und am Ende des Artikels schreibt sie: »Und noch eines: Ich bin subjektiv. Was wären die schönsten Farben des Spektrums, wenn es keinen gäbe, der sie anschaut? Wenn es keinen Menschen gäbe, der sich daran freuen oder verwundern kann? Endgültiges aussagen zu wollen widerspricht dem endlichen, d. h. begrenzten Wesen des *Spektrums*.«

Ich fragte einen schweren Mann mit schwarzem Vollbart, der mit zwei Fingern auf die Tastatur eines Computers einhackte, nach den Jahreschroniken. Es stellte sich heraus, dass er Deutschlehrer war und sich nebenbei um die Bibliothek kümmerte. Er brachte mir einige großformatige Bände. In der Kladde von 1954/55 fand ich eine alphabetische Liste der einundzwanzig Reifeprüflinge für das Abitur, acht Mädchen und dreizehn Jungen. Bei »Meinhof, Ulrike« stand unter dem Beruf des Vaters »Museumsdirektor«, obwohl der damals schon seit fünfzehn Jahren tot war. Unter »in Aussicht genommener Beruf« war angegeben: »Philologie«. Im Abituraufsatz hatte sie sich für einen Gedichtvergleich entschieden und nicht für die Beantwortung der Frage, ob das Leben »von geistigen oder von materiellen Kräften« bestimmt werde.

Mit meiner Umhängetasche voll kopierter Blätter verließ ich die Schule. Es schneite nun stärker. Auf dem freien Feld um die Windhofkaserne wurde der Schneefall so dicht, dass im Nu alles weiß war. Ich kramte nach dem Straßenplan, den mir die Frau im Café gegeben hatte. Ich muss einen ziemlich hilflosen Eindruck gemacht haben. Eine Frau kam auf mich zu und fragte, ob sie mir helfen könne. »Ach ja, die Ulrike Meinhof«, sagte sie dann gar nicht überrascht, »von der will man hier nicht mehr viel wissen.« Das hatte ich nun schon öfter gehört. Die Straße, zu der ich wollte, lag auf ihrem Weg, und sie bot mir an, mich zu begleiten. Sie führte mich auf Schleichwegen und über Treppen durch eine Siedlung und an einem Friedhof vorbei. Dabei versuchte sie angestrengt, sich an die Namen von Leuten zu erinnern, die Ulrike Meinhof gekannt hatten und heute noch in Weilburg lebten. An der Frankfurter Straße verabschiedeten wir uns voneinander wie alte Bekannte.

Ich bog in eine kleine Seitenstraße ein und stand vor einem Hanghaus mit blauem Schornstein. Herr G., ein älterer Herr mit weißem Haar und Jackett, öffnete und musste bei meinem Anblick lachen. Ich sah wohl aus wie ein Schneemann und wir klopften gemeinsam den Schnee von Mantel und Taschen.

Im Wohnzimmer standen schon Kaffee und Plätzchen auf dem Tisch und ich setzte mich mit feuchter Hose und nassen Haaren auf das Sofa. Herr und Frau G. waren schon über achtzig Jahre, aber unglaublich rüstig und geistig frisch. Sie hätten Ulrike Meinhof und Renate Riemeck gut gekannt, erzählten sie. Herr G. hat sogar ein Buch von Renate Riemeck illustriert. Einmal haben sie eine gemeinsame Reise nach Frankreich gemacht. Ulrike sei manchmal ein stilles Kind gewesen, dann aber auch wieder sehr »burschikos«, spontan und lustig. Sehr spartanisch sei sie von ihrer Pflegemutter erzogen worden, die selber nie Kinder gehabt habe und so manches an dem Teenager Ulrike nicht habe verstehen können.

Auf schönes Aussehen und Luxus legten beide keinen Wert. Dafür umso mehr auf lange Gespräche und auf die »Einstellung«. Die Einstellung sei überhaupt das Wichtigste für Ulrike gewesen. Man müsse Werte haben und sie vertreten, dieser Auffassung war sie. Später, nach dem Abitur, sei sie nur noch einmal nach Weilburg gekommen, zu einem

Klassentreffen. Danach schrieb sie einen Brief, den mir Frau G. zeigte. »Mein Klassentreffen war prima«, heißt es darin. »10 Jahre und aus allen ist irgendwie was geworden. Was Redliches, Tüchtiges, gut Gemeintes wenigstens, wenn nicht mehr. [...] Die Mädchen – von uns kam bestimmt nicht das Fräuleinwunder – sind Hausfrauen. Aber gescheit genug, um diese doofe Existenz so mies zu finden, wie sie ist. Mit Recht neidisch, dass ich mir zum Beruf die Kinder leiste, und zu den Kindern – vom Erzeuger ganz zu schweigen – den Beruf.« Damals war Ulrike Meinhof schon eine erfolgreiche Journalistin, verheiratet mit dem Herausgeber der Zeitschrift *konkret*, Klaus Rainer Röhl, und Mutter von Zwillingen, Bettina und Regine.

Es folgten noch einige Briefe mit Einladungen nach Hamburg und Berlin. Dann brach der Kontakt ab. Die radikale Wende im Leben von Ulrike können die G.s nicht nachvollziehen. Eine Zeit lang, als Ulrike gesucht wurde, hatten sie Angst, dass sie eines Tages vor ihrer Tür stehen und um Unterschlupf bitten würde. Sie hätten ihr ein Bett und Essen gegeben, aber dann versucht, mit ihr zu reden und sie zum Aufgeben zu bewegen.

Draußen war es inzwischen dunkel geworden und ich hatte noch keine Bleibe für die Nacht. Die G.s empfahlen mir ein Hotel garni in der Nähe und ich ließ mir telefonisch ein Zimmer reservieren.

In meinem Hotelzimmer war es eiskalt. Ich verkroch mich angezogen ins Bett und zappte mit der Fernbedienung durch die Fernsehprogramme. Auf dem Kanal *Phoenix* wurde die Bundestagsdebatte über die Sponti-Vergangenheit von

Joschka Fischer wiederholt. Der Außenminister hatte nach dem Tod von Ulrike Meinhof an Demonstrationen teilgenommen, bei denen auch ein Polizist schwer verletzt worden war. Ulrike Meinhofs Tochter Bettina Röhl hatte Fotos veröffentlicht, die beweisen sollten, dass Fischer damals ein gewalttätiger Linksradikaler war. Sie wollte endlich Schluss machen mit der Verklärung und Verharmlosung der radikalen Rote Armee Fraktion (RAF) und besonders ihrer Mutter.

In der Debatte im Bundestag bekannte Joschka Fischer, mit Steinen geworfen und in Prügeleien mit Polizisten verwickelt gewesen zu sein. Er habe allerdings schon wenig später eingesehen, dass der Weg der Gewalt falsch sei. Politiker der Opposition hielten ihm daraufhin vor, dass solche Gewalttaten unverzeihlich seien und Veränderungen in der Politik nur mit friedlichen Mitteln herbeigeführt werden dürften. Daraufhin warf der Bundeskanzler der Opposition vor, sie wolle die ganze Generation der »68er« verdammen. Eine Abgeordnete der Grünen meinte, »68« sei eine »Bleilast« für die Generationen danach und man müsse »68« ein bisschen vom Sockel holen. Aber nicht zu begreifen, was »68« war, das sei »bodenlos naiv«. Ein Abgeordneter der CDU fand es empörend, dass ein bekannter Journalist kürzlich in einem Leitartikel geschrieben hatte, Ulrike Meinhof könnte heute Familienministerin sein.

Am nächsten Morgen brach ich gleich nach dem Frühstück auf. Zurück nach Frankfurt wollte ich eine Verbindung über Limburg nehmen. Der Zug fuhr durch den Eisenbahntunnel ins wildromantische Lahntal, vorbei an einem Campingplatz, an steilen Hängen mit morschen Baumstämmen und Felsen. Im engen Tal wurde der ganze Zug vom Dieselrauch der Lokomotive eingehüllt, der einem noch im letzten Wagen in der Nase hing. Erst nach Runkel weitete sich das Tal, und der Zug hielt an Orten mit Namen wie Niederbrechen und Oberbrechen, die aussahen, als würden sie nur aus Einfamilienhäusern bestehen. An eine Betonwand war mit roter Farbe gesprüht: »Oberbrechen ist zum Kotzen«.

Ulrike Meinhof verließ Weilburg wenige Wochen nach dem Abitur. Sie kam nur noch einmal in diese Stadt zurück, zehn Jahre nach dem Abitur zum Klassentreffen. Waren die Jahre in dieser Stadt mit dem Märchenschloss für sie doch nur wie ein Dornröschenschlaf, aus dem sie dann aufgewacht ist? In einem handschriftlichen Lebenslauf, den sie im November 1954 verfasst hat, schreibt sie über ihre Zukunftspläne: »Ich beabsichtige, im Frühjahr 1955 Abitur zu machen, und möchte dann die Fächer Pädagogik, Psychologie und Germanistik studieren, um später in einen Lehrberuf einzutreten. – Angeregt wurde ich zu diesem Studium selbstverständlich durch Renate Riemeck, außerdem durch meine Begegnung mit der katholischen und der Waldorfer Schulpraxis; die Erziehungsaufgabe beider ist zurückzuführen auf ein weltanschaulich begründetes Menschenbild. Dies veranlasst mich zu dem Wunsch, in die tieferen Probleme der Menschenbildung einzudringen.«

Der Theologe Helmut Thielecke hat den Bruch in Ulrike Meinhofs Leben als »luziferischen Absturz« bezeichnet, weil sie anfangs für Frieden und Gerechtigkeit gekämpft, aber dann Hass und Gewalt gepredigt habe. Thielecke wollte allerdings den Abscheu, den viele Zeitgenossen gegenüber dieser Frau empfanden, nicht teilen. Und Gustav Heinemann, der frühere Bundespräsident, meinte, als er von ihrem Tod erfuhr: »Mit allem, was sie getan hat, so unverständlich es war, hat sie uns gemeint.«

I. Vom Widerstand

»Die Geister, die sich am 20. Juli 1944
schieden, sind heute noch getrennt.«

Dem französischen Schriftsteller und Philosophen Albert
Camus zufolge ist der Mensch das einzige Geschöpf, das
sich weigern kann zu sein, was es ist. Das ist die Voraussetzung dafür, dass ein Mensch zum Rebellen wird. Er kann rebellieren gegen Unterdrückung und Not. Er kann rebellieren
gegen ein Leben, das ihm sinnlos oder unwürdig erscheint.
Immer wenn ein Mensch zum Rebellen wird, ist eine Grenze
des Erträglichen überschritten. Er scheint zu sagen: Bisher
konnte ich es noch ertragen, aber jetzt ist Schluss, ich werde
mich wehren. An diesem Punkt wird auch deutlich, dass ein
Rebell nicht nur immer und ausschließlich gegen etwas ist.
Es ist ihm auch an etwas gelegen, das er schützen möchte,
weil es ihm wertvoll ist. Wer Ungerechtigkeit anklagt,
möchte Gerechtigkeit. Wer sich gegen Sinnlosigkeit wehrt,
verlangt nach einem Sinn. Ohne es vielleicht zu wissen, ist
jeder Rebell auf der Suche nach der Liebe, nach einer Moral
oder etwas Heiligem. Er kennt also neben dem Nein immer
auch ein Ja.

Diese zwei Seiten jeder Rebellion können auch zum Widerspruch werden, dann, wenn der Rebell in der Verneinung
zu Mitteln greift, die seine Prinzipien leugnen, etwa wenn
er Gewalt mit Gewalt bekämpft oder Lüge mit Lüge. Nur
»mittelmäßigen Herzen«, so Camus, falle es leicht, diesen

Konflikt zu lösen. Für »hochgespannte Herzen« sei dies ein »schreckliches Problem«, aus dem sie oft keinen Ausweg finden, auch wenn es sie in den eigenen Tod treibt.[1]

Ulrike Meinhofs Namen verbindet man oft mit der 68er Bewegung, die als ein Aufstand von Studenten, eine Rebellion der jungen Generation gilt. Dabei vergisst man leicht, dass Ulrike Meinhof damals nicht mehr jung war. Sie gehörte einer älteren Generation an, und man muss, wenn man an den Anfang ihrer Lebensgeschichte kommen will, weiter zurückgehen, vor die Entstehung der Bundesrepublik Deutschland, noch vor den Zweiten Weltkrieg, in das Jahr 1934. Am 7. Oktober jenes Jahres wurde sie geboren.

Man könnte sagen, dass Ulrike Meinhofs Leben begann, als in Deutschland die Demokratie zu Grabe getragen wurde. Das geschah durch einen politischen Umsturz, der sich selbst auch eine Revolution nannte, die »nationalsozialistische Revolution«. Der erste entscheidende Schritt dazu war die Ernennung Adolf Hitlers zum Reichskanzler durch den Reichspräsidenten Paul von Hindenburg am 30. Januar 1933 gewesen. Schon im März war das Ermächtigungsgesetz in Kraft getreten, das die Demokratie in Deutschland abschaffte und Hitler zum Diktator machte.

In der deutschen Bevölkerung regte sich gegen die nationalsozialistische Machtergreifung kein nennenswerter Protest. Die meisten waren froh, dass endlich das Experiment der Weimarer Republik beendet war, ja, weite Kreise der Bevölkerung hatten sich geradezu danach gesehnt, endlich von der Demokratie erlöst zu werden. Nach der Erniedrigung

durch den Versailler Vertrag und nach der Weltwirtschafts-
krise wollte man wieder ein großes, starkes Deutschland,
und man wollte eine populäre Führergestalt, die durchgriff
und Ordnung schaffte. Hitler schien diese Erwartungen zu
erfüllen, und dafür war man gewillt, über seine mehr als
fragwürdigen Methoden hinwegzusehen. Schließlich kehrten nach dem so genannten Röhm-Putsch wieder ruhigere
Zeiten ein. Es kamen die »guten« Nazi-Jahre: Die Massenar-
beitslosigkeit wurde überwunden, ein wirtschaftliches Wachs-
tum setzte ein, man galt wieder etwas in der Welt.

Diese – oft nur scheinbaren – Erfolge täuschten leicht darüber hinweg, dass man in einem Terrorregime lebte, mit
Pressezensur, Versammlungsverbot, Tausenden von politischen Gefangenen und Konzentrationslagern. Auf jede Ab-
weichung oder gar Widerstand reagierten die Machthaber
mit Einschüchterung und Gewalt.

Und trotzdem gab es diesen Widerstand. Ulrike Meinhof
hat später jene Menschen sehr bewundert, die ihr Leben riskierten, weil sie an den Verbrechen der Nazis nicht mit-
schuldig werden wollten, die nicht mitmachten, sich wehr-
ten. Diese Pflicht zum Widerstand durfte für Ulrike
Meinhof nach 1945 nicht aufhören. Sie verlängerte die damit verbundene Gewissensfrage in die eigene Gegenwart.
1964, zum 20. Jahrestag des Stauffenberg-Attentats auf Hitler, schrieb sie: »Es ist an der Zeit zu begreifen, dass der
Kampf der Männer und Frauen des 20. Juli im Widerstand
gegen Unrecht und Gewalt noch nicht endgültig gewonnen
ist. [...] Die Geister, die sich am 20. Juli 1944 schieden, sind
heute noch getrennt.«[2]

Für die Journalistin Ulrike Meinhof war es eine wichtige Aufgabe, diese Geister zu scheiden. Es durfte nicht sein, dass sich die »Fronten« verwischen und man nicht mehr sagen kann, was gut und schlecht, wer eigentlich Freund und Feind ist. Beide Seiten sollten so klar geschieden sein, wie es für sie damals, im Dritten Reich, der Fall gewesen war. Sie war auch stolz darauf, dass ihre Eltern auf der richtigen Seite gestanden hatten. Sie erzählte oft davon, dass sie Gegner der Nazis gewesen waren und sich Widerstandskreisen angeschlossen hatten.

Sind die Seiten aber immer so genau auseinander zu halten? Kann man immer so genau trennen zwischen den Schuldigen und den Unschuldigen? Wie kann Widerstand aussehen?

Der Schriftsteller Hermann Lenz hat diese Zeit um 1933 als junger Mann erlebt und sie später in Büchern geschildert, in denen sein literarischer Doppelgänger Eugen Rapp im Mittelpunkt steht.[3] Dieser Eugen Rapp ist ein Einzelgänger, der an die große Sendung Deutschlands nicht glauben mag, dem das großspurige Auftreten der Braunhemden zuwider ist und der lieber allein spazieren geht, als in Reih und Glied zu marschieren. So einer lebt in diesen Zeiten gefährlich.

Weil er nicht weiß, was aus ihm noch werden soll, fängt Eugen an, Kunstgeschichte zu studieren, in München, dann in Heidelberg. Das Studium gehört eher zu seiner Tarnung. Er will nicht mehr als nötig auffallen. Darum gibt er auch dem Druck seiner Eltern nach und tritt dem nationalsozialistischen Studentenbund bei. Kurz darauf tritt er wieder aus, aber nur, weil er eine Krankheit vorschützen kann. Eugen schafft es immer, nie allzu verdächtig zu werden. Das ist ein gewagtes Spiel. Wenn er Glück hat, lässt man ihn links liegen, schlimmstenfalls wird er als Volksfeind denunziert und landet in einem der Lager, die nun überall entstehen.

Ist Eugen Rapp ein Held? Nein, eigentlich nicht. Er ist aber auch kein Mitläufer, eher etwas dazwischen. Wenn es stimmt, dass ein Rebell immer Nein und Ja sagt, dann ist Eugen Rapp einer, der nur sehr leise Nein sagt. Sicher, er bewundert Menschen, die nicht nur »schwatzen«, sondern auch etwas tun. Aber er ist nicht der Typ zum Handeln. Als auf einer Gesellschaft eine Radierung herumgereicht wird, die einen Mann mit einer Bombe in der Hand zeigt, soll Eugen Rapp etwas dazu schreiben. Erst auf dem Heimweg fällt ihm ein Gedicht ein: »Ich beneide diesen nackten Mann, / Weil er Bomben werfen kann. / Hätte Bomben öfters gern geschmissen, / Habe aber drauf verzichten müssen.«

Die Wahrheit ist, dass Eugen Rapp unfähig zur Gewalt ist. Er windet sich durch die »Schwindelzeit«. Das ist seine Art des Widerstands. Nach außen bleibt er möglichst unauffällig. Sein einziger kleiner Protest besteht darin, dass er sich immer bürgerlich schick kleidet und seine Haare wachsen lässt.

Hinter dieser Tarnung erhält er sich einen Freiraum, in dem er machen und denken kann, was er will. Zu dieser Nische gehören seine Freunde und dazu gehören seine Dachstube und sein Tagebuch, in dem er seine täglichen Erfahrungen festhält. Das Sammeln dieser Beobachtungen ist ihm wichtig, weil es das »Gemüt« schärft. So notiert er auch, dass ein Dozent an der Universität vor 1933 schulterlanges Haar hatte, englische Anzüge trug und einen Stock mit Silberknauf. Jetzt ist er plötzlich glatzköpfig, tritt in Uniform auf und hält Seminare über das Schrifttum der deutschen Bewegung.

Eugen Rapp ist kein Träumer. Obwohl diese Zeit Mitte der 30er Jahre nicht die seine ist, verschließt er sich ihr nicht. Man könnte sagen, er bleibt für die Wirklichkeit offen, auch wenn er mit seiner Zeit nicht einverstanden ist. Wenn man ihn fragen würde, ob auch in diesen dunklen Zeiten noch ein Leben möglich ist, würde er Ja sagen.

Mit ähnlichen Fragen und Problemen musste sich wahrscheinlich auch Werner Meinhof auseinander setzen. Er war zur Zeit von Hitlers Machtergreifung allerdings über zehn Jahre älter als Eugen Rapp alias Hermann Lenz, also zweiunddreißig. Außerdem war er verheiratet und hatte eine kleine Tochter namens Wienke. Werner Meinhof hatte auch Kunstgeschichte studiert, aber im Gegensatz zu Eugen Rapp hatte er sein Studium zu Ende gebracht, mit einem Doktortitel, und war nun Assistent des Direktors des staatlichen Museums in Oldenburg.

Werner Meinhof trug also Verantwortung für eine Familie und er stand am Anfang einer viel versprechenden Karriere. Vielleicht war es die Sorge um seine Familie und seine berufliche Zukunft, die ihn dazu bewog, schon am 1. Mai 1933 in die NSDAP einzutreten.[4] Oder tat er diesen Schritt auch aus Gründen der Tarnung wie Eugen Rapp? Jedenfalls kann man nicht sagen, dass Werner Meinhof der Typ des angepassten Mitläufers war. Sein Lebensweg verlief alles andere als geradlinig. In seiner Jugend muss er sogar ein ausgesprochener Querkopf gewesen sein.

Sein Vater Johannes Meinhof war Superintendent, also evangelischer Dekan, in Halle. Er und seine Frau Mathilde hatten zehn Kinder, und Werner, im Oktober 1901 geboren, war das jüngste. Als er sieben Jahre alt war, starb seine Mutter und der Vater heiratete erneut, die junge, damals erst vierundzwanzigjährige Dorothea Schmitz. Werner Meinhof überwarf sich später mit seinem Vater und seiner Stiefmutter, er verließ das Gymnasium und ging nach Hamburg, um als einfacher Handwerker sein Geld zu verdienen. Nach eineinhalb Jahren kehrte er nach Halle zurück und machte eine Ausbildung als Schlosser in verschiedenen Betrieben. Anscheinend gelang es seinem Vater dann, ihn zu überreden, seine Schulausbildung doch fortzusetzen.

Werners Handwerkerpläne passten so gar nicht in die Tradition der Familie. Seit Generationen waren die männlichen Meinhofs evangelische Pfarrer gewesen, hauptsächlich in Württemberg, und die weiblichen hatten Pfarrer oder Ärzte geheiratet oder waren, wie eine Schwester Werner Meinhofs, Missionarin geworden. Natürlich gab es Ausnahmen, aber zumindest erwartete man in dieser Familie einen akademischen Beruf.

Pfarrer wollte Werner Meinhof nicht werden. Wenn schon ein Studium, dann wollte er sich mit Kunst beschäftigen. Zunächst aber besuchte er ein Lehrerseminar in Osterburg in der Altmark und holte anschließend, im Mai 1924, seine Reifeprüfung an seinem Hallenser Gymnasium nach.

In Osterburg lernte er auch den Schulinspektor Johannes Guthardt kennen, zu dem sich Werner gleich hingezogen fühlte, weil er einer Handwerkerfamilie entstammte und Mitglied der SPD war. Guthardts einziges Kind war ein noch sehr junges Mädchen, Ingeborg mit Namen, die sich in den acht Jahre älteren Werner Meinhof verliebte. Nach seinem kunstgeschichtlichen Studium, nach seiner umfangreichen Doktorarbeit über ostfälische Schnitzaltäre und nach seinen ersten Anstellungen als Volksschullehrer in Halle und als Zeichenlehrer an einem Danziger Realgymnasium heiratete Werner Meinhof 1928 Ingeborg Guthardt. Sie war erst neunzehn Jahre alt und hatte gerade ihr Abitur gemacht.

Das junge Paar zog nach Oldenburg, wo Werner Meinhof als Assistent am neu eröffneten Landesmuseum arbeiten sollte. Schon nach wenigen Monaten konnte er diese Arbeit für fast ein Dreivierteljahr unterbrechen. Er hatte nämlich ein Stipendium erhalten und durfte mit seiner jungen Frau nach Florenz reisen und am Kunsthistorischen Institut studieren. Ein Jahr nach ihrer Rückkehr nach Oldenburg, am 10. Juli 1931, bekam Ingeborg Meinhof ihr erstes Kind. Es war ein Mädchen und sie nannten es Wienke. Zwei Jahre darauf, am 7. Oktober 1934, kam das zweite Kind zur Welt. Es war wieder ein Mädchen und sie tauften es auf den Namen Ulrike Marie.

Der Vater Werner Meinhof muss ein sehr liebenswürdiger, kontaktfreudiger und vielseitig interessierter Mensch gewesen sein. Ein Bekannter aus seiner Studienzeit nennt ihn einen »jolly good fellow«, klug, voller Ideen und »den Himmelsfragen weit offen«.[5] In der Tat war Werner Meinhof, trotz des Zwistes mit seiner Familie, ein sehr gläubiger Mensch. Der Glaube ging ihm über jede Politik, und es muss ihn empört haben, wie sich gerade die evangelische Kirche den Nationalsozialisten anbiederte. Schon im Herbst 1933 übernahm man den Arierparagraphen, der nun auch für den Kirchendienst alle »nichtarischen« Personen ausschloss. Kurz darauf »übergab« der neue Reichsbischof Müller dem »Führer« Adolf Hitler die gesamte evangelische Jugend, was hieß, dass alle Jugendverbände zwangsweise in die Hitlerjugend eingegliedert wurden. Die »Neuen Christen« wollten auch ihre Lehre dem neuen Zeitgeist anpassen. So forderte man einen »arischen« Jesus ohne allen jüdischen Ballast und eine »Germanisierung« des Glaubens, und allen Ernstes wollte man die Offenbarung mit dem Jahr 1933 beginnen lassen.

Gegen diese totale Unterwerfung unter die neuen Machthaber begann sich innerhalb der Kirche Widerstand zu regen, der sich dann in der Bekennenden Kirche organisierte. Gerade in Oldenburg gab es viele Anhänger dieser oppositionellen Kirche, die auch dann noch auf ihre Unabhängigkeit pochten, als man anderswo unter dem Druck der Nazis den Widerstand aufgab. Werner Meinhof schloss sich nicht der Bekennenden Kirche an, sondern einer kleinen freikirchlichen Gemeinde, die sich »Hessische Renitenz« nannte und strikt gegen jede Einmischung des Staates in religiöse und kirchliche Fragen war. Diese »Renitente Kirche« geht zurück auf das Jahr 1873, als Preußen versuchte, die Gemeinden in Kurhessen-Waldeck und Hessen-Nassau unter staatliche Kontrolle zu bringen.

Sicher war es nicht ungefährlich, sich in Nazi-Deutschland zu einer Kirche zu bekennen, die den Widerstand gegen den Staat schon in ihrem Namen trug. Und Werner Meinhof hatte am Beispiel seines Schwiegervaters sehen können, wie schnell man missliebige Personen ins Abseits stellte. Johannes Guthardt hatte wegen seiner politischen Ansichten seine Stelle als Schulinspektor verloren und musste sich nun als Handelsvertreter durchschlagen. Werner Meinhof erwuchsen aus seiner christlichen Gesinnung offenbar keine Nachteile. Jedenfalls tat es seiner Karriere keinen Abbruch. Er bewarb sich auf die Stelle des Direktors des Stadtmuseums in Jena und die Wahl fiel auf ihn. Im Frühjahr 1936 zog die Familie in die thüringische Universitätsstadt, die auch für ihre optische Industrie bekannt war.

Die Meinhofs fanden eine Doppelhaushälfte am Rande der Stadt, in der Beethovenstraße. Die Straße lag an einem Hang, und die umliegenden Häuser waren von Obstgärten umgeben, die im Frühjahr weiß und rot blühten. Auch das efeubewachsene Haus der Meinhofs hatte einen großen Garten, in dem die Kinder spielten und auf die Bäume kletterten.

»In Jene lebt sich's bene«, sagte ein Sprichwort über das schöne Jena. Doch auch in Jena hatte sich das Leben geändert. Im August 1933 hatte auf dem Jenaer Marktplatz eine Bücherverbrennung stattgefunden und entsprechend dem Gleichschaltungsgesetz waren in der Stadtverwaltung und an der Universität die Stellen mit regimetreuen Personen besetzt worden. Jüdische Professoren und Studenten begann man aus der Universität zu entfernen. Bürgermeister war nun der NSDAP-Kreisleiter Armin Schmidt.

Die Universität Jena war bis 1934 nach dem Gründer der ersten rein protestantischen »Hohen Schule« Johann Friedrich Hanfried benannt gewesen. Zum Schiller-Jahr 1934 war die Universität in »Friedrich-Schiller-Universität« umbenannt und Friedrich Schiller zum »Kampfgenossen Adolf Hitlers« erklärt worden. Studenten hatten an das Hanfried-Denkmal in der Stadt ein Schild gehängt, auf dem stand: »Ich heiße Friedrich Schiller«. In Jena lachte man über diesen Scherz, der offenbar ein harmloser Scherz war, denn die braunen Machthaber nahmen daran keinen Anstoß. Ansonsten aber verstanden sie nicht viel Spaß – und offene Kritik vertrugen sie schon gar nicht.

Das zeigen die Erfahrungen der Schriftstellerin Ricarda Huch, die im gleichen Jahr wie die Meinhofs nach Jena zog. Die bereits zweiundsiebzigjährige Dame folgte ihrer Tochter Marietta und deren Mann, Dr. Franz Böhm, der an der Universität einen Jura-Lehrstuhl übernehmen sollte. Ricarda Huch gefiel es anfangs gar nicht in der neuen Umgebung. Die Stadt kam ihr »reizlos« vor und fast nur bevölkert von »Zeissianern«, also Arbeitern der Zeiss-Werke, und diese »bequeme Mittelmäßigkeit«, so schrieb sie einer Freundin, sei ihr nun einmal nicht angenehm.[6]

Noch wesentlich unangenehmer fiel für sie der erste Kontakt mit Vertretern der Universität aus. Anfang Mai 1937 war sie zusammen mit ihrem Schwiegersohn und ihrer Tochter zu einem Jura-Professor eingeladen. Im Laufe des Abends kam das Gespräch auch auf die Juden, und der Gastgeber behauptete, die Juden könnten »nicht organisch denken« und wären »nicht produktiv«. Ricarda Huch wollte so eine Behauptung nicht einfach stehen lassen und verwies auf die vielen jüdischen Nobelpreisträger. Ihr Gesprächspartner ließ sich aber von seinen Vorurteilen nicht abbringen. Und weil auch Ricarda Huch und ihr Schwiegersohn nicht zu den Leuten zählten, die höflich schwiegen und klein beigaben, wurde die Unterhaltung immer hitziger, bis dann der Professor erbost meinte: »Ich sehe, Sie sähen lieber das deutsche Volk vernichtet und die Juden herrschen.«[7]

Für Ricarda Huch und Franz Böhm sollte dieser Abend noch böse Folgen haben. Unter den Gästen war nämlich auch ein Hauptmann a. D. gewesen, ein alter Nazi und Rassenfanatiker, der an der Jenaer Universität einen Lehrauftrag für Wehrpolitik hatte. Dieser Hauptmann Richard Kolb berichtete dem zuständigen Ministerium und der Gestapo von den skandalösen Ansichten der greisen Schriftstellerin und ihres Schwiegersohns. Damit war die akademische Laufbahn von Franz Böhm beendet. Gegen ihn wurde ein Verfahren wegen Vergehens gegen das »Heimtückegesetz« eingeleitet und schließlich entzog man ihm die Lehrerlaubnis und versetzte ihn in den vorläufigen Ruhestand.

Auch Ricarda Huch sollte vor ein Sondergericht gestellt werden. Sie hatte es wohl ihrem großen Ansehen, auch im Ausland, zu verdanken, dass es nicht so weit kam. Trotzdem wurde sie in den folgenden Jahren schikaniert und mehrmals vernommen. Bei einer dieser Vernehmungen wagte sie es nochmals, vorsichtig darauf hinzuweisen, dass Juden doch unleugbar auch gute Eigenschaften hätten. Der Vorsitzende schnitt ihr barsch das Wort ab und meinte: »Allerdings leugnen wir das. Juden haben keine guten Eigenschaften.« Den letzten Satz wiederholte er zweimal, und zwar mit Nachdruck.

Nach diesem Erlebnis gab Ricarda Huch es auf, mit ihren Anklägern diskutieren zu wollen. Ein offenes Gespräch konnte sie nur noch in einem Freundeskreis führen, der sich regelmäßig traf. Dieser »Zirkel« war so etwas wie eine »innere Emigration«. Man konnte frei miteinander plaudern, erzählte sich politische Witze, aber man blieb unter sich und hütete sich davor, Aufmerksamkeit zu erregen. Schließlich waren die meisten Teilnehmer Professoren, man hatte also etwas zu verlieren.

Auch Werner Meinhof hatte etwas zu verlieren. Aber in den Unterlagen im Jenaer Stadtarchiv gibt es keine Hinweise dafür, dass er jemals bei seinen Vorgesetzten unangenehm aufgefallen wäre. Im Gegenteil wird seine Arbeit für das Stadtmuseum und seine loyale Haltung ausdrücklich anerkennend erwähnt. Andererseits hat er seinen christlichen Glauben nicht verheimlicht. Dieser Glaube war für ihn aufs Engste mit seiner Kunstauffassung verbunden. Neben seiner Arbeit als Museumsdirektor war er noch Dozent an der Kunstakademie im nahe gelegenen Weimar. In seinen Vorträgen sprach er besonders gern über christliche Kunst und er begann sogar ein Buch zu schreiben über den »christlichen Glauben im Zeugnis alter und neuer Bilder«.

Durch seine vielfältigen Tätigkeiten lernte Werner Meinhof viele Leute kennen und der Bekannten- und Freundeskreis seiner Familie wuchs. Darunter waren viele Künstler wie etwa Otto Dix. Oft besuchte man am Wochenende die

Familie des Künstlers Franz Lenk, der im nahen Orlamünde wohnte. Die kleine Ulrike spielte dann mit Thomas, dem nur ein Jahr älteren Sohn der Lenks. Ulrike war sehr lebhaft, und Thomas Lenk musste manchmal seine Spielsachen vor ihr in Sicherheit bringen, damit sie nicht zu Bruch gingen. Die Freundschaft zwischen den beiden sollte in späteren Jahren noch eine Fortsetzung finden.

Die Meinhof-Kinder waren sehr unterschiedlich, das fiel jedem sofort auf. Während Wienke ein eher ernstes, zurückhaltendes Mädchen gewesen sein muss, wird Ulrike als übermütig, unternehmungslustig und kontaktfreudig geschildert. Sie plapperte viel und wie es ihr gerade in den Sinn kam und sie konnte Erwachsene mit ihrer offenen Art becircen.

Die Erziehung im Hause Meinhof scheint nicht besonders streng gewesen zu sein. Die Kinder waren nicht übermäßig behütet und vor allem Ulrike trieb sich viel im Freien herum und war häufig mit den Kindern aus der Nachbarschaft zusammen. Im Sommer zogen sie in Banden umher, um Kirschen, Äpfel oder Pflaumen von den Obstbäumen zu klauen. Die kleine Ulrike tat sich schon bald hervor, weil sie besonders draufgängerisch und überhaupt nicht weinerlich war. Sogar wenn sie sich das Knie oder den Ellbogen aufgeschlagen hatte und die Tränen ihr vor Schmerz die Wangen herunterrollten, konnte sie noch lachen.[8] Einmal soll sie sogar vom Baum gefallen sein und sich das Nasenbein gebrochen haben.

Trotz dieser Freiheiten legte doch besonders ihr Vater Wert auf eine christliche Erziehung. Wienke und Ulrike lernten Instrumente, es wurde Hausmusik gemacht und man sang Kirchenlieder. Sonntags besuchte man den Gottesdienst und selbstverständlich wurde vor dem Essen gebetet.

Im dritten Jahr in Jena, 1939, scheint die Ehe zwischen Werner und Ingeborg Meinhof einen tiefen Riss bekommen zu haben. Ingeborg Meinhof lernte einen anderen Mann kennen und hatte eine kurze, aber heftige Affäre mit ihm. Ulrike Meinhof wusste später von diesem Seitensprung ihrer Mutter und hat der Journalistin Christa Rotzoll davon erzählt.[9] Werner Meinhof muss sehr verletzt und enttäuscht gewesen sein über den Treuebruch seiner Frau, und den beiden blieb auch nicht mehr viel Zeit, sich wieder zu versöhnen.

Im Herbst, als Hitlers Truppen in Polen einfielen und der Zweite Weltkrieg begann, wurde Werner Meinhof krank. Die Ärzte fanden lange keine Ursache und vermuteten ein Magengeschwür. Die Behandlungen bewirkten keine Besserung. Werner Meinhof wurde zusehends magerer und kraftloser und gegen die unerträglichen Schmerzen halfen bald keine Spritzen mehr. Viel zu spät erkannte man, dass er Bauchspeicheldrüsenkrebs hatte. Sein Vater Johannes Meinhof kam nach Jena, um dem Todkranken beizustehen. Und am 7. Februar 1940 mittags teilte Johannes Meinhof dem Bürgermeister der Stadt mit, dass sein Sohn um 10 Uhr vormittags verstorben sei.

Die fast neunjährige Wienke konnte vielleicht schon verstehen, was passiert war. Aber wie sollte ein fünfeinhalbjähriges Mädchen begreifen, dass der Vater nun tot ist? Die Verwandten wunderten sich, wie scheinbar gleichgültig Ulrike den Tod des Vaters hinnahm. Sie hatte auf der Straße gespielt, als man sie ins Haus holte und ihr die traurige Nachricht sagte. Ja, hatte sie gesagt, ach ja? Und dann war sie wieder nach draußen gegangen und hatte weiter Ball gespielt.

Auf Wunsch seines Vaters sollte Werner Meinhof in Halle beerdigt werden. Doch vorher fand am 10. Februar im Jenaer Stadtmuseum eine große Trauerfeier statt. Alles, was in Jena Rang und Namen hatte, war anwesend. Den Sarg schmückte ein Kranz mit Hakenkreuzschleife und dem Aufdruck: »Ihrem Museumsleiter Dr. phil. Werner Meinhof, die dankbare Universitätsstadt Jena«.

Für Ingeborg Meinhof war die Situation nach dem Tod ihres Mannes prekär. Werner Meinhof war kein Staatsbeamter gewesen, sondern Angestellter der Stadt. Aus diesem Grund bekam sie keine Beamtenpension. Alles, was ihr zustand, war eine kleine Rente von 72,50 Reichsmark monatlich aus der Angestelltenversicherung und ein Witwen- und Waisengeld von 18 Reichsmark monatlich. Davon konnte Ingeborg Meinhof unmöglich leben. Sie musste ihren weiteren Lebensunterhalt selbst verdienen. Aber wie? Sie hatte zwar Abitur, aber sonst keine Ausbildung.

In dieser Notlage verhielt sich die Stadtverwaltung von Jena sehr großzügig. Sie gewährte der jungen Witwe Unterstützung aus städtischen Mitteln, was ihr ermöglichen sollte, drei Jahre zu studieren und einen Beruf zu ergreifen. Außerdem erhielt sie noch ein Stipendium aus der »Opitz-Behrends-Stiftung«. Ingeborg Meinhof gab an, wie ihr verstorbener Mann ein kunstwissenschaftliches Studium absolvieren zu wollen, um später als Lehrerin zu arbeiten.

Auch mit dieser finanziellen Hilfe war Ingeborg Meinhofs Lage schwer genug. Sie musste zwei Kinder versorgen und erziehen und nebenbei noch ein Studium bewältigen. Außerdem war Krieg. Und obwohl in Deutschland große Euphorie und Siegesgewissheit herrschten, wusste doch keiner, wie alles enden wird.

II. Kinder des Kriegs

»Ich glaube, ich muss den Bubi heiraten,
der schützt sich so an mir.«

Anfang April 1940 kam eine junge Frau nach Jena, die im Leben von Ulrike Meinhof bald eine wichtige Rolle spielen sollte. Sie war klein, hübsch, sehr intelligent und selbstbewusst und wollte in Jena studieren. Bei der Familie Sporkert, die das höchstgelegene Haus Jenas bewohnte, bezog sie eine Studentenbude, mit wunderbarem Blick auf die Stadt. Eines der ersten Dinge, die sie in ihrem Zimmer änderte, war, dass sie das Hitler-Bild von der Wand nahm und dafür ein Foto des anthroposophischen Zentrums im schweizerischen Dornach aufhängte. Sie hielt nämlich nicht viel vom deutschen Führer, den sie spöttisch »Gröfaz« nannte, für »Größter Feldherr aller Zeiten«, dafür war sie eine Anhängerin Rudolf Steiners und seiner Lehre von der Anthroposophie. Die erst zwanzigjährige Frau war selbst schon dreimal in Dornach gewesen – eine gefährliche Reise, da die von Steiner gegründete Anthroposophische Gesellschaft seit 1935 in Deutschland verboten war.[1]

Renate Riemeck, so hieß die junge Frau, stürzte sich gleich in ihr Studium. Im ersten Semester belegte sie Kurse und Vorlesungen in Germanistik, Geographie, Theaterwissenschaften und Italienisch. Ihr Hauptinteresse aber galt der Geschichte. In einem kunstgeschichtlichen Proseminar saß sie zusammen mit Ingeborg Meinhof, die schwarze Witwenkleidung trug. Nach einer Seminarsitzung gingen die beiden ein Stück Wegs gemeinsam nach Hause, und die elf Jahre ältere Ingeborg Meinhof fragte Renate Riemeck, was sie vom Krieg halte. Die antwortete spontan: »Den Krieg muss Hitler verlieren!«[2] Ingeborg Meinhof war zunächst schockiert über diese gefährliche Offenheit und hielt mit ihrer eigenen Meinung noch hinter dem Berg. Sie selber war sich ihrer Einstellung gar nicht so sicher. Aber anscheinend ermutigte Renate Riemecks entschiedene Haltung sie in ihrer eigenen Skepsis gegenüber den Nazis.

Die beiden Frauen freundeten sich an. Für den Geschichtskurs mussten sie Referate vorbereiten und brauchten dazu das gleiche Buch. Sie versprachen sich, es auszutauschen. Und eines Tages klopfte es an Renate Riemecks Zimmertür und herein kam ein Mädchen mit langen und dicken blonden Zöpfen, braunen Augen und einem kleinen Rucksack. Es war Ulrike Meinhof, die im Auftrag ihrer Mutter das benötigte Buch überbringen sollte. Ulrike legte das Buch auf den Tisch und fragte: »Hast du nicht Zeit, mit mir spazieren zu gehen?« Sie ließ Renate Riemeck keine große Wahl, sondern packte sie an der Hand und meinte: »Gehen wir spazieren.«[3] Für Renate Riemeck war es sozusagen Liebe auf den ersten Blick. »Wie ein Ausbund unbekümmerter Fröhlichkeit kam sie einem entgegen«, schreibt sie in ihren Erinnerungen. »Ich habe [...] viele liebenswerte Kinder kennen gelernt, aber kein Kind war so anziehend, einfühlsam, draufgängerisch keck, aber auch andächtig still wie Ulrike.«[4]

Schon am nächsten Tag kam Ulrike wieder, mit einem kaputten Spielzeug, das Renate Riemeck reparieren sollte. Zu Hause meinte sie dann zu ihrer Mutter, die wegen des knappen Geldes ein Zimmer im Haus vermieten wollte: »Du brauchst das Zimmer, das wir übrig haben, nicht mehr zu vermieten. Da zieht die Renate ein. Und heiraten brauchst du auch nicht mehr. Denn Renate macht das Spielzeug heil.«[5]

Der Idee, in das Haus der Meinhofs zu ziehen, war Renate Riemeck nicht abgeneigt. Sie war an niemanden gebunden, schon gar nicht an einen Mann. Einem Jurastudenten, der sich mit ihr verloben wollte, hatte sie einen Korb gegeben, weil er nicht wusste, dass das Bild, vor dem sie sich verabredet hatten, den Moses von Michelangelo darstellte. Über solche Bildungslücken konnte sie nicht hinwegsehen. Und möglichst schnell unter die Haube kommen war für sie kein Lebensziel. Sie wollte »ein Mensch für sich selbst« bleiben und ihren Interessen nachgehen.

Schon nach dem ersten Semester bekam die begabte Studentin Renate Riemeck ein Stipendium und nutzte es, um das Sommersemester 1941 in München zu verbringen. Im Herbst kehrte sie nach Jena zurück und zog nun tatsächlich in das Haus der Meinhofs in der Beethovenstraße 11. Sie wurde nun so etwas wie eine große Schwester für Ulrike, vielleicht auch ein Ersatz für ihren Vater.

Renate Riemeck hatte selbst die meisten Jahre ihrer nicht einfachen Kindheit auf einen Vater verzichten müssen. Ihre Mutter war eine sehr dominante und geschäftstüchtige Frau gewesen. Sie hatte in Breslau, wo Renate am 4. Oktober 1920 geboren worden war, eine Reihe von Lebensmittelgeschäften aufgebaut. Die Familie lebte anfangs in Wohlstand und besaß sogar ein Landgut nahe Breslau. Doch zwischen der Mutter und dem zwanzig Jahre älteren, verschwendungssüchtigen Vater kam es immer wieder zu Streit und Renate wurde dann allein zu Verwandten gegeben. Als Renate zwölf Jahre alt war, kam es zum endgültigen Bruch zwischen den Eltern und die Mutter eröffnete ihr ziemlich unsanft, dass ihr Vater nicht ihr leiblicher Vater sei. Das war ein gewaltiger Schock für das Kind, und ab diesem Zeitpunkt, so schreibt Renate Riemeck in ihren Lebenserinnerungen, sei sie auch kaum mehr gewachsen.[6]

Die Mutter packte die Koffer und fuhr mit ihrem Kind nach Hinterpommern, in das Städtchen Plethe, wo sie ein kleines Kolonialwarengeschäft aufmachte. Renate wurde dort nicht heimisch. Die Schule war weit entfernt und die begabte Schülerin musste täglich mit dem Zug dorthin fahren. Später lebte sie allein in Stettin, wo sie das Gymnasium besuchte und in den unruhigen Zeiten des Kriegsbeginns das Abitur machte.

Als Vierzehnjährige hatte sie das Foto Rudolf Steiners in einer Zeitschrift gesehen und war augenblicklich angezogen von diesem »Geisteslehrer«. Was sie anfangs an diesem Mann, der 1925 gestorben war, faszinierte, waren weniger seine Gedanken – die konnte sie noch nicht verstehen –, sondern die Aura des Besonderen, Verbotenen, die ihn umgab. In den folgenden schweren Jahren las sie Bücher von ihm und immer suchte sie Kontakt zu anderen »anthroposophischen Menschen«.

Sie waren für sie ein großer Rückhalt, eine Familie,

und die Reisen nach Dornach waren Höhepunkte ihres Lebens.

In Jena hing Ulrike Meinhof ständig an den Fersen von Renate Riemeck. Und der war das nicht unangenehm. »Sie war ein unglaublich heiteres, lebhaftes, sehr eigensinniges kleines Wesen, kommunikativ bis zum Letzten«, erinnert sich Renate Riemeck. »Man konnte mit ihr nirgendwo hingehen, ohne dass sie alle Leute unterhielt.«[7] Die beiden machten viele Spaziergänge. Wenn sie in den Straßen von Jena unterwegs waren, musste Renate Riemeck immer im Rinnstein gehen, und Ulrike ging auf dem Bürgersteig, damit sie sich richtig unterhaken konnte.

Einmal, als sie einen Spaziergang machten auf den Feldern, wo 1806 Napoleon das preußische Heer besiegt hatte, entdeckten sie ein kleines Kaninchen, das in ein Erdloch gefallen war. »Das holen wir raus!«, meinte Ulrike gleich und schaffte es auch mit einem Balken, den sie in die Grube schob. Renate Riemeck blieb dieses Erlebnis in Erinnerung, weil es ganz typisch für Ulrike gewesen sei. Immer hatte sie Mitleid mit allem, was schwach und hilfsbedürftig war. So gab es unter den Kindern in ihrem Viertel auch einen Jungen, den alle »Bubi« nannten und der immer von den anderen schikaniert und gehänselt wurde. Nur Ulrike hielt zu ihm und stand ihm bei. Eines Tages kam sie zu Renate Riemeck und meinte: »Du, ich glaube, ich muss den Bubi heiraten.« Nach dem Grund gefragt, antwortete sie: »Der schützt sich immer so an mir.«[8]

Mitleid war in den Kriegsjahren keine sehr verbreitete Tugend. Vor allem nicht gegenüber jenen, die nicht zum Bild des »arischen Menschen« passten. Über hundert Juden hatte es 1933 noch in Jena gegeben, nach Kriegsbeginn schrumpfte die Zahl auf weit unter fünfzig und die wurden in zwei »Judenhäuser« der Stadt gebracht. Viele zuvor hoch angesehene jüdische Bürger nahmen sich das Leben, viele wurden deportiert, nach Theresienstadt oder ins nahe gelegene Lager Buchenwald.[9]

Anfang 1942 kam Ulrikes Patentante, Dr. Grete Ulrich, mit dem Zug von Berlin nach Jena. Die Literaturwissenschaftlerin war früher eine Frau von Welt gewesen, dann hatte man festgestellt, dass sie eine »Halb-« oder »Dreivierteljüdin« war. Deswegen musste sie nun als Packerin in einem Berliner Warenhaus arbeiten. Grete Ulrich wusste, welches Schicksal ihr drohte, und sie wollte noch einmal ihr Patenkind Ulrike sehen. Renate Riemeck holte sie vom Bahnhof ab und bemerkte gleich den gelben Stern mit der Aufschrift »Jude« an ihrem Mantel. Grete Ulrich gab ihr den Rat, lieber auf der anderen Straßenseite zu gehen. Das lehnte Renate Riemeck aber ab und sie gingen nebeneinander zur Beethovenstraße. Am nächsten Tag meinte ein Student aus dem Historischen Seminar, er bewundere ihren Mut, neben einer Trägerin des »Davidsterns« zu gehen, und er werde sie deswegen nicht anzeigen. Renate Riemeck wurde ganz schlecht bei dem Gedanken, dankbar sein zu müssen, weil sie nicht denunziert worden war.[10]

Ulrike Meinhof begriff sicher nicht die Hintergründe des Besuchs ihrer Patentante. Sie hatte wohl in erster Linie nur Augen für die bescheidenen Geschenke, die sie ihr mitbrachte. Erst viele Jahre darauf erfuhr sie, dass man die Patentante nach ihrem Besuch in Jena nach Theresienstadt deportiert hatte und sie später umgebracht worden war. Eine jüdische Bekannte Renate Riemecks, Klara Grawe, konnte dagegen vor den Nazis gerettet werden. Freunde von Ingeborg Meinhof in Oldenburg, Otto und Regine Borchers, versteckten sie im Lager ihres Schuhgeschäftes.

Seit Herbst 1941 ging Ulrike Meinhof in die Volksschule, allerdings nicht kontinuierlich. Ingeborg Meinhof schickte ihre Töchter oft zu Verwandten nach Halle oder in Kinderheime, einmal sogar nach Schönau bei Berchtesgaden, wo sie dann auch die Schule besuchten.

Ingeborg Meinhof und Renate Riemeck besaßen in ihrem Haus ein Radio und hörten heimlich den englischen Sender BBC, was strengstens verboten war. Sie wussten also halbwegs Bescheid über den Kriegsverlauf im Osten. Hinter vorgehaltener Hand und aus den spärlichen Hinweisen der Propagandameldungen erfuhren sie auch von den Widerstandsgruppen gegen Hitler, von den Prozessen des Volksgerichtshofes und den gnadenlosen Todesurteilen seines Vorsitzenden Roland Freisler, eines Mannes, der in Jena studiert und hier auch seinen Doktor der Rechte erworben hatte. In Jena hatte sich unter kommunistischen Arbeitern eine Widerstandsgruppe gebildet und Renate Riemeck war mit zwei dieser Arbeiter der Zeiss-Werke im letzten Kriegsjahr befreundet. Eine Gruppe um den Kommunisten Magnus Poser verübte sogar Anschläge gegen die Nazis. Poser wurde 1944 hingerichtet.

Anfang 1943 kam die Meldung von der Kapitulation des

Generalfeldmarschalls Paulus und seiner sechsten Armee vor Stalingrad. Der Krieg nahm damit endgültig eine Wende und kam langsam nach Deutschland zurück. Dort ging das Leben noch »normal« weiter und zu dieser Normalität gehörten Hunger, Fliegeralarm und die Meldungen des »Großdeutschen Rundfunks« über neue Siege. Auch in Jena gab es oft Fliegeralarm, zunächst jedoch fielen noch keine Bomben. Jedes Mal wenn die Sirenen heulten, gingen Ingeborg Meinhof und Renate Riemeck mit Wienke und Ulrike in den Luftschutzkeller, der freilich so wenig befestigt war, dass er einer Bombe nie hätte standhalten können. Die beiden Frauen nahmen immer Aktentaschen mit, in denen sich kostbarer Inhalt befand, nämlich ihre in Arbeit befindlichen Doktorarbeiten. Im März 1943 waren sie damit fertig. Ingeborg Meinhof hatte eine Dissertation geschrieben über »Das Ornament in der mittelalterlichen Kunst«; Renate Riemeck über »Mittelalterliche Ketzerbewegungen in Mittel-Deutschland«. Renate Riemeck bestand anschließend ihr Doktorexamen so glanzvoll, dass sie gleich eine Stelle als Assistentin am Historischen Seminar bekam. An akademischem Nachwuchs herrschte großer Mangel, denn die meisten Männer waren in die Wehrmacht eingezogen worden.

Am 24. Juli 1943 erlebte Jena den ersten schweren Bombenangriff. Ziel waren vor allem die Zeiss- und die Schott-Werke, die fast ganz auf Rüstungsindustrie umgestellt worden waren. Den gestiegenen Bedarf an Arbeitskräften hatte man mit »Ostarbeitern« gedeckt, die unter miserablen Bedingungen in gesonderten Lagern untergebracht waren.

Es gehörte zu den merkwürdigen Seiten des Krieges, dass

auch im Bombenhagel das normale Leben weiterging und trotz einer bevorstehenden Katastrophe die Menschen sich verhielten, als sei nichts sicherer als die Zukunft. Ricarda Huch berichtet von Studentinnen im Nachbarhaus, die sich weigerten, bei einem Bombenangriff ihr Zimmer zu verlassen, weil sie auf eine Examensprüfung am nächsten Tag lernen wollten. Der Bombenlärm störte sie weniger als die Gespräche der Menschen im Luftschutzkeller. Auch Ingeborg Meinhof und Renate Riemeck machten im Frühjahr 1944 noch ihr Staatsexamen. Die Bombenangriffe wurden zu dieser Zeit häufiger. Anfangs fanden die schweren Angriffe noch nachts statt. Aber 1945, als es keine Luftabwehr mehr gab, wurden sie am helllichten Tag geflogen.

Der schlimmste Angriff erfolgte am 19. März 1945, einem Frühlingstag, als in den Gärten schon Schneeglöckchen und Veilchen blühten. Einige Tage zuvor hatte man Aufklärungsflieger gesehen, und man wusste, was bevorstand. Um elf Uhr vormittags ertönte das Geheul des Voralarms, und wer konnte, begab sich in die mehr oder weniger sicheren Luftschutzkeller. Was sich dann ereignete, hat Ricarda Huch in einer Erzählung festgehalten:

»Das Fliegerrauschen wurde immer lauter, immer drohender. Das Gespräch verstummte […]. Dann kam etwas Entsetzliches, Unbeschreibliches; ein lang gezogenes zischendes Pfeifen. – Das ist das Zeichen: Im nächsten Augenblick werden wir tot oder zerfleischt und doch noch lebend sein. […] Ein Krachen wie Weltuntergang – das war ein so genannter Bombenteppich, keine einzelne Bombe. Das elektrische Licht ging aus, es wurde dunkel; stillschweigend wurde eine mitgebrachte Kerze entzündet. Wenn man den Krach hört, ist man gerettet, aber nur für einen Augenblick; das mörderische Rasseln geht weiter. Wir sind im Rachen des Todes, da ist kein Entrinnen. Es wird lauter und lauter, kommt näher und näher – wieder das mordlustige Pfeifen und dann der tödliche Krach. Hat es uns diesmal nicht getroffen, so trifft es das nächste Mal umso sicherer; es scheint gerade auf unser Haus zu zielen. Jemand blickt besorgt auf die hoch liegenden Fensterläden. Werden wir uns da hindurchzwängen können, wenn wir etwa verschüttet würden? [...] Wenn nur das fürchterliche, an den Nerven zerrende Getöse der Flieger eine Minute, einen Augenblick aufhörte! Endlich, endlich wird es schwächer, hört es ganz auf. Sollte es vorüber sein? [...] eine neue Fliegerstaffel näherte sich, das grausame Spiel begann von neuem. Wir waren schon fast zwei Stunden im Keller und noch eine halbe Stunde lang ging es weiter. Unwillkürlich duckten wir uns tief, wenn das Pfeifen kam; am liebsten hätten wir uns auf den Boden geworfen und laut geschrien. ›Hört es gar nicht auf?‹, fragte meine Tochter mit einer seltsam kleinen Stimme. [...] Ich bin alt, dachte ich, ich müsste ein Gebet sprechen oder etwas Erhebendes sagen; aber mir fiel nichts ein, was mir natürlich und angemessen vorgekommen wäre.«[11]

Nach diesem Angriff stand Jena in Flammen. Der Stadtkern war zerstört, darunter auch viele historische Gebäude wie die Stadtkirche St. Michael, die Universitätsbibliothek und das Haus, in dem Goethe und Schiller ihre Freundschaft begründet hatten.

Insgesamt wurden durch Bomben und Artilleriebeschuss

in Jena 700 Menschen getötet und über 2000 schwer verletzt.

An einem der folgenden Tage wurde ein endloser Zug von KZ-Häftlingen durch Jenas Straßen getrieben. Sie kamen aus dem Lager Buchenwald, acht Kilometer nördlich von Weimar, und wohin sie getrieben wurden, wussten auch ihre Bewacher nicht. Ingeborg Meinhof und Renate Riemeck standen am Straßenrand und schauten fassungslos auf die zerlumpten und bis aufs Gerippe abgemagerten Gestalten. Renate Riemeck berichtet, wie Ingeborg Meinhof einen Eimer Wasser und zwei Blechbecher holte und den Häftlingen zu trinken gab. »Es geht bald vorbei, es geht bald vorbei«, flüsterten sie den Vorüberwankenden zu.[12]

Es war auch bald vorbei. Ende März hörte man schon den Geschützdonner der herannahenden amerikanischen Armee. Renate Riemeck packte ein weißes Bettlaken in ihre Aktentasche, rannte damit zu den Zeiss-Werken und bat die zwei Arbeiter, mit denen sie befreundet war, die »weiße Fahne« zu hissen. Bald darauf hing tatsächlich Renate Riemecks Bettlaken auf dem Hochhaus der Zeiss-Werke. Als die amerikanischen GIs in die Stadt einrückten, trafen sie nur noch auf vereinzelten Widerstand. Die deutschen Soldaten waren alle weg, die Nazi-Funktionäre schon lange vorher.

Die U.S. Army sollte nur kurze Zeit in Jena bleiben. Die alliierten Siegermächte hatten beschlossen, die Stadt Anfang Juli unter sowjetische Militärverwaltung zu stellen. Unter der Bevölkerung machte sich Angst breit, denn Gerüchte über Gräueltaten und Massenvergewaltigungen eilten den heranrückenden russischen Soldaten voraus. Für Renate

48

Riemeck waren das Horrorgeschichten, auf die sie nicht viel gab. Sie wollte in Jena bleiben, vor allem der Meinhofs wegen. Dass es anders kam, lag an einem älteren Herrn, dem sie eines Tages zwischen Häuserruinen begegnete. Dieser ältere Herr suchte nach dem Haus eines Freundes, eines Geschichtsprofessors, den Renate Riemeck gekannt hatte. Und sie musste dem Fremden sagen, dass dieser Professor Jacobs bei einem Tieffliegerangriff ums Leben gekommen war. Der ältere Herr stellte sich nun als Dr. Grimm vor, er sei von den Amerikanern zum Landrat des Kreises Bayreuth gemacht worden. Er habe seinen Freund Jacobs vor den herannahenden Russen retten und in ein Haus nach Bad Berneck am Fuße des Fichtelgebirges bringen wollen.

Dr. Grimm änderte seine Pläne nun kurz entschlossen. »Wenn nicht Jacobs, dann eben Sie!«, sagte er zu Renate Riemeck. Sie wehrte ab und meinte, sie wolle ihre Freundin und deren zwei halbwaise Kinder nicht im Stich lassen. Doch Dr. Grimm ließ sich nicht von seinem Entschluss abbringen. »Dann wird morgen für Sie alle ein Lastwagen vor Ihrer Haustür stehen«, erwiderte er.

Renate Riemeck dachte immer noch nicht daran, aus Jena wegzugehen. Aber Ingeborg Meinhof, der sie von ihrer Begegnung erzählte, lebte in »panischer Russenfurcht« und bat ihre Freundin eindringlich, das Angebot anzunehmen. Renate Riemeck willigte endlich ein. Und am nächsten Tag stand tatsächlich ein Lastwagen vor dem Haus Beethovenstraße 11 und die dreiundzwanzigjährige Renate Riemeck, die vierunddreißigjährige Ingeborg Meinhof, die dreizehnjährige Wienke und die neun Jahre alte Ulrike luden ihre Sachen ein.

Ricarda Huch hatte den Einmarsch der amerikanischen Armee in Jena nicht mit eigenen Augen erlebt, denn aus Sicherheitsgründen war die Einundachtzigjährige schon vorher in das kleine Dorf Tautenburg gezogen. Bald nach der endgültigen Kapitulation Deutschlands am 8. Mai 1945 fasste sie den Plan, ein Buch zum Gedenken an die ermordeten Widerstandskämpfer gegen Hitler zu verfassen. Um an Material für das Buch zu kommen, veröffentlichte sie in Zeitungen einen Aufruf, der mit den Worten begann: »Aus unserer Mitte sind böse, brutale und gewissenlose Menschen hervorgegangen, die Deutschland entehrt und Deutschlands Untergang herbeigeführt haben. Sie beherrschten das deutsche Volk mit einem so klug gesicherten Schreckensregiment, dass nur Heldenmütige den Versuch, es zu stürzen, wagen konnten. So tapfere Menschen gab es eine große Zahl unter uns. Es war ihnen nicht beschieden, Deutschland zu retten, nur für Deutschland sterben durften sie; das Glück war nicht mit ihnen, sondern mit Hitler. Sie sind dennoch nicht umsonst gestorben.«[13]

Ricarda Huch unterscheidet verschiedene Motive für den Widerstand. Unter den Sozialisten und Kommunisten waren viele gewesen, die in den Widerstand gedrängt wurden, weil sie Angehörige einer Partei waren, die Hitler ausmerzen wollte. Andere wie die Gruppe um den Oberst Stauffenberg versagten Hitler die Gefolgschaft, weil sie Deutschland vor den Folgen einer totalen Niederlage retten wollten.

An diesen Widerstandskämpfern nimmt Huch, bei aller Bewunderung ihres Mutes, doch einen Makel wahr. Deren Protest war nicht in erster Linie vom moralischen Gewissen gelenkt, sondern hatte andere, politische Gründe. Eine ganz ungetrübte »Reinheit des Kampfes gegen das Böse« kann Ricarda Huch nur bei der Widerstandsbewegung der »Weißen Rose« erkennen.[14] Dementsprechend betont sie in der Darstellung der Lebensgeschichten von Hans und Sophie Scholl die christliche Erziehung im Elternhaus und die moralische Verletzlichkeit beider. Hans Scholl hat man als kleinen Jungen sogar den »kleinen Heiland« genannt, so auffallend war »das innige Mitgefühl des Kindes für alle Leidenden«. Und Sophie Scholl soll angesichts einer in die Falle gegangenen Maus unter Tränen gesagt haben: »Im Paradies wird es nicht so sein.« Sophie Scholls Wahlspruch war: »Il faut avoir l'esprit dur et le cœur tendre« – was es braucht, ist ein harter Verstand und ein weiches Herz.[15]

Muss man also ein »weiches Herz« haben, um früher als andere Unrecht als Unrecht zu erkennen und schmerzlicher darunter zu leiden? Und sind es die weichherzigen Menschen, die dazu neigen, Rebellen zu werden?

Ulrike Meinhof hatte als Kind Anlagen zu beidem, zu einem weichen Herzen und einem wachen, klaren Verstand. Renate Riemeck meinte in einem Interview, Ulrike sei mit einer »unglaublichen Fähigkeit des Mitleidens in die Welt gekommen«[16]. Aber diese Fähigkeit bewertete sie sehr zwiespältig, als Stärke und als Gefahr.

Ulrike Meinhof war zehn Jahre alt, als das Dritte Reich zusammenbrach. Ihre Kindheit war von Krieg geprägt. Noch als erwachsene Frau fühlte sie sich auf besondere Art verbunden mit Menschen, die den Krieg ebenfalls als Kind erlebt hatten. Auch mit ihrer zwei Jahre älteren Freundin

Christa Dericum hat sie darüber gesprochen, was es heißt, ein »Kind des Krieges« zu sein. Über diese Erfahrung hat Christa Dericum geschrieben: »Was als Spiel begann – die Aufmunterung der Erwachsenen: ›Heute Nacht dürft ihr aufstehen, Trainingsanzüge anziehen, eine Luftschutzkeller-Übung‹ –, marterte uns bald die Sinne. Die grauenhafte Zerstörung, die Toten, Gefallenen, Vermissten, das ›Verschwinden‹ von Schulkameraden, des Arztes. Nie mehr verlieren sich die Bilder des Krieges, die Geräusche, die Dunkelheit, der Modergeruch des Kellers und der Strohbetten, die Angst, die alles verzehrende Angst, weil keine Antwort war auf unsere Fragen.«[17]

III. Fast wie ein Engel

*» Wenn du recht schwer betrübt bist, so tue
jemand etwas Gutes, und gleich wird's besser.«*

Nach der bedingungslosen Kapitulation der Wehrmacht
war die totale Niederlage Deutschlands besiegelt: Das Land
hatte keine Regierung mehr, die Städte waren größtenteils
zerstört, die Industrieanlagen zerbombt und der Bevölkerung drohte eine Hungerkatastrophe. Dieses absolute Ende
war aber zugleich auch wieder die Voraussetzung für einen
radikalen Neubeginn. In der »Stunde null« stand die Frage
im Raum, wie die Zukunft Deutschlands aussehen sollte.

Die meisten Deutschen wollten von Politik nichts mehr
wissen. Es gab aber auch einige wenige, die sich Gedanken
darüber machten, wie ein zukünftiges Deutschland aussehen
sollte. Einer von ihnen war der Pastor Martin Niemöller,
der als »persönlicher Gefangener Adolf Hitlers« im KZ
Sachsenhausen gesessen hatte. Niemöller wirkte an einem
Schreiben mit, in dem die Bekennende Kirche ihre Schuld
am Schicksal Deutschlands eingestand. Unter anderem heißt
es darin selbstanklagend: »Wir haben das Recht zur Revolution verneint, aber die Entwicklung zur absoluten Diktatur
geduldet und gutgeheißen.«[1]

Niemöller wurde kurz nach Kriegsende von den Amerikanern aufgefordert, seine Vorstellungen von einem demokratischen Deutschland zu Papier zu bringen. Für Niemöller
war es von größter Bedeutung, die politische Verantwortung

jedes Bürgers zu stärken. Vom kleinsten Dorf bis zur Groß-
stadt sollte eine möglichst direkte Mitbestimmung erreicht
werden. Parteien standen für Niemöller diesem Ziel im Wege und sollten nicht mehr zugelassen werden.[2] Niemöllers
privaten Ideen wurde keine Beachtung geschenkt, und bald
darauf gab es in den Westzonen wieder Parteien: die CDU,
die SPD, die FDP und die KPD.

Die Deutschen konnten nicht frei und nach eigenem Willen über ihr weiteres Schicksal entscheiden. Deutschland
war ein besiegtes Land und den Entscheidungen der alliierten Siegermächte unterworfen. Diese Siegermächte beschlossen auf der Konferenz von Potsdam, die deutschen
Gebiete jenseits der Linie, die von den Flüssen Oder und
Neiße gebildet wurde, unter polnische Verwaltung zu stellen, Rest-Deutschland in vier Besatzungszonen einzuteilen
und eine Demokratisierung durchzuführen. Zu dieser Demokratisierung gehörte die Zulassung von politischen Parteien und dazu gehörte auch die so genannte »Entnazifi-
zierung«. In den Westzonen wurden an alle Erwachsenen
Fragebogen ausgegeben mit über hundert Fragen. Und nach
den erhaltenen Antworten wurden die Menschen in fünf
Gruppen eingeteilt, von »hauptschuldig« bis »unbelastet«.

Ingeborg Meinhof und Renate Riemeck, die in die SPD
eingetreten waren, galten als »unbelastet«. Und weil sie
auch noch frisch ausgebildete Lehrerinnen waren, wurden
sie von den amerikanischen Besatzern im Herbst 1945, als
die Schulen und Universitäten wieder geöffnet wurden,
gleich in die Volksschule von Bad Berneck geschickt. Bei dieser ersten Bewährungsprobe tat sich Ingeborg Meinhof un-

gleich schwerer als Renate Riemeck, der alles leicht von der Hand ging und die einen natürlichen Draht zu Kindern hatte. Dazu kam, dass Ingeborg Meinhof unter Asthma litt und die schlechte Ernährung ihre Gesundheit zusätzlich schwächte.

In der Bad Bernecker Volksschule lernten die beiden jungen Lehrerinnen, dass die »Stunde null« nicht wirklich einen Neuanfang bedeutete, sondern dass die Vergangenheit noch sehr lebendig war. Als Renate Riemeck das erste Mal in ihre Klasse ging, stand ein kleiner Junge in soldatischer Habt-Acht-Haltung vor der Tür und brüllte »Achtung!«, worauf etwa fünfzig Schulkinder ruckartig hochsprangen. Dann saßen sie verängstigt in ihren Bänken und trauten sich kein Wort zu sagen.

Die erst ratlose Renate Riemeck wusste sich schnell zu helfen. Sie erinnerte sich an ihre Vorbilder Rudolf Steiner und Pestalozzi, die gelehrt hatten, dass Erziehung über Kopf, Herz und Hand gehen muss. Sie lief in ihre Wohnung und holte ihr Akkordeon und ihre Geige, um mit den Kindern zu singen. Die kannten nur alte Nazi-Lieder wie *Es zittern die morschen Knochen der Welt vor dem großen Krieg* oder derbe Volkslieder wie *Warum gibts kana Weißwerscht net?* Doch Tag für Tag lernten sie zusammen neue Lieder und schließlich gab es keine Stunde mehr ohne Singen. Auf diese Weise lernten die Kinder auch, Hochdeutsch zu sprechen. Das klappte nicht immer. Als ein Junge einmal eine Lektion wiederholen sollte und im breitesten Oberfränkisch zu erzählen anfing und Renate Riemeck ihn aufforderte, doch Hochdeutsch zu sprechen, richtete er sich trotzig auf und meinte: »Entweder i sprech Hochdeutsch oder i erzähl!« Und Renate Riemeck ließ ihn erzählen.[3]

Für Ingeborg Meinhof und Renate Riemeck war von vornherein klar, dass sie nicht lange in Bad Berneck bleiben würden. Sie waren für das höhere Lehramt ausgebildet und mussten noch das zweite Staatsexamen machen. Das war in dem kleinen bayerischen Ort nicht möglich. In dieser Situation erwiesen sich wieder Otto und Regine Borchers, die alten Freunde der Meinhofs aus der Zeit in Oldenburg, als Retter in der Not. Sie, die schon im Krieg Renate Riemecks jüdische Freundin Klara Grawe in ihrem Schuhgeschäft versteckt hatten, schauten sich nach einer Wohnung für die Familie Meinhof um, zu der nun auch wie selbstverständlich Renate Riemeck gehörte. Im Frühjahr 1946 zog der Frauenhaushalt also wieder weiter. Von der amerikanischen in die britisch besetzte Zone, von Bad Berneck nach Oldenburg, in Ulrikes Geburtsstadt. Dort hatten die Borchers für sie eine Wohnung in einem großen, dreistöckigen Haus gefunden, Ackerstraße Nummer 4.

In Oldenburg machten Ingeborg Meinhof und Renate Riemeck ihr zweites Staatsexamen und begannen als Referendarinnen an der Cäcilienschule, einer höheren Mädchenschule. Renate Riemeck hatte eigentlich eine Universitätskarriere einschlagen wollen, aber nun steckte sie sich andere Ziele. Die Erfahrungen in Bad Berneck hatten sie gelehrt, dass es in der gegenwärtigen Lage am wichtigsten war, »das nationalsozialistische Gift« aus den Menschen in Deutschland herauszutreiben. Und dazu, so ihre Überzeugung, musste man bei der Erziehung der Kinder ansetzen. »Wenn in Deutschland alles neu und alles anders werden sollte«, schreibt sie in der Rückschau, »hatte man sich doch mit Zukunftsaufgaben, d. h. mit der heranwachsenden Jugend zu befassen.«[4] Da aber noch viele Lehrer mit ihrer Nazi-Vergangenheit belastet waren, sah Renate Riemeck ihre Aufgabe darin, in die Lehrerausbildung zu gehen.

Ihre bereits in Jena begonnene Habilitationsschrift legte sie nun beiseite. Die Schrift sollte sich mit Georg Forster, einem Revolutionär aus dem 18. Jahrhundert, befassen. Dieser Georg Forster hatte mit Kapitän Cook die Welt umsegelt und dann die Französische Revolution aus nächster Nähe erlebt. In Paris stieß er auf die tiefe Zwiespältigkeit der Revolution. Er musste erleben, wie im Namen von Freiheit und Brüderlichkeit tausende von Menschen umgebracht wurden. Diese Erfahrung zerriss ihn innerlich. Er empfand zugleich Sympathie und Abscheu vor den Revolutionären. Wie kann es sein, dass Menschen, die für Freiheit, Gleichheit und Brüderlichkeit eintreten, für dieses Ziel tausend Menschen umbringen? Auf diese Frage fand Georg Forster bis zuletzt keine Antwort. Er starb einsam und verlassen mit nicht einmal vierzig Jahren in einer Dachkammer in Paris.

Das Schicksal Georg Forsters ließ Renate Riemeck nicht mehr los; dreißig Jahre später schrieb sie das Buch über ihn doch noch zu Ende.[5] Da war Ulrike schon zwölf Jahre tot.

Die zwölfjährige Ulrike Meinhof sollte in Oldenburg eigentlich mit ihrer Schwester in die Cäcilienschule gehen, in der ihre Mutter und Renate Riemeck unterrichteten. Wegen Überfüllung konnte man aber nur noch Wienke aufnehmen, und so meldete man Ulrike in einer benachbarten katholischen Mädchenschule an, der Liebfrauenschule, so benannt nach den Ordensschwestern Unserer Lieben Frau, die die Schule leiteten. Die Schwestern hatten Namen wie Maria Ambrosine, Maria Leopolde oder Maria Cordula. Sie trugen schwarze Ordenstracht, die Haube hatte einen weißen Saum, der die Gesichter umrahmte. Die Schule, ein schönes, efeuumranktes Gebäude mit Giebeln und Dachfenstern, bestand seit 1888. Wegen ihrer konfessionellen Bindung war sie 1938 von den Nazis zwangsweise aufgelöst und in ein Altenheim umgewandelt worden. Erst zu Ostern 1946 wurde der Unterricht wieder mit einer fünften Klasse aufgenommen. Anfangs hatte man für den Unterricht nur einen Raum, weil auch das Altenheim noch weitergeführt wurde. Mehr Platz bekam man erst, als die alten Leute auf natürliche Weise immer weniger wurden.

Zu den ersten sechsundzwanzig Schülerinnen gehörte auch Ulrike Meinhof. Dass man das Mädchen aus protestantischem Elternhaus in eine katholische Schule gab, war vielleicht nicht nur eine Notlösung. Renate Riemeck hatte als Kind einige Jahre in der Liebfrauenschule in Breslau verbracht und erinnerte sich gern an diese Zeit. Auch Ulrike Meinhof fühlte sich wohl in der privaten Atmosphäre der Schule. Die Schwestern waren keine teilnahmslosen Lehrerinnen, vor denen man Angst haben musste. Vielmehr gingen sie sehr liebevoll mit den Mädchen um und gewannen so deren Zutrauen und Respekt.

Für Ulrike Meinhof waren die Schwestern ein Vorbild. Und einmal saß sie mit einer Freundin auf der Fensterbank am Treppenaufsatz und sie unterhielten sich darüber, wie es wäre, später auch ins Kloster zu gehen oder zumindest ein Leben nach den Grundsätzen der Schwestern zu führen. Noch viele Jahre später, in einem Lebenslauf, erwähnte Ulrike Meinhof den herzlichen Umgang der Schwestern mit ihren Schülerinnen, und die Richtlinien dieser Erziehung blieben für sie vorbildlich: ohne Angst, ohne sinnlose Strafen und harsche Worte.

»Quiecke«, wie Ulrike genannt wurde, war bei den anderen Mädchen in der Klasse beliebt, weil sie so offen, ernst und ehrlich war. Andererseits hielt sie aber auch Abstand und gab den anderen das Gefühl, schon reifer, erwachsener zu sein. Sie wollte immer »wissen und verstehen« und »hinter die Dinge schauen«. Dazu passte es auch, dass sie sich für moderne Kunst interessierte und Bücher las, die für ihr Alter eigentlich viel zu schwierig waren. Bei einem späteren Klassentreffen erinnerte man sich reimend an »Quiecke«, die »unterm Tisch las Kant / und ihn mit 12 verständlich fand«. Sie wurde bewundert, und für manche Mitschülerin war es eine Auszeichnung, von Ulrike freundschaftlich angesprochen oder gar gelobt zu werden. Und als es gelang, eine Schülervertretung zu gründen, wurde natürlich sie zur Sprecherin gewählt.

Ulrike Meinhof war auch eine gute Schülerin. In den Fremdsprachen, Englisch und Französisch, und in Mathematik schrieb sie meistens Zweien. Im Fach Religion hatte sie eine glatte Eins. Im Bewertungsheft des Schuljahrs 1946/47 steht über sie die Bemerkung: »[…] allseitig interessiert, feines Verständnis für Deutsch – muss straffer sein.«

Zu wenig »straff« zu sein war wohl nicht ganz nach den Vorstellungen der Schwestern. Deren Unterricht war darauf ausgerichtet, »christliche Tugenden« einzuüben und »auf ein Leben aus christlicher Verantwortung vorzubereiten«. Im Hinblick auf dieses Ziel fiel es auch auf, dass die Schülerin Ulrike, wie man in einem späteren Zeugnis mit etwas Sorge bemerkte, »gerne träumt«.

Zum geistlichen Leben in der Klosterschule gehörten Gebete, Gottesdienste und besonders die Feiern der Marienfesttage, zu denen auch Aufführungen einstudiert wurden. Einmal wurde ein Singspiel aufgeführt, und Ulrike übernahm die Rolle des Engels Gabriel, der Maria die göttliche Botschaft überbringt. Bei der Aufführung waren alle Eltern eingeladen und alle waren entzückt über Ulrike als Gottesboten.

Ulrike Meinhof war auch sonst so etwas wie ein Engel. Die fröhliche Unbekümmertheit ihrer Kinderjahre hatte sie zwar verloren, sie war ernster und selbstbewusster geworden, aber erhalten hatte sich ihr Bedürfnis, anderen zu helfen. Was sie einer Freundin ins Poesiealbum schrieb, war wohl ihr persönlicher Leitspruch: »Wenn du recht schwer betrübt bist, dass du meinst, kein Mensch auf der Welt könne dich trösten, so tue jemand etwas Gutes, und gleich wird's besser.«

Ulrike war offenbar immer dazu bereit, jemandem etwas Gutes zu tun. Manche waren über so viel Hilfsbereitschaft auch verblüfft, wie jene Mitschülerin, die von Ulrike sonst nicht sonderlich beachtet wurde und der sie nun plötzlich anbot, für sie die Strafarbeit zu machen. Manchmal blieb sie dem Unterricht fern, weil sie den Heimatvertriebenen in Oldenburg Heizmaterial und Lebensmittel brachte. »Keine Arbeit war ihr zu schwer oder zu schmutzig, wenn es galt zu helfen«, erinnert sich ihre frühere Lehrerin Schwester M. Ambrosine. Allerdings war ihr oft nicht ganz geheuer, wie sehr Ulrike von fremdem Leid bewegt wurde und mit welchem Übereifer sie jeder Not abhelfen wollte, und einmal meinte sie scherzhaft: »Ulrike, du landest mal entweder im Kloster oder in der Gosse.«[6]

Ungeachtet der katholischen Erziehung in der Liebfrauenschule, gehörte Ulrike natürlich der evangelisch-lutherischen Gemeinde in Oldenburg an, die vom Bischof Wilhelm Stählin, einer charismatischen Persönlichkeit, geleitet wurde. Im März 1949 sollte sie konfirmiert werden. Im Herbst davor stellte man bei ihrer Mutter Krebs fest. Ingeborg Meinhof ließ sich erfolgreich operieren und hatte die Hoffnung, wieder ganz gesund zu werden, als sie sich im sehr kalten Frühjahr des nächsten Jahres eine Lungenentzündung holte. Nach den entbehrungsreichen Nachkriegsjahren und der schwierigen Operation hatte sie nicht mehr die Kraft, sich dagegen zu wehren. In der Nacht des 2. März kam ein schwerer Asthmaanfall dazu, und als die alarmierte Ärztin eintraf, konnte sie nur noch Ingeborgs Tod feststellen.

Renate Riemeck brachte die beiden Kinder zu der toten Mutter. Später berichtete sie darüber, wie gefasst sie waren. Ulrike bat darum, dass man aus dem Johannesevangelium vorliest. An einer Stelle unterbrach sie und wollte, dass man diesen Spruch der Mutter ins Grab mitgebe. Es war der 16. Vers des 3. Kapitels: »Denn also hat Gott die Welt geliebt, dass er seinen eingeborenen Sohn gab, damit alle, die an ihn glauben, nicht verloren werden, sondern das ewige Leben haben.« Bei der Beerdigung schob Ulrike ihren Arm unter den von Renate Riemeck, wie sie es bei den Spaziergängen immer getan hatte, und sagte: »Nun haben wir nur noch dich.«[7]

Renate Riemeck brachte es nicht übers Herz, die nun vollwaisen Mädchen ihrem Schicksal zu überlassen. Das hätte geheißen, sie bei Verwandten unterzubringen, die alle selber Kinder hatten und jeden Pfennig umdrehen mussten. Renate Riemeck erklärte sich kurz entschlossen bereit, die Vormundschaft für die beiden Mädchen zu übernehmen, und alle waren damit einverstanden. Mit diesen »Kindern von der Stange«, wie sie Ulrike und Wienke später scherzhaft nannte, übernahm sie, die erst Achtundzwanzigjährige, eine große Verantwortung, schon allein finanziell. Als Referendarin hatte sie ein kleines Gehalt, und die Waisenrente für die Mädchen war lächerlich gering, nämlich 20 DM im Monat. Der Großvater Johannes Guthardt, der als Witwer selber in Not lebte, schickte noch 50 DM, was mehr eine Geste des guten Willens war.

Für Renate Riemeck war die schwierige Lage ein Ansporn. Sie schrieb innerhalb kurzer Zeit mehrere Aufsätze und gab Bücher heraus, unter anderem Lese- und Geschichtsbücher für Schulen. Und als sie ihre erste Honorarabrechnung bekam, konnten sie und ihre neuen Töchter kaum glauben, was da stand: Sie hatte sage und schreibe 10000 Deutsche Mark verdient, jene neue Währung, die erst kurz zuvor in den Westzonen eingeführt worden war.

Das war ein kleines Vermögen. Noch am gleichen Tag kaufte sich Renate Riemeck ihr erstes Auto, einen gebrauchten VW Käfer.

Wienke und Ulrike nannten Renate Riemeck oft ihren »Ersatzpapa« und das traf deren Rolle ziemlich genau. Eine Mutter, die nur für ihre Kinder da ist, konnte sie als allein stehende Frau gar nicht sein und das hätte auch nicht zu ihr gepasst. Dafür war sie viel zu erfahrungshungrig und lernbegierig. Kurz nach Ingeborg Meinhofs Tod erhielt sie eine Stelle als Dozentin an der Pädagogischen Hochschule in Oldenburg. Das brachte viel Arbeit mit sich, und oft musste sie mittags schnell nach Hause, um für ihre Pflegetöchter Essen zu kochen.

Auch als sie Ende 1950 das Angebot bekam, für einige Monate als Gastdozentin am Shenstone College in England zu unterrichten, wollte sie sich diese Erfahrung nicht entgehen lassen. Die Frage war nur, wer sich zwischenzeitlich um die Kinder kümmerte. Wienke war kein Problem mehr, sie hatte inzwischen eine Ausbildung als Krankenschwester begonnen und war außer Haus. Für Ulrike fand sich eine andere Lösung. Tante Tilla, eine Schwester des verstorbenen Werner Meinhofs, erklärte sich bereit, sie aufzunehmen. Mathilde, wie die Tante richtig hieß, war mit Johannes Hübner, einem evangelischen Pfarrer in Wuppertal-Barmen, verheiratet. Und weil die Hübners mit den Ideen Rudolf Steiners sympathisierten, hatten sie auch nichts dagegen, dass Ulrike während ihres Aufenthaltes die Rudolf-Steiner-Schule besuchen sollte. In Pfarrer Hübners Gemeinde gab es allerdings Leute, die Rudolf Steiners Lehren mehr oder weniger ketzerisch fanden und daran Anstoß nahmen, dass des Pfarrers Pflegekind in diese Schule ging. Als Renate Riemeck zu Weihnachten nach Wuppertal kam und von den Spannungen erfuhr, meldete sie Ulrike wieder von der Schule ab und nahm sie einfach mit nach England. Dort lebte sie in der Familie ihrer Freunde, Robert und Elisabeth Logan, ging zur Schule und lernte Englisch.

Obwohl Ulrike Meinhof nur etwa sechs Wochen an der Steiner-Schule in Wuppertal verbrachte, können sich noch immer Mitschülerinnen und Mitschüler von damals an sie erinnern. Nach über fünfzig Jahren ist das erstaunlich. Gegenüber diesen Erinnerungen ist allerdings oft eine gewisse Vorsicht angebracht. Manchmal drängt sich der Verdacht auf, dass sie doch vom Wissen über die spätere Entwicklung von Ulrike Meinhof gefärbt sind. So schrieb mir ein Mitschüler, der in der Bank hinter Ulrike gesessen hatte, ihre Äußerungen hätten immer einen überaus »fanatischen Anstrich« (»fanatisch« ist unterstrichen) gehabt und auf dem Pausenhof hätten sich Grüppchen um sie gebildet, in denen Ulrike Meinhof über ihre »Thesen« gesprochen habe. Sieht man hier nicht schon die kommende Terroristin mit den überdrehten Ideen, die auf dem Schulhof politische Agitation betreibt?

Der Wahrheit näher zu kommen scheint mir dagegen die Erinnerung, dass Ulrike »sehr eloquent und sicher in ihren Aussagen« gewesen sei. Eine Mitschülerin beschreibt Ulrike als »molliges Mädchen, das auch Humor hatte« und schildert eine Episode: Ulrike sollte eine chemische Formel an die Tafel schreiben. »Sie tat das leicht«, erinnert sich die Mit-

schülerin, »und zeigte keine Scheu, das auch noch humor-
voll zu erläutern.«

Renate Riemeck und Ulrike Meinhof kehrten nur ungern
aus England zurück. Sie hatten Gefallen gefunden an der
vornehmen Gelassenheit und Höflichkeit der Engländer.
Verglichen damit fiel ihnen die »kompakte Derbheit« und
»nervöse Hektik« ihrer Landsleute besonders unangenehm
auf. Und Renate Riemeck fühlte sich wieder bestärkt in ihrer Skepsis gegenüber dem obrigkeitsstaatlichen Verhalten
der Deutschen. Nach Kriegsende hatte sie sich fest vorgenommen, nie in den Staatsdienst zu gehen, weil für sie
nicht zuletzt das deutsche Staatsbeamtentum zur deutschen
Katastrophe beigetragen hat. Wegen der Verantwortung für
die Meinhof-Kinder musste sie diesen Vorsatz aufgeben. Als
sie nun verbeamtet werden sollte, weigerte sie sich, den Be-
amteneid abzulegen. Ihr Vorgesetzter, offenbar ein Beamter,
der es nicht so genau nahm, sagte nur: »Denn eben nicht!«,
und überreichte ihr die Urkunde ohne dieses Zeremoniell.[8]
   An einen Eid fühlte sich Renate Riemeck nie gebunden.
Sie blieb, wie sie meinte, nur sich selbst verpflichtet. Wie
wenig ihr daran lag, eine treue Staatsdienerin zu sein, hatte
sie schon als Verfasserin eines Geschichtsatlas für Schulen
unter Beweis gestellt. Mit diesem Atlas hatte sie für einen
kleinen Skandal gesorgt, weil sie darin die sowjetisch besetzte Zone »DDR« genannt hatte. Das galt als eine indirekte
Anerkennung der Ostzone als eigenständigem Staat und als
Verrat an dem im Grundgesetz festgeschriebenen Gebot zur
Wiedervereinigung.

Dabei zeichnete sich schon längst die Teilung Deutschlands und die Aufspaltung der Welt in zwei feindliche Machtblöcke deutlich ab. Mit dem amerikanischen Marshall-Plan wurden viele Dollar-Millionen nach West-Deutschland gepumpt und damit auch die politische Eingliederung West-Deutschlands in ein westliches Bündnis vorangetrieben. Alle Schritte in diese Richtung, wie etwa die Währungsreform, wurden von den Russen mit entsprechenden Beschlüssen beantwortet. Der Westmark folgte die Ostmark. Am 8. Mai 1949 wurde vom Parlamentarischen Rat das Grundgesetz beschlossen. Eine Woche später nahm der Volkskongress in der sowjetisch besetzten Zone die Verfassung der »Deutschen Demokratischen Republik« an. Nach der ersten Bundestagswahl am 14. August 1949 wurden im September darauf Theodor Heuss zum Bundespräsidenten und Konrad Adenauer zum ersten Bundeskanzler der Bundesrepublik Deutschland gewählt. Wenige Wochen später wählte in der Ostzone die so genannte Volkskammer Wilhelm Pieck zum Staatspräsidenten der Republik. Eine Wiedervereinigung des geteilten Deutschlands wurde so immer unwahrscheinlicher. Die Gegensätze zwischen den früheren Verbündeten im Krieg gegen Hitler-Deutschland hatten sich verhärtet. Der Kalte Krieg hatte begonnen.

Ulrike ging nach den Zwischenspielen in Wuppertal und England wieder auf die Liebfrauenschule in Oldenburg. Sie musste nun noch selbständiger sein als vorher. Denn Renate Riemeck hatte einen Ruf an die Kant-Hochschule in Braunschweig erhalten. Zudem war ihr der Professorentitel verliehen worden, und sie konnte nun von sich behaupten, die jüngste Professorin Deutschlands zu sein. Eigentlich wollte sie Ulrike mit nach Braunschweig nehmen. Aber sie fand keine geeignete Wohnung und so fuhr sie einmal die Woche in das 200 Kilometer entfernte Oldenburg. Eine Wirtschaftshilfe schaute ab und zu bei Ulrike vorbei und die Borchers behielten sie im Auge, aber die meiste Zeit war sie mehr oder weniger auf sich allein gestellt.

Die Liebfrauenschule hatte keine Oberstufe. Ulrike konnte sie nur bis zur zehnten Klasse besuchen, danach wollte sie an die Cäcilienschule wechseln und ihr Abitur machen. Ostern 1952 schloss sie die zehnte Klasse ab. Auf dem Abschiedsfoto ihrer Klasse sieht man eine junge Frau im dunklen Pullover und mit Halskette, die skeptisch lächelnd in die Kamera blickt. Ihr dunkles Haar trägt sie wie Renate Riemeck, kurz geschnitten und nach hinten gekämmt.

Auf die Cäcilienschule ging Ulrike Meinhof nur wenige Monate. Renate Riemeck hatte nach zwei Semestern in Braunschweig den Beschluss gefasst, dass es so, wie es war, nicht mehr weitergehen sollte. Sie nahm das Angebot an, als Professorin an das Pädagogische Institut nach Weilburg an der Lahn zu gehen. Ihre einzige Bedingung war, dass man ihr und den Kindern eine Wohnung stellt. Diese Forderung wurde erfüllt.

Im Herbst 1952 wurden die alten Möbel, die Renate Riemeck von Werner und Ingeborg Meinhof übernommen hatte, auf den Umzugslaster verladen. Ulrike half beim Packen. In der Cäcilienschule hatte sie sich nicht wohl gefühlt, und es fiel ihr nicht schwer, von Oldenburg Abschied zu nehmen.

Mit Renate Riemeck fuhr sie dann im VW von Oldenburg nach Weilburg. Auf der Fahrt war sie sehr vergnügt, nur ein- mal wurde sie ernst und nachdenklich und meinte: »Weißt du, ich freue mich auf Weilburg. Dort habe ich doch noch nie eine Sünde begangen.«[9]

IV. Die Unberatene

» Wahr sein wollen und ehrlich. «

Aus Weilburg an der Lahn stammt der Schriftsteller Thomas Valentin. Er wurde 1922 in der Kleinstadt geboren und war vier Jahre lang Schüler des dortigen Gymnasiums. Später wurde er Lehrer, Dramaturg und dann ein bekannter Autor von Romanen, Erzählungen, Gedichten und Drehbüchern. In Weilburg las Valentin nur einmal öffentlich aus seinen Büchern, das war am 23. Oktober 1980. Zwei Monate später setzte er seinem Leben freiwillig ein Ende.

In einem Roman mit dem Titel *Die Unberatenen* schildert er den Schulalltag in den Nachkriegsjahren. Eine Hauptfigur ist der Schüler Jochen Krull, der kurz vor dem Abschluss steht. Krull will selbst einmal Lehrer werden, aber sein Vater, ein durch den Krieg verbitterter Mann, will ihm das nicht erlauben. In seiner Klasse hat Krull einen besonderen Ruf, er gilt als einer, der nicht auf leere Versprechungen hereinfällt, der viel Mitleid empfinden kann und im Grunde genommen ein » Christ ohne Kirche « ist. Krull sucht verzweifelt nach Orientierung und Lebenshilfe. Doch von den meisten seiner Lehrer wird er dabei enttäuscht. Vor allem, weil sie sich gegenüber der Vergangenheit aus der Verantwortung stehlen. Keiner ist betroffen. Der eine, weil er nichts gewusst haben will, der andere, weil er zwar vieles gewusst hat, aber nicht beteiligt war. Und für einen Dritten sind die KZs sowieso die Erfindung der Amerikaner, die mit ihrer Jazzmusik und ihrer laxen Demokratie jedes Gefühl für Ordnung aufweichen würden.

Auch für seine Zukunft haben diese Lehrer Krull außer trockenem Lernstoff so gut wie nichts mitzugeben. Sein Biologielehrer klärt ihn darüber auf, dass es im Leben nur auf die »Brieftasche« ankomme, alles andere seien »Ablenkungsmanöver«. »Scheiße«, kann Krull da nur sagen. Und der Deutschlehrer schafft es, aus den aufrüttelnden Texten eines Franz Kafka oder Saint-Exupéry totes Wissen zu machen. Und so bleibt Jochen Krull ein Unberatener.

Eines Tages klebt er in der Schule heimlich Zettel mit Sätzen von Kafka und Brecht an die Wände, um ein Gespräch zu provozieren. Als er sich stellt, will der Direktor hart durchgreifen. Der Einzige, der Krull verteidigt, ist sein Geschichtslehrer, er schlägt vor, Krull für seine Aktion einen Preis zu verleihen. Diesen Vorschlag betrachtet man als einen schlechten Witz. Der Direktor und das Lehrerkollegium beschließen, Krull von der Schule zu verweisen. Noch bevor er von diesem Beschluss erfährt, verschwindet Krull, nach Polen, wie auf einem zurückgelassenen Zettel steht, weil dort ein Deutscher am meisten gutzumachen habe.[1]

Ulrike Meinhof kam in die elfte Klasse des Weilburger Gymnasiums, des Philippinums. Von ihren Mitschülerinnen und Mitschülern wurde sie schnell akzeptiert. Sie galt als offen, ehrlich und vielseitig interessiert. Die Klassenleiter organisierten oft Ausflüge. Einmal sogar bis nach Kaprun in Tirol, wo man in Zelten und Jugendherbergen übernachtete. Wenn es darum ging, Geschirr zu spülen oder Zelte aufzubauen, war Ulrike immer dabei und stand nie abseits.

Im Unterricht tat sie sich vor allem bei Diskussionen hervor. Es war auffallend, wie gut sie sich sprachlich ausdrücken konnte und wie ernst und sachlich sie ihre Meinung vertrat. Das wunderte aber niemanden, der ihre Pflegemutter kannte. Renate Riemeck hielt öfters Vorträge am Gymnasium und alle waren beeindruckt vom Wissen und dem selbstbewussten Auftreten dieser ungewöhnlichen Frau.

Für Renate Riemeck war Weilburg mit seinen ungefähr sechseinhalbtausend Einwohnern sicher nicht die Welt. Aber sie beklagte sich nicht, solange sie ihre alljährliche Fahrt nach England, ihre beruflichen Reisen und ihre Kulturausflüge machen konnte. Dann fuhr sie mit ihrem VW nach Luxemburg, Trier oder Zürich. Meistens wurde sie von Freunden begleitet, einmal – nach Frankreich – durfte auch Ulrike mitkommen.

Gleich nach ihrem Umzug nach Hessen, im Sommer 1952, hatte sich Renate Riemeck ein Fernsehgerät angeschafft. Ein wahres Ungetüm, Marke »Deutsche Philips«, mit so genannter Truhe, das über 2000 Mark kostete. Sie wollte unbedingt die Krönung der englischen Königin Elizabeth II. miterleben. Die Übertragung der Zeremonie war die erste Eurovisionssendung und der eigentliche Beginn des Fernsehens in Deutschland. Renate Riemeck hatte sich die teure Anschaffung auch geleistet, um die politischen Vorgänge besser verfolgen zu können. In Weilburg, dem »kleinen, verschlafenen Städtchen«, bekam man von der Auseinandersetzung um die Politik der Adenauer-Regierung

nicht so viel mit. Es sorgte schon für Aufsehen, als im Wahlkampf 1953 zwei junge Leute ein kleines Plakat der GVP an
eine Hauswand klebten.²

Die »Gesamtdeutsche Volkspartei« war von dem Essener
Rechtsanwalt Dr. Gustav Heinemann mitbegründet worden.
Heinemann, der später Bundespräsident werden sollte, war
Innenminister im ersten Kabinett Adenauer gewesen. Aus
Protest darüber, dass Bundeskanzler Adenauer hinter dem
Rücken des Kabinetts die Wiederbewaffnung Deutschlands
vorbereitet hatte, war er im August 1950 von seinem Amt
zurückgetreten und hatte eine neue Partei, die GVP, gegründet. Die GVP lehnte die Wiederbewaffnung strikt ab und
trat dafür ein, auf die Vorschläge aus der Sowjetunion und
der DDR zu einer deutschen Wiedervereinigung einzugehen.
Adenauer war dagegen der Ansicht, dass Deutschland erst
stark werden müsse und dann über eine Wiedervereinigung
verhandelt werden könne.

Diese Politik, die dann zum Beitritt der Bundesrepublik
Deutschland zur NATO führte, rief bei weiten Teilen der Bevölkerung Protest hervor. Aus der Katastrophe des Weltkrieges hatten viele die Lehre gezogen, dass von Deutschland
nie wieder Krieg ausgehen dürfe. Und jetzt sollte das Land
wieder aufgerüstet werden? Es bildeten sich Vereinigungen
wie die »Ohne-uns-Bewegung«, die sich mit Demonstrationen und Plakataktionen gegen die Wiederaufrüstung wandte. Dieser Protest forderte im Mai 1952 das erste Todes-
opfer. Auf einer »Friedenskarawane der westdeutschen
Jugend« in Essen wurde der junge Eisenbahnarbeiter Philipp
Müller von der Polizei erschossen. Elf Teilnehmer an der

Friedenskarawane wurden später wegen »verfassungsverräterischer Absicht« zu Gefängnisstrafen verurteilt. Die für den tödlichen Zwischenfall verantwortlichen Polizisten beriefen sich auf Notwehr und ihren Schießbefehl und blieben straffrei.

Renate Riemeck sympathisierte mit den Gegnern der Regierungspolitik, sie sah aber die politischen Vorgänge auch noch mit anderen Augen. Sie war nicht nur eine Historikerin, die sich an Fakten hielt. Als Anhängerin von Rudolf Steiner und seiner Anthroposophie suchte sie hinter den »äußeren Geschehnissen« auch einen »Weltensinn«.[3] Dieser Sinn entfaltet sich nach Steiner in einer langen Entwicklung, die eine fortschreitende Vergeistigung zum Ziel hat. Nach Steiner leben wir seit dem 15. Jahrhundert in der »fünften nachatlantischen Epoche«. In diesem »Zeitalter der Bewusstseinsseele« erwartet er einen hohen Grad an Brüderlichkeit unter den Menschen. Um diese Utopie auch realpolitisch zu verwirklichen, hat Steiner schon Ende des Ersten Weltkriegs den Gedanken der Dreigliederung des sozialen Organismus entworfen. Grundidee dieses Konzeptes ist es, die geistigen Angelegenheiten, also Erziehung, Rechtsprechung und Religion, von den Aufgaben des Staates, der für Steiner nur für die Sicherheit seiner Bürger zu sorgen hat, und von den Entscheidungen der Wirtschaft zu trennen.[4]

Dieses Modell hat Steiner nur in Ansätzen und in kleinem Maßstab in die Praxis umsetzen können. Für Renate Riemeck blieb es aber ein alternatives politisches Programm, wenngleich sie wusste, dass man mit solchen Vorschlägen im Nachkriegsdeutschland keinen Staat machen konnte. Bei der Bundestagswahl 1953 wählte sie nicht die GVP, sondern die SPD, weil sie dieser Partei aufgrund ihrer Tradition mehr Chancen im Kampf gegen die Politik Adenauers einräumte. Die Wahl gewannen jedoch die Regierungsparteien und die GVP erreichte nur 1,2 Prozent. Das aufkeimende deutsche Wirtschaftswunder und das Schreckgespenst des Kommunismus hatten wohl viele Deutsche bewogen, ihre Stimme Adenauer zu geben.

Ulrike Meinhof eiferte in vieler Hinsicht ihrer Pflegemutter nach, die sie nicht »Mutter«, sondern Renate nannte. Wie diese lernte sie Geige spielen, sie mischte sich gern in Diskussionen ein, war selbstbewusst und eigenständig und sie legte wie Renate Riemeck wenig Wert auf ihr Äußeres. In der Schule fielen ihre »verkrumpelten Strümpfe« auf, und es störte sie nicht, die herrenmäßig geschnittenen Kostüme ihrer Pflegemutter aufzutragen.[5]

Trotz der vielen Ähnlichkeiten zeigten sich doch Unterschiede zwischen den beiden Frauen. Ulrike Meinhof war eigentlich unpolitisch[6], oder richtiger müsste man sagen, sie wollte oder konnte nicht in der Art politisch denken wie die Historikerin Renate Riemeck. Es lag ihr nicht, politische Vorgänge mit nüchternem Blick zu verfolgen und nach Ursachen und Zusammenhängen zu suchen. Ulrike ging es um die persönliche »Haltung«, darum, ihre Überzeugungen glaubhaft zu vertreten. Sie bezog alles auf sich und machte daraus Fragen nach dem richtigen und falschen Leben. Und das Interesse am Schicksal anderer ergab sich für sie ganz selbstverständlich aus der christlichen Einsicht, dass man in jedem Menschen Gott begegnet. Was ihr dem Geringsten nicht getan habt, das habt ihr mir nicht getan, heißt es in der Bibel. Wer hilft, Solidarität beweist, Beistand leistet, der zeigt also, wie der Glaube in der Welt wirksam wird.

Ulrike nahm diese Forderung sehr ernst, und sie war auch bereit, notfalls Nachteile in Kauf zu nehmen und auf Privilegien zu verzichten. Renate Riemeck war gegenüber dieser entschiedenen Einstellung sehr skeptisch, sie betrachtete sie als eine Schwäche. Später behauptete sie sogar, in den Jahren der Erziehung hätten Ulrikes »Nachgiebigkeit und Gutmütigkeit« ihr die »größte Sorge« gemacht. »Es gehörte zu meinem Bemühen«, so meinte sie, »ihr klar zu machen, dass man aus Mitleid nicht alles aufgeben kann, was man hat. Das ist eine heikle Sache, denn man möchte Kinder ja dazu bringen, dass sie helfen wollen.«[7]

Renate Riemeck versuchte Ulrike vom »Elfenbeinturm literarisch-wissenschaftlicher Interessen« herunterzuholen, sie sprach mit ihr über politische Ereignisse und gab ihr politische Romane zu lesen. Ulrike zeigte sich auch aufgeschlossen, aber es war mehr guter Wille als echtes Interesse, und sie kehrte doch wieder zu ihren Büchern zurück, zu Hölderlin, Marcel Proust, Thomas Mann, Franz Kafka, Hermann Hesse, Ernst Jünger, Jean-Paul Sartre, Romano Guardini, zu Büchern über Kunst und über das Urchristentum. Vielleicht fühlte sie sich auch »unberaten« wie Jochen Krull in dem Roman von Thomas Valentin, trotzdem sie eine »Mutter« hatte, die tolerant, aufgeklärt und klug war.

Die achtzehnjährige Ulrike Meinhof war keine Außenseiterin, aber es gab in Weilburg nur wenige Menschen, denen sie sich ganz anvertraute. Ihr bester Freund war Werner

Link, ein schmaler und sehr begabter Pfarrerssohn. Er ging in die gleiche Klasse, und Ulrike gründete mit ihm gemeinsam eine Schülerzeitung, der sie den Namen *Spektrum* gaben. Werner Link begleitete Ulrike oft nach Hause, die Mauerstraße hinunter, durch das alte Stadttor in der Senke und dann die ansteigende Straße hinauf zum Pädagogischen Institut. Im Seitenflügel des Gebäudes, wo die Dienstwohnungen waren, hatte Ulrike ein eigenes, großes Zimmer. Dort saßen sie dann, Ulrike rauchte ihre Pfeife und sie redeten über ihre Ideen und Pläne. Ulrike war für Werner Link eine ganz neue Erfahrung. Alle anderen Mädchen, die er kannte, redeten meistens über Mode, Ulrike dagegen über Kunst und Literatur. Sie wirkte auf ihn sehr intellektuell, aber gleichzeitig auch charmant und weiblich, jedenfalls viel reifer und erwachsener als andere gleichaltrige Mädchen. Stundenlang konnte sie mit ihm debattieren. Sie wurde dabei nie aggressiv, wollte sich aber auch nie auf Kompromisse einlassen.[8]

Ulrike redete gern über Bücher, besonders über die ihres Lieblingsautors Hermann Hesse. Sie war fasziniert von Knulp, dem Landstreicher aus der gleichnamigen Erzählung, der außerhalb der bürgerlichen Gesellschaft lebt, der genießt, was der Tag ihm bringt, und nur das macht, wovon er überzeugt ist. Ähnlich ist es mit Goldmund, der Hauptfigur von Hesses *Narziß und Goldmund*. Er verlässt Kloster und Schule und trennt sich von seinem scharfgeistigen, aber kaltherzigen Freund Narziß. Er führt ein ungebundenes Leben, geht bei einem Schreiner in die Lehre und entdeckt schließlich seine Begabung als Künstler. Dieser Goldmund erinnerte Ulrike Meinhof an ihren Vater, der ja auch die Schule abgebrochen, als Handwerker gearbeitet und sich mit Kunstwerken beschäftigt hatte.

Gerade das Beispiel ihres Vaters lässt Ulrike daran zweifeln, ob der Weg, der vor ihr liegt, wirklich der richtige ist. Warum ist das alles nötig, was man von ihr erwartet? Kann man nicht auch glücklich leben ohne Latein und Mathematik, ohne Abitur und Karriere? Ist es nicht wichtiger, »in der Wahrheit zu leben«, wie Franz Kafka sagte und wie es gerade Künstler versuchten? Ulrike bewunderte Künstler. Für die Schülerzeitung *Spektrum* schrieb sie einen Beitrag über den Maler August Macke, von dem ein Bild neben der Bibliothek in der Schule hing. Macke sei einer von den Malern gewesen, so schrieb sie, »die wahr sein wollten und ehrlich in ihrer Kunst«, er habe die »Wahrhaftigkeit und Klarheit von Farbe und Form« angestrebt.[9] Wahrhaftig sein und wahrhaftig leben, das verband Ulrike Meinhof in erster Linie mit einem Künstler.

Sie war auch sehr stolz darauf, mit einem Künstler befreundet zu sein, mit Thomas Lenk, mit dem sie schon als kleines Mädchen in Jena gespielt hatte und der immer seine Spielsachen vor ihr in Sicherheit bringen musste. Ulrike hatte den ein Jahr älteren Thomas Lenk in Stuttgart wiedergetroffen. Er war ein Draufgänger und Ausreißer wie Hesses Goldmund. Er hatte die Kunstakademie besucht und nach kurzer Zeit wieder verlassen, um eine Steinmetzlehre zu beginnen und sich ohne Schule und ohne Lehrer als Bildhauer auszubilden. Schon mit achtzehn Jahren schuf er seine ersten Plastiken, und später, in den 60er Jahren, wurde Lenk international berühmt mit seinen so genannten »Schichtungen«, Skulpturen mit scheinbar über- und hintereinander liegenden Flächen.

Als er Ulrike, der Freundin aus der Kinderzeit, wieder begegnete, war Thomas Lenk erst am Anfang seiner Karriere. Er besuchte sie in Weilburg und lernte auch Renate Riemeck kennen. Er war von dieser »burschikosen« und »sehr intelligenten« Frau begeistert. Renate Riemecks Begeisterung über Ulrikes Freund hielt sich in Grenzen, denn es blieb ihr nicht verborgen, dass Ulrikes Beziehung zu dem Künstler nicht so platonisch war wie zu dem Pfarrerssohn Werner Link.

Renate Riemeck musste nun damit umgehen, eine fast erwachsene »Tochter« zu haben, die trotz ihres nachlässigen Aussehens auf Männer offenbar attraktiv und charmant wirkte. Sie selbst hatte in diesem Alter ihre eigenen Interessen immer in den Vordergrund gestellt und auf Männergeschichten gerne verzichtet. Und als sie mit achtundzwanzig Jahren die Meinhof-Kinder zu sich nahm, war klar, dass sie wohl nie eine eigene Familie gründen würde. Der Gedanke fiel ihr nicht schwer, denn ihr Beruf und ihre Reisen, kurz, ihre Eigenständigkeit, waren ihr immer wichtiger.

Auch von Ulrike erwartete Renate Riemeck, sich nicht wegen einer Liebesaffäre die eigene Zukunft zu verbauen. Sie machte ihr klar, dass die Welt nicht untergehen würde, wenn sie schwanger wäre. Das müsste man eben hinnehmen. Aber das dürfte nie ein Grund sein für eine unbedachte Heirat. Notfalls würden sie ein Kind auch ohne Mann erziehen. Das war Renate Riemecks Einstellung.[10]

So weit sollte es aber möglichst nicht kommen. Ulrike

stand kurz vor dem Abitur. Sie wollte sich für ein Stipendium bewerben, beim Evangelischen Studienwerk und darüber hinaus bei der Studienstiftung des Deutschen Volkes, und um Erfolg zu haben, musste sie gute Noten vorweisen. Durch den Schulwechsel hatte sie vor allem in Latein und Mathematik große Lücken und hinkte der Klasse in diesen Fächern immer etwas hinterher. Auf die Abiturprüfungen musste sie mehr lernen als die anderen.

Renate Riemeck fürchtete, dass ihre Leistungen unter dieser Freundschaft leiden würden. Als Ulrike und Thomas Lenk eine Wanderfahrt nach Niedermendig planten, wo Lenk wohnte, schritt Renate Riemeck ein. Sie verbot Ulrike diese Reise. Klaus Rainer Röhl, der spätere Mann von Ulrike Meinhof, schildert in seinen Büchern den Fall sogar so, dass Renate Riemeck Ulrike vor die Wahl stellte: entweder er oder ich.[11] So dramatisch war es nach Thomas Lenks eigener Erinnerung zwar nicht. Auf alle Fälle aber erwies sich Renate Riemecks Einfluss auf Ulrike als stärker als ihre ungehörige Liebe zu dem jungen Künstler. Thomas Lenk zog sich zurück, und Ulrike blieb nichts anderes übrig, als sich wieder ganz auf die Schule zu konzentrieren. Mit dem Traum von einem Goldmundleben war es nichts geworden. Das Ganze hinterließ bei Ulrike jedoch viele enttäuschte und verletzte Gefühle.

Die schriftlichen Abiturprüfungen am Gymnasium Philippinum fanden vom 24. bis zum 28. Januar 1955 statt. Für Ulrike lief es, wie befürchtet, in Latein und Mathematik nicht so gut. Bei den mündlichen Prüfungen Anfang März saß sie dann auf dem Gang vor dem Prüfungssaal »wie ein scheuer dunkler Vogel«, so erinnert sich ihre Lateinlehrerin, und die Angst sah ihr aus den braunen Augen. Sie konnte ihre schriftlichen Noten verbessern und schaffte in Mathematik eine Drei und in Latein eine Vier. Dafür hatte sie in Religion, Deutsch, Geschichte und Englisch eine Eins.[12] In Deutsch hatte sie sich nicht für die politischen Themen, sondern für eine Gedichtinterpretation entschieden.

Am 19. März fand in der Aula des Gymnasiums die Abiturfeier statt. Die einundzwanzig jungen Frauen und Männer des Abiturjahrgangs waren alle in schwarzen Kleidern und Anzügen erschienen. Der Direktor Dr. Heinrich Schwing überreichte die Reifezeugnisse, dann folgten Ansprachen des Klassenleiters, des Klassensprechers und des Schulsprechers. Der Schulchor und das Orchester führten Haydns *Die Himmel erzählen die Ehre Gottes* auf.

Nach der Abiturfeier zerstreute sich der Abiturjahrgang 1955 in alle Winde. Ulrike Meinhof und Werner Link fuhren auf Links Motorrad nach Marburg, um sich dort Zimmer zu suchen. Sie wollten beide an der Marburger Universität studieren. Link hatte sich für Germanistik und politische Wissenschaft entschieden, Ulrike Meinhof für Psychologie und Pädagogik. Ihre Entscheidung hatte sie in einem handschriftlichen Lebenslauf mit dem Vorbild ihrer Pflegemutter und mit ihren Erfahrungen an der Liebfrauenschule und der Waldorfschule begründet. Sie habe den Wunsch, »in die tieferen Probleme der Menschenbildung einzudringen«, schrieb sie. In einer Beurteilung des Weilburger Gymnasiums hieß es: »Ihre geistigen Fähigkeiten berechtigen zu Hoffnungen.«[13]

In Marburg fanden sie zwei Studentenbuden in einem Haus etwas außerhalb der Stadt. Viel Geld konnten sie für die Miete nicht ausgeben, obwohl beide, sowohl Ulrike Meinhof als auch Werner Link, ein Stipendium des Evangelischen Studienwerks bekommen sollten. Werner Link nahm dann das Stipendium aber nicht an, weil er glaubte, die damit verbundenen kirchlichen Verpflichtungen nicht erfüllen zu können.

Ulrike Meinhof verband nach ihrem Weggang nicht mehr viel mit Weilburg. Vor allem, weil auch Renate Riemeck sich entschlossen hatte, die hessische Kleinstadt zu verlassen. Es war ihr angeboten worden, an die Hochschule in Wuppertal zu wechseln, und sie hatte dieses Angebot angenommen.

Ulrike Meinhof trat der »Wilinaburgia«, dem Verein der ehemaligen Schülerinnen und Schüler des Weilburger Gymnasiums, bei. Im Sommer teilte sie dem Verein mit einer Postkarte ihre neue Anschrift mit, Westfalenweg 4 in Wuppertal-Elberfeld, das war Renate Riemecks neuer Wohnort. Und drei Jahre später erhielt die »Wilinaburgia« wieder eine Karte, auf der sie ihre Verlobung mit einem Studenten bekannt gab. In der Zwischenzeit war einiges passiert, und Ulrike war auf dem Weg, von einem unberatenen Schöngeist zu einer politischen Aktivistin zu werden.

V. Liebe, Atom und Politik

» Wir wollen uns nicht noch einmal wegen
Verbrechen gegen die Menschlichkeit vor Gott
und den Menschen schuldig bekennen müssen.«

Zehn Jahre nach dem Ende des Zweiten Weltkrieges gab es
an der Philipps-Universität in Marburg bereits wieder 5000
Studentinnen und Studenten. Die weitaus meisten davon
waren Söhne und Töchter von Beamten und Angestellten,
nur wenige Prozent stammten aus Arbeiterfamilien. Jeder
Zweite war darauf angewiesen, neben dem Studium nach
Jobs zu suchen, um finanziell über die Runden zu kommen,
ein Teil davon als so genannte Werkstudenten. Ein Stipendium zu erhalten wie Ulrike Meinhof war also ein großes
Privileg.

Wie die meisten Deutschen wollten auch die Studierenden
von Politik nicht viel wissen. Politik galt als »schmutziges
Geschäft« und man zog sich davon lieber zurück in die Be-
reiche der reinen Wissenschaft. Das geistige Klima war kon-
servativ, und für die spätere Karriere galt es immer noch als
das Beste, in eine der Studentenverbindungen einzutreten,
die seit 1949 wieder zugelassen waren. Erst allmählich gewannen an den Universitäten die Nachwuchsriegen der großen Parteien an Einfluss, in erster Linie der Ring Christlich
Demokratischer Studenten (RCDS) und der Sozialistische
Deutsche Studentenbund (SDS).[1]

Die Auseinandersetzung um die Aufrüstung und die Wiedervereinigung hatte auch die Studierenden in Marburg aus

der politischen Lethargie gerissen, jedenfalls kurzzeitig. Die Säle waren voll, als Vorträge über den Marxismus und die Ideologie des Warschauer Pakts angeboten wurden. Aber nachdem der Beitritt zur NATO und der Aufbau einer Bundeswehr beschlossene Sache waren, erlahmte das Interesse an diesen Fragen wieder und die Studenten wandten sich näher liegenden Problemen zu und protestierten etwa gegen die hygienischen Verhältnisse in der Mensa.

Die Zustände in der Mensa in der Reitgasse waren wirklich schwer erträglich. Ständig herrschte in dem holzgetäfelten Saal der ehemaligen Stadtmission drangvolle Enge, weil dort nur 300 Leute Platz fanden. Ulrike Meinhof hatte ihre erste Wohnung bald aufgegeben und eingetauscht gegen eine kleine Dachgeschosswohnung im Steinweg 4, nicht weit von der Reitgasse.[2] Sie ging oft in die Mensa und scheute sich auch nicht, vor dem Essen mit gefalteten Händen ein Gebet zu sprechen.

Mit Werner Link war sie immer noch befreundet, aber nicht nur durch Ulrikes Umzug in Marburg hatten sie sich voneinander entfernt. Link konnte nicht verstehen, warum Ulrike nicht auch Politik studieren wollte und stattdessen als Hauptfächer Psychologie und Pädagogik gewählt hatte. Ihre Wege in Marburg kreuzten sich dennoch, weil das Pädagogische und das Politische Institut im gleichen Gebäudekomplex in der Gutenbergstraße untergebracht waren. Das Institut für wissenschaftliche Politik befand sich im ersten Stock des Gebäudes und wurde von Professor Wolfgang Abendroth geleitet. Abendroth war als überzeugter Kommunist von den Nazis ins Zuchthaus gesperrt und dann in eine Strafdivision nach Griechenland eingezogen worden. Der »linke« Professor war in Marburg umstritten und wurde später ein wichtiger Theoretiker der 68er Bewegung.

Während man also im ersten Stock des Hauses Gutenbergstraße 18 über politische Denker und den Widerstand im Dritten Reich redete, ging es im Erdgeschoss, im Pädagogischen Institut, um die grundsätzlichere Frage, ob und wie man den Menschen erziehen kann. Ulrike Meinhof beschäftigte sich mit den Ideen eines Rousseau oder Pestalozzi und belegte Seminare über christliche Pädagogik oder das »Problem der moralischen Erziehung«.

Den pädagogischen Lehrstuhl hatte Elisabeth Blochmann inne. Sie war 1934 vor den Nazis nach England geflüchtet und hatte in Oxford gelehrt. Unter den Marburger Professoren war die eigentlich schon pensionierte Blochmann die zweite Frau überhaupt und stand in gutem Kontakt zu Renate Riemeck. Deren Pflegetochter nahm sich Blochmann nun besonders an. Und einem Empfehlungsschreiben der Professorin hatte es Ulrike letztlich zu verdanken, dass sie das begehrte Stipendium der Deutschen Studienstiftung bekam und nun 50 Mark mehr im Monat in der Tasche hatte. Aus der kirchlichen Förderung fiel sie damit natürlich heraus. Dennoch suchte sie weiter Kontakt zu kirchlichen Kreisen.

In Oldenburg hatte Ulrike Meinhof schon die Gemeinde des Bischofs Wilhelm Stählin kennen gelernt. Dieser Bischof Stählin hatte zusammen mit anderen Theologen in den 20er Jahren den »Berneucher Kreis« gegründet, so benannt nach einem Gutshof bei Berneuch in der Neumark, wo man sich regelmäßig getroffen hatte. Anliegen des Kreises war, die Kirche wieder für die Jugend attraktiv zu machen, über neue Formen der Liturgie nachzudenken und die Diskussion mit der katholischen Kirche zu suchen. Als Ulrike Meinhof in Marburg studierte, war ein Mitbegründer dieses Kreises, Karl Bernhard Ritter, Pfarrer an der Universitätskirche. Ulrike Meinhof nahm an Veranstaltungen des Kirchenrates Ritter teil, und wahrscheinlich war es bei einer dieser Gelegenheiten, dass sie den Studenten Lothar Wallek kennen lernte.

Lothar Wallek war katholisch und studierte Physik, mit Schwerpunkt Atomphysik. Ulrike verliebte sich in den großen, schweren jungen Mann mit den dunklen, lockigen Haaren, der manchmal etwas tollpatschig wirkte. Wallek war ein zurückhaltender, stiller Mensch, der es liebte, in seiner oder in Ulrikes Studentenbude ein gutes Essen zu bereiten und eine Flasche Wein dazu zu trinken. In seinem Fach, der Atomphysik, schrieb er an einer Doktorarbeit, die so speziell war, dass sie nur von wenigen Fachleuten beurteilt werden konnte.

Auch Ulrike war ganz auf ihr Studium konzentriert. Ihre Lehrerin, Elisabeth Blochmann, machte ihr schon nach den ersten Semestern das Angebot, bei ihr eine Doktorarbeit zu schreiben. Das war eine Auszeichnung und Ulrike sagte natürlich zu. Ihre Zukunft schien schon ziemlich festgelegt. Sie würde den Doktor machen und dann Lehrerin werden wie ihre Mutter oder vielleicht sogar Professorin wie Renate Riemeck. Und sie würde Lothar Wallek heiraten. Die beiden wohnten inzwischen auch zusammen. Sie hatten sich verlobt und trugen Verlobungsringe. Sie sprachen auch schon über

Heirat und darüber, in welchem Glauben sie ihre Kinder erziehen würden, ob katholisch oder evangelisch. Das war für beide eine wichtige Frage.

Anfang 1957 drängten sich aber andere Probleme in den Vordergrund und das beschauliche Studentenleben des jungen Paares wurde mit der großen Politik konfrontiert. Bundeskanzler Adenauer und sein neuer Verteidigungsminister Franz Josef Strauß sprachen sich dafür aus, die neu formierte Bundeswehr mit Atomwaffen auszurüsten. Für Strauß war das ein notwendiger Schritt, um die Bundesrepublik zu einem gleichberechtigten, das heißt gleich hoch gerüsteten Partner im westlichen Bündnis zu machen. Und Adenauer versuchte die Gefahren herunterzuspielen, indem er erklärte, die taktischen Atomwaffen seien nur eine »Weiterentwicklung der Artillerie«.

Das sahen freilich viele anders und es bildete sich ein breiter Widerstand gegen die Pläne der Regierung. Den Argumenten des Kanzlers und seines Verteidigungsministers hielt man entgegen, dass man mit der Atombombe als Abschreckungsmittel einen globalen Selbstmord riskiere, mit der atomaren Aufrüstung die Spannung zwischen Ost und West vertiefe und schließlich die deutsche Wiedervereinigung noch unmöglicher mache. Unerwartete Unterstützung erhielten die Regierungskritiker im April 1957. Achtzehn führende Atomwissenschaftler, darunter Max Born, Otto Hahn, Werner Heisenberg und Carl Friedrich von Weizsäcker, sprachen sich in der so genannten »Göttinger Erklärung« gegen die Herstellung und Verwendung von Atomwaffen aus. »Wir halten diese Art, den Frieden und die

Freiheit zu sichern, auf Dauer für unzuverlässig«, heißt es in der Erklärung. »Und wir halten die Gefahr im Falle ihres Versagens für tödlich.«[3]

Ulrike Meinhofs Verlobten Lothar Wallek betrafen diese Fragen durch sein Studium ganz unmittelbar. Und er teilte auch die Auffassung der prominenten Wissenschaftler. Wie diese war er für die friedliche Nutzung der Kernenergie, aber gegen ihren militärischen Einsatz. Ulrike Meinhofs Einstellung in dieser Frage war viel grundsätzlicher. Mehr noch als die Erklärung der Wissenschaftler beeindruckte sie die Rundfunkansprache des Urwalddoktors und Friedensnobelpreisträgers Albert Schweitzer, die am 23. April 1957 weltweit übertragen wurde. Schweitzer beschrieb eindringlich die Gefahren radioaktiver Strahlung und forderte den Verzicht auf Atomwaffen aus »Ehrfurcht vor dem Leben«. Diese Ehrfurcht vor dem Leben und vor der Freiheit eines Menschen war für Ulrike Meinhof ausschlaggebend. Kein Mensch habe das Recht, mit Gewalt einem anderen Menschen seine Ansichten aufzuzwingen oder die eigenen Überzeugungen mit Gewalt zu verteidigen. Und schon gar nicht lässt sie die oft gehörte Begründung gelten, man müsse das christliche Abendland, notfalls mit Atomwaffen, gegen den bolschewistischen Osten verteidigen. Ein Jahr später schrieb sie in einem Artikel: »Wir glauben, dass der Mensch in *jeder* Situation, unter *jedem* System, in *jedem* Staat die Aufgabe hat, Mensch zu sein und seinem Mitmenschen zur Verwirklichung seines Menschseins zu helfen.«[4]

Ulrike Meinhof beschloss, nach dem Sommersemester 1957 Marburg zu verlassen und an die Universität Münster zu wechseln. Welche Gründe sie für diesen Entschluss hatte, lässt sich nicht genau sagen. Vielleicht war sie in ihrem Verhältnis zu Lothar Wallek unsicher geworden und wollte Abstand gewinnen. Vielleicht wollte sie einfach nur nicht ihre ganze Studienzeit an einem Ort verbringen und eine andere Universität kennen lernen. Münster war auch näher an Wuppertal, wo Renate Riemeck nun lebte und lehrte. Ulrike besuchte sie, so oft sie konnte, und sie führten dann immer lange Streitgespräche.

Renate Riemeck fühlte sich in ihrer neuen Umgebung wohl und hatte sich aus gesundheitlichen Gründen einen Hund angeschafft, einen Scotchterrier, dem sie den Namen »Jussuff« gegeben hatte. In einem Land, in dem die meisten Hunde »Rex« oder »Hasso« hießen, hatte sie ihre eigene Freude daran, auf Spaziergängen laut nach ihrem »Jussuff« zu rufen. Renate Riemeck beschäftigte sich eingehend mit den Schriften von Karl Marx, und sie fand es unerträglich, wie man in Deutschland politische Gegner mit dem Wort »kommunistisch« zu Staatsfeinden stempelte. Meinungen, die nicht auf der Linie der Regierungsparteien lagen, galten schnell als »links« oder »kommunistisch«. Und jeder Kritiker der Regierungspolitik musste damit rechnen, als »Handlanger Ulbrichts« oder als Teil von »Moskaus fünfter Kolonne« diffamiert zu werden. Und wie zu erwarten, hatte auch der Verteidigungsminister Strauß den Göttinger Appell als »Dienstleistung für den Kommunismus«[5] bezeichnet.

Von den Wahlplakaten der CDU zur Bundestagswahl im Herbst 1957 blickte Konrad Adenauer mit durchdringendem Blick, und darunter stand: »Keine Experimente!«, was heißen sollte: keine Annäherung an den Osten, weiter mit einer Politik der militärischen und wirtschaftlichen Stärke. Es gehe darum, so hatte Adenauer gesagt, ob Europa christlich bleibe oder heidnisch werde.[6]

In Westdeutschland gab es aber auch Leute, die diese Einteilung in gut und böse, christlich und gottlos kommunistisch nicht nachvollziehen mochten. Und die hatten einen schweren Stand. Besonders empörend fand es Renate Riemeck, mit wie viel Schmähungen und Beschimpfungen der inzwischen zum Kirchenpräsidenten von Hessen-Nassau gewählte Pfarrer Martin Niemöller überhäuft wurde. Niemöller hatte Anfang 1952 eine Reise nach Moskau unternommen und den Patriarchen Alexius besucht. Als er aus Russland zurückkam, hing nahe seiner Wiesbadener Wohnung ein großes Transparent über der Straße, auf dem stand: »Zurück nach Moskau, towaritsch Niemöller! dawaj, dawaj, dawaj!« Mit dem russischen Ausdruck »dawaj«, also »vorwärts«, hatten die sowjetischen Wachen deutsche Kriegsgefangene angetrieben. In den Zeitungen überschlug man sich mit Kritik an Niemöller. Man forderte seine Ausweisung und nannte ihn eine »Puppe an den Drähten des Kommunismus«.[7]

Niemöller ließ sich von solchen Angriffen nicht einschüchtern. Als die Pläne zur atomaren Aufrüstung bekannt wurden, unterstützte er den Göttinger Appell und erklärte, dass der Glaube an Jesus Christus unvereinbar sei mit der Zustimmung zu einer atomaren Bewaffnung. Bei den christlichen Regierungsparteien rief diese Behauptung natürlich einen Sturm der Empörung hervor, und dieser Sturm steigerte sich noch, als Niemöller sich öffentlich für die Anerkennung der Oder-Neiße-Linie als Westgrenze Polens einsetzte. Nun beschimpften ihn auch die Vertriebenenverbände als Landesverräter.

Renate Riemeck hatte bisher die politische Entwicklung und die Diskussionen um Niemöller nur aus der Ferne beobachtet. Doch nun fand sie es an der Zeit, einzugreifen und Stellung zu beziehen. Schließlich war sie als gebürtige Breslauerin selber eine Heimatvertriebene und konnte ein Wörtchen mitreden. Um Niemöller zu unterstützen, schrieb sie einen Artikel über die Oder-Neiße-Linie für die Zeitschrift *Stimme der Gemeinde*. Der Artikel sorgte für Aufsehen, und es meldeten sich jetzt andere Zeitungen, die ihre politische Meinung drucken wollten. Renate Riemeck wurde immer gefragter, und im Februar 1958 verfasste sie sogar einen Appell an die Gewerkschaften gegen die atomare Aufrüstung der Bundeswehr, dem sich vierundvierzig bekannte Professoren anschlossen. Der Appell fand ein unerwartet starkes Echo und Renate Riemeck war in kurzer Zeit zu einer Wortführerin der Atomwaffengegner geworden. Sie redete auf Veranstaltungen vor tausenden von Arbeitern und Gewerkschaftlern und erhielt unterstützende Briefe von den Nobelpreisträgern Albert Schweitzer, Hermann Hesse und Bertrand Russell.[8]

Doch alle Appelle, Aufrufe, Artikel und Demonstrationen schienen nichts zu nützen. Westdeutschland blieb politisch auf dem alten Kurs. Bei den Bundestagswahlen im September 1957 hatte die CDU/CSU die absolute Mehrheit erreicht und am 25. März 1958 beschloss der Bundestag die atomare

Aufrüstung der Bundeswehr. Renate Riemeck hatte nach der Wahl einen Aufsehen erregenden Beitrag in der neu gegründeten Zeitschrift *Blätter für deutsche und internationale Politik* geschrieben. Darin warf sie den Regierungsparteien vor, einen verdummenden Wahlkampf geführt zu haben und die Wähler mit Versprechungen von Wohlstand und Sicherheit politisch unmündig zu halten, während die Bundesrepublik sich langsam zu einem »autoritären Rechtsstaat« entwickle. In der Januar-Ausgabe derselben Zeitschrift rief sie dazu auf, endlich etwas gegen Adenauers Politik zu unternehmen. »Worauf warten wir noch?«, schrieb sie. »Es geht um Kopf und Kragen. Es geht um den letzten Versuch, den Wortführern des todbringenden Wettrüstens in den Arm zu fallen und eine Wende in der Weltpolitik herbeizuführen.«[9]

Zu Ulrike hielt Renate Riemeck in dieser Zeit engen Kontakt. Beide verstanden sich gut und der rasante Einstieg ihrer Pflegemutter in die Politik blieb sicher nicht ohne Eindruck auf Ulrike. Auch sie selbst wollte endlich etwas tun, aber ihr Misstrauen gegen politische Machtkämpfe konnte sie nicht ablegen. »Lass dich nicht von den Politikern auffressen!«, hatte sie bei einem Besuch in Wuppertal Renate Riemeck gewarnt.[10] Das war nicht als Absage an jede Politik gemeint, sondern entsprang der festen Überzeugung, dass bei jedem Engagement das persönliche Gewissen und die persönliche Verantwortung die Grundlage sein und bleiben müssen. Und dieses Gewissen war bei Ulrike durch die Atomdebatte geweckt.

Wie Renate Riemeck sah sie Deutschland auf dem Weg in eine neuerliche Katastrophe, nach der Katastrophe des Dritten Reichs. Und es war vor allem ein Gedanke, der ihr nun keine Ruhe mehr ließ: Jene Menschen, die damals Hitler gefolgt waren, mussten sich später die Frage gefallen lassen, was sie gegen diese Entwicklung getan hatten. Und ebenso würde man ihre Generation einmal fragen, was sie gegen die drohende atomare Vernichtung getan habe. Ulrike Meinhof wollte sich nicht vorwerfen müssen, tatenlos zugesehen zu haben. »Wir wollen uns nicht noch einmal«, so schrieb sie später in einem Flugblatt, »wegen ›Verbrechen gegen die Menschlichkeit‹ vor Gott und den Menschen schuldig bekennen müssen.«[11]

Es war Ende des Wintersemesters, als Ulrike Meinhof in eine Sitzung des SDS in Münster kam und die versammelten Mitglieder aufforderte, einen Arbeitskreis gegen Atomwaffen zu gründen. Über das Auftreten dieser eigentlich hübschen, aber unscheinbaren Studentin mit der »Geschwister-Scholl-Frisur« war man einigermaßen überrascht. Sie trug ein einfaches Baumwollkleid und um den Hals eine Kette mit runden und quadratischen Tonstücken. Einige empfanden sie als sehr ernst, bieder und humorlos, andere als typisch »evangelisch« und »bildungsbürgerlich«. Aber alle beeindruckte, dass man von ihr nicht die üblichen unverbindlichen intellektuellen Reden hörte, sondern alles, was sie sagte, war sehr einfach, klar und wirkte absolut ehrlich.

Der »Arbeitskreis für ein atomwaffenfreies Deutschland« kam tatsächlich zustande. Sprecherin wurde Ulrike Meinhof. Für das Sommersemester plante man gleich eine große Aktion, eine Kundgebung. Das war für Münster eine kleine Sensation. Größere Proteste gegen die Regierung hatte es

bisher nicht gegeben. In der Studentenvertretung hatte· der
RCDS das Sagen, und aus diesen Kreisen kam auch gleich
der Vorwurf, die geplante Kundgebung sei nicht demokratisch, weil die Meinung der deutschen Bevölkerung zur atomaren Rüstung ja durch das demokratisch gewählte Parlament vertreten werde. Ulrike Meinhof antwortete darauf
in einem Flugblatt: »Was aber ist, wenn das Parlament in einer lebenswichtigen Frage nicht mehr die Meinung des Volkes repräsentiert? Da gibt es nur zwei Antworten: Entweder
wir schweigen, wir geben zu, dass wir nicht mehr demokratisch regiert werden. Oder aber wir sprechen und treten für
das, was an Verantwortung auf uns liegt, ein.«[12]

Ulrike Meinhof hatte sich für das Sprechen und Handeln
entschieden. Die geplante Kundgebung fand am 20. Mai
1958 auf dem Hindenburgplatz in Münster statt. Mit den
lauten und turbulenten Demonstrationen in den 60er Jahren
hatte diese Kundgebung noch nichts gemein. Es ging alles
sehr gesittet und ordentlich zu. Nach drei männlichen Vor-
rednern trat das »Fräulein stud. phil. Ulrike Meinhof« an
das Rednerpult auf der provisorischen Holzbühne. Sie trug
eine weiße Bluse. Links und rechts von ihr standen zwei Studenten in Anzug und Krawatte, die ein an Stangen befes-
tigtes Transparent über dem Kopf der Rednerin spannten.
Darauf stand: »Für ein kernwaffenfreies Deutschland«. Unterhalb des Rednerpultes waren Tafeln an die Bühne gelehnt, auf denen mit großen Pinselstrichen auf die erhöhte
Radioaktivität und auf den hohen Prozentsatz von Miss-
geburten in Hiroshima, wo die Amerikaner die erste Atombombe abgeworfen hatten, hingewiesen wurde.

Die Rede der stud. phil. Ulrike Meinhof war emotional. Schon vorher konnte man in einem von ihr entworfenen Flugblatt lesen: »Wir wollen nicht, dass ›hunderte von Millionen‹ Menschen ermordet werden, wir wollen nicht, dass unsere Kinder als Idioten geboren werden, blind, mit durchlöcherten Knochen, bauchlos und ohne Beine, ohne Gehirn und was des Entsetzlichen noch mehr ist.«

Über 1000 Menschen hörten der jungen Studentin zu und beteiligten sich am anschließenden Schweigemarsch durch die Stadt. Die Aktion war ein Erfolg und Ulrike Meinhof wollte die einmal geweckte Aufmerksamkeit auch weiter wach halten. Zusammen mit den Studenten Peter Meier und Jürgen Seifert gab sie die Zeitschrift *argument* heraus und Ende des Semesters veranstaltete der »Arbeitskreis« auf ihre Initiative hin eine Mahnwache am Dom.

Nach Marburg kam Ulrike Meinhof nur noch selten. Lothar Wallek, mit dem sie immer noch verlobt war, beklagte sich oft, dass sie so wenig Zeit für ihn habe, aber bei den wenigen Treffen merkte er auch, dass Ulrike eine andere geworden war. Er passte so gar nicht mehr zu dem neuen Freundeskreis, in dem Ulrike nun verkehrte. Außerdem war ihm der Eifer, mit dem sie sich in ihre politische Arbeit stürzte, nicht geheuer, ebenso wie die emotionale Radikalität, mit der sie gegen die Atomwaffen zu Felde zog. Der räumlichen Trennung entsprach immer mehr die innerliche Entfremdung. Ulrike Meinhof trug ihren Ring nicht mehr. Aus der Verlobung wurde keine Ehe.

Als Sprecherin des Münsteraner Arbeitskreises wurde Ulrike Meinhof zu den Treffen ähnlicher Kreise an anderen

Universitäten geschickt. In Frankfurt fiel sie dem Vertreter des Berliner Anti-Atom-Ausschusses, Reinhard Opitz, auf. Opitz, der auch aus einer kirchlichen Familie stammte, aber nun vor dem Essen lieber »Komm, Herr Lenin, sei unser Gast!« betete, nannte die Studentin aus Marburg spöttisch ein »typisches evangelisches Blockflötenmädchen«, weil sie so aufrichtig war und alles, was sie sagte, so betulich wirkte. Was er sich aber erst allmählich eingestand, war, dass ihm ihre nachdenkliche Art und ihre festen Grundsätze doch ziemlich imponierten.

Opitz war auch Mitarbeiter der linken Zeitschrift *konkret*, die ein Jahr vorher noch *Studentenkurier* geheißen hatte, mittlerweile auf eine Auflage von 20 000 Exemplaren gestiegen war und Regionalausgaben in Berlin, München, Frankfurt, Köln und Hamburg hatte. Der Chefredakteur von *konkret*, Klaus Rainer Röhl, hatte den Ehrgeiz, seine Zeitschrift zum Sprachrohr der Anti-Atom-Bewegung zu machen, und er war unermüdlich damit beschäftigt, Leute für seine politische Linie, die kommunistisch ausgerichtet war, zu gewinnen. Reinhard Opitz hatte ihm von dieser christlichen Pazifistin aus Marburg erzählt, und Röhl konnte sich bald selbst ein Bild von dieser Ulrike Meinhof machen. Im Juni 1958 nahm er an einer Pressekonferenz der Atomwaffengegner in Bonn teil und Ulrike Meinhof war auch unter den Delegierten.

Klaus Rainer Röhl galt als »extremer Linker«, aber auch als Lebemann, der immer schick gekleidet war und, obwohl verheiratet, dauernd Affären mit Frauen hatte. Er stand im Ruf, nichts richtig ernst zu nehmen und im Notfall für ein

gutes Essen und ein erotisches Abenteuer auch die Revolution zu verraten. Es gehörte zu seiner »Ironie dritten Grades«,
dass er das auch freimütig zugab. Ein kurzer Genuss war
ihm manchmal wirklich lieber als ewige Wahrheiten, selbst
wenn es linke waren.

Wie zu erwarten, konnte Röhl mit Ulrike Meinhof gar
nichts anfangen. Noch schlimmer – es war für ihn »Abneigung auf den ersten Blick«. Als er ihr ernstes Gesicht sah,
musste er sofort an die Heilsarmee denken. In seinen Erinnerungen schrieb er: »Für mich war sie der Typ: vollkommen
uninteressant. Der Typ, den ich auf den Tod nicht ausstehen
konnte. Gradlinig, mit tiefem, ernstem Blick, das Gegenteil
von oberflächlich, voll intellektueller Redlichkeit.«

Die Abneigung war gegenseitig. Laut Röhl fand ihn Ulrike Meinhof arrogant, völlig unglaubwürdig und undurch-
sichtig. Ihr kurzer Kommentar war: »ein grauenhafter Typ«,
»ein Brechmittel«.[13]

Trotz Röhls persönlicher Antipathie behielt man Ulrike
Meinhof bei *konkret* weiter im Auge. Reinhard Opitz sollte
mit ihr Kontakt halten, er galt als besonders geschickt, wenn
es darum ging, Friedensfreunde mit christlicher Herkunft
zum Sozialismus zu bekehren. Das Problem war nur: Opitz
hatte sich in Ulrike verliebt. Und weil er in Liebesdingen
sehr schüchtern war, bat er den verheirateten Klaus Rainer
Röhl, ihm bei Ulrikes Bekehrung zu helfen und ihn gleichzeitig in ein günstiges Licht bei ihr zu stellen.

Die beiden verabredeten sich mit Ulrike Meinhof in einem
Ausflugslokal auf einem bewaldeten Hügel bei Marburg. Es
war ein warmer Juniabend, sie saßen im Freien, tranken

badischen Wein, und von irgendwoher hörte man den amerikanischen Schlager *Tamy*, gesungen von Doris Day. Die laue Sommernacht beflügelte Röhl, und er redete wie ein Wasserfall auf Ulrike ein: über den Fortschritt der Menschheit und die Segnungen des Sozialismus, er zitierte Brecht und Tucholsky und beschwor das moralische Gesetz in jedem und die Liebe zu den Schwachen, die zur revolutionären Gewalt aufrufe. Er vergaß dabei nicht, immer wieder die Verdienste seines Freundes Reinhard Opitz einzuflechten, dessen menschliche Qualitäten er in den höchsten Tönen lobte.

Seine Rede war natürlich schon erprobt, und er wusste auch genau, wo er bei der gläubigen Ulrike Meinhof ansetzen musste. In seinem Buch *Fünf Finger sind keine Faust* schreibt er: »Ich schilderte ihr den Sozialismus als einzige Möglichkeit, alles zu verwirklichen, was die wirklichen Christen (ich kannte schon meine Partnerin) wirklich gewollt hatten. Was die größten Denker der Antike gewollt hatten: die größten Träume der Menschheit. Vor allem der gewaltige Traum – Gerechtigkeit, er würde nun durch den Kommunismus verwirklicht werden. Und die Verständigung und die Güte, das Gegenteil von Hass.«[14]

Als man spätabends wieder auseinander ging, hatte sich Ulrike Meinhof nicht in Reinhard Opitz, sondern in Klaus Rainer Röhl verliebt. Und sie war zu einer Kommunistin geworden. So jedenfalls behauptete es Röhl. Und wenn man die Ereignisse der folgenden Wochen, Monate und Jahre betrachtet, dann gibt es eigentlich keinen Grund, daran zu zweifeln.

VI. Rikibaby

»Ihr seid etwas, das ich nie verstehen werde.«

Am 17. August 1956 war die Kommunistische Partei Deutschlands (KPD) vom Bundesverfassungsgericht verboten worden. Dem Urteil folgte eine Welle von Prozessen gegen KPD-Mitglieder. Die führenden Köpfe hatten sich schon vorher in die DDR abgesetzt und lenkten nun von dort aus die illegale Parteiarbeit. Aus Protest gegen das Verbot war Klaus Rainer Röhl in die KPD eingetreten, was nunmehr natürlich strafbar war und geheim gehalten werden musste.

Röhl war nun Parteimitglied. Dass er auch Kommunist war, das lässt sich allerdings nicht so ohne weiteres sagen. Ebenso wie seine linken Freunde hat er sich nie mit dem Marxismus als Theorie beschäftigt. Die einzigen ihm bekannten Leute, die wirklich die Schriften von Marx, Engels und Lenin studierten, waren Mitglieder der antikommunistischen Studentengruppen, die sich auf die Auseinandersetzungen mit dem politischen Gegner vorbereiten wollten. Doch auf geschulte Kommunisten trafen sie so gut wie nie.

Die meisten, die sich als »links« verstanden, interessierten sich auch weniger für die ökonomischen Analysen von Karl Marx, sondern für dessen utopische Versprechungen. Marxismus, das war das Gegenbild zu allem, was »Faschismus« bedeutete, zu den Verbrechen der Väter und Großväter und zu den Zwängen und Ungerechtigkeiten der jetzigen Gesellschaft, die man am eigenen Leib erleben konnte. Marxismus war die Hoffnung auf eine Gesellschaft, in der nicht mehr das Recht des Stärkeren und die Macht des Kapitals regiert, die frei ist von Unrecht, Profitsucht und entfremdender Arbeit, eine Gesellschaft, in der, kurz gesagt, ein sinnvolles Leben möglich ist.

Röhl hatte seinen Sozialismus nicht bei Marx gelernt, sondern bei Literaten wie Bert Brecht oder Kurt Tucholsky. Schon als Student wollte er diesen Vorbildern nacheifern und hatte mit seinem Schulfreund Peter Rühmkorf das Kabarett »Die Pestbeule« gegründet, mit der zusätzlichen Bezeichnung »Vereinigung der KZ-Wächter des 4. Reiches«. So schrill wie der Name war auch das Programm. Kriegskrüppel und KZ-Gefangene stolperten über die Bühne und brüllten obszöne Texte ins Publikum, das meist nicht bis zum Schluss der Veranstaltung aushielt. Dem Regisseur Klaus Rainer Röhl ging es dabei weniger um die politische Wirkung als um den Spaß am Spiel und die Lust am Schockieren. Sein politisches Erwachen erlebte er erst mit dem Protest gegen Adenauers Aufrüstungspläne. 1955 gab er, wieder zusammen mit Peter Rühmkorf, die Studentenzeitung *Das Plädoyer* heraus, aus der sich dann der *Studentenkurier* und schließlich *konkret* entwickelte.

Für seine journalistischen Projekte hat Röhl schnell willige Geldgeber gefunden, deren Auftraggeber, wie sich dann herausstellte, in der DDR saßen. Auch *konkret* wurde »von drüben« finanziert. Röhl hatte dabei keine Bedenken. Dieses Geld war für ihn »materielle Grundlage für die breite Entwicklung des Bewusstseins«. Die Finanzierung von *konkret* blieb lange ein Geheimnis und sogar engste Mitarbeiter ahnten davon nichts.

Und Ulrike Meinhof? War sie durch Klaus Rainer Röhl zum Kommunismus bekehrt worden? Auch das kann man so nicht sagen. Ulrike Meinhof war immer noch überzeugte Christin, oder vielleicht richtiger gesagt: christliche Pazifistin. Ein Christentum jedoch, das nur auf ein Jenseits vertröstet und Missstände im Hier und Jetzt einfach hinnimmt, das war ihr nun zu wenig. Schon immer war ihr wichtig, dass man mit seinen Überzeugungen auch Ernst macht. Und ihre Ideale sollten keine frommen Wünsche bleiben, sondern möglichst verwirklicht werden. Ulrike Meinhof wollte etwas verändern. Ihr politischer Gefährte in Münster, Jürgen Seifert, meinte einmal: »Sie wollte wirken, sie wollte unbedingt wirken.«[1]

In jener lauen Sommernacht in Marburg ist es Klaus Rainer Röhl anscheinend wirklich gelungen, Ulrike Meinhof einen Weg aufzuzeigen, wie sie beides verbinden kann: ihre moralischen Grundsätze und ihren Wunsch zu wirken. Auch der »Schmalspurmarxist« Röhl kannte die marxistische Utopie vom Endziel der Geschichte, wenn die Klassengegensätze überwunden sind und das »Reich der Freiheit« anbricht, in dem es keine Ausbeutung und keine Ungerechtigkeit mehr gibt. Und er wusste, dass diese Utopie dem christlichen Versprechen von einer gerechteren Welt zum Verwechseln ähnlich ist – mit dem Unterschied, dass bei Marx diese Ziele schon in dieser Welt erreicht werden. Dieses Versprechen war nicht nur für Ulrike Meinhof faszinierend. Rudi Dutschke etwa, der spätere Studentenführer, antwortete auf die Frage, ob er noch Christ sei, Christen und Marxisten würden für die gleichen Ziele kämpfen. Diese Ziele seien identisch mit dem alten biblischen Traum vom Garten Eden, die phantastische Erfüllung des uralten Traums der Menschheit. Und noch nie in der Geschichte, so Dutschke, sei die Möglichkeit der Realisierung so groß gewesen.[2]

Schon bald nach dem Treffen in Marburg zählte man Ulrike Meinhof zum weiteren Kreis der Leute um die Zeitschrift *konkret*, zu dem unter anderen auch die Tochter des bekannten Psychoanalytikers Alexander Mitscherlich, Monika Mitscherlich, Jürgen Manthey, Hans Magnus Enzensberger, Jürgen Holtkamp, Erika Runge und Hans Stern gehörten. Zusammengehalten wurde dieser bunte Haufen aus Studenten, Journalisten, Schriftstellern und Künstlern von Klaus Rainer Röhl, kurz »K2R« genannt, dessen manchmal chaotischer Führungsstil nicht unumstritten war. Im Herbst 1958 zettelte ein Mitarbeiter sogar einen Putsch gegen ihn an, um ihn als Herausgeber und Chefredakteur abzusetzen. In letzter Minute konnte Röhl sich retten und seine Position behaupten. Nur wenige hatten zu ihm gehalten, darunter war auch Ulrike Meinhof.

Röhls Verhältnis zu ihr war kameradschaftlich, freundschaftlich, mehr aber nicht. Als Frau stieß sie ihn immer noch ab. Die Pfeife rauchende Studentin, die oft in Hosen und Schlabberpullis herumlief, war ihm zu »unweiblich«, zu wenig begehrenswert. Nackt vor den Bauch könne man sie ihm binden und es würde nichts passieren, so drückte er es einmal aus. Bei weitem mehr entsprach seinem Ideal eine junge Verkäuferin, mit der er ein Verhältnis anfing. Diesen Seitensprung aber verzieh ihm seine Ehefrau Bruni, mit der er eine Tochter hatte, nicht mehr. Sie ließ sich im November 1958 von ihm scheiden. Und kurz darauf gab Röhl auch der Verkäuferin den Laufpass, weil sie auf eine Heirat drängte.

In diesem privaten und beruflichen Durcheinander musste Röhl seine *konkret*-Leute auf ein wichtiges Ereignis vorbereiten, den »Studentenkongress gegen Atomrüstung«, der Anfang Januar 1959 in Berlin stattfinden sollte. *konkret* war die meistgelesene Studentenzeitschrift, und sie stand für eine ziemlich radikale Position in der Friedens- und Anti-Atom-Bewegung, die man auf dem Kongress zur Geltung bringen wollte. Für das Wettrüsten und die Gefährdung des Friedens machte man ausschließlich den Westen verantwortlich. Man ging sogar so weit, das Verbot von Atomwaffen nur für den Westen zu fordern, nicht aber für den Osten, weil die sozialistischen Länder friedliebend seien und dort von solchen Waffen keine Gefahr ausgehen würde.

Das klingt aus späterer Sicht natürlich naiv und kurzschlüssig, ist aber bezeichnend für das geistige Klima in der Zeit des Kalten Krieges, in dem nicht nur militärische, sondern auch geistige Fronten aufgebaut wurden. Für die Verteidiger einer westlichen Allianz war der Osten oft schlichtweg nur das Reich des Bösen, von wo nichts Gutes zu erwarten war. Viele Linke dagegen sahen die Länder des real existierenden Sozialismus als Hort des Friedens. Dass 1953 in der DDR und 1956 in Ungarn Volksaufstände von sowjetischen Truppen blutig niedergeschlagen worden waren, das war mit diesem Bild natürlich schwer zu vereinbaren.

Am 3. und 4. Januar 1959 versammelten sich die Vertreter von zwanzig westdeutschen und Westberliner studentischen Aktionsausschüssen, dazu mehr als zweihundert Gäste, im Neubau der Wirtschafts- und Sozialwissenschaftlichen Fakultät der Freien Universität Berlin. Renate Riemeck, inzwischen eine Galionsfigur der Anti-Atom-Bewegung, durfte auf dem Kongress nicht auftreten, darauf hatten die Veranstalter bestanden. Als ihre Grußadresse verlesen wurde, klatschte man demonstrativ stark Beifall. Statt Renate Riemeck war ihre »Tochter« Ulrike Meinhof anwesend und für sie wurde der Kongress zu einem Durchbruch.

Die Leute von *konkret* besetzten alle Arbeitskreise und steuerten, manche sagten »manipulierten«, geschickt die Diskussionen. Ulrike Meinhof redete, plante, verhandelte rund um die Uhr und lieferte sich lange Rededuelle mit dem SPD-Mann Helmut Schmidt, genannt »Schmidt-Schnauze«, dem späteren Kanzler, der damals noch Wehrexperte seiner Partei war. Schließlich wurde eine Resolution verabschiedet, in die fast wörtlich die Anträge der *konkret*-Gruppe aufgenommen wurden. Darin forderte man unter anderem Verhandlungen mit der DDR, mit dem Ziel eines Friedensvertrages und einer »interimistischen Konföderation«[3]. Diese offizielle Erklärung war eine Sensation und in den Augen der gemäßigten Kräfte ein Skandal. Helmut Schmidt verließ unter Protest vorzeitig die Versammlung und am nächsten Tag waren die Zeitungen voll mit Meldungen über den Kongress. Vom »Betrugsmanöver der Ostagenten« war in den Schlagzeilen zu lesen, von den »Totengräbern der Freiheit«, der »gefährlichen Dummheit« der Studenten und davon, dass Genosse Ulbricht sich »ins Fäustchen lachen« könne.

Für *konkret* war das Ergebnis des Berliner Kongresses natürlich ein totaler Triumph. Man schwamm auf einer Welle der Begeisterung und war überzeugt davon, dass man eine Wende in der Politik bewirkt habe und in einigen Wochen oder Monaten alle Kriegstreiber und Friedensfeinde erledigt sein würden. Im Nachhinein musste Klaus Rainer Röhl freilich feststellen, dass man damals unglaublich »naiv« war. »Wir hatten schon den Sinn für die Realität verloren«, schreibt er in seinen Erinnerungen.[4]

Realität war, dass die dogmatischen linken Gruppen immer mehr ins politische Abseits gerieten. Mitte 1959 wurden die Mitarbeiter von *konkret* aus dem SDS ausgeschlossen und zwei Jahre darauf kam auch für den SDS das politische Ende. Nachdem die SPD sich in ihrem neuen Grundsatzprogramm, dem so genannten »Godesberger Programm«, von alten marxistischen Vorstellungen befreit hatte und als moderne Volkspartei den Weg eines »demokratischen Sozialismus« beschreiten wollte, erklärte man auch die Mitgliedschaft in der SPD und im SDS für unvereinbar.

Im Frühjahr 1959 war die Welt für die Mannschaft von *konkret* noch in Ordnung. Berauscht vom Erfolg auf dem Berliner Kongress, nahm man an weiteren Kongressen teil und eilte auch da scheinbar von Sieg zu Sieg. Zur Vorbereitung mietete man sich in abgelegene Hotels ein, diskutierte tagelang und feierte wilde Feste. In diese politische Szene, in der das Debattieren ebenso wichtig war wie der Alkohol, Rock 'n' Roll, Tanzen und Herumalbern, wollte Ulrike Meinhof nie so ganz hineinpassen. »Ihr seid etwas, was ich nie verstehen werde«, sagte sie einmal auf einer dieser feucht-fröhlichen Partys, »ihr seid etwas völlig anderes.«[5] Sie blieb die Ernsthafte, die selten lachte und über Dinge, die ihr wichtig waren, keine Witze machen konnte. Trotzdem oder gerade deswegen wurde sie von allen respektiert. Ihre Aufrichtigkeit war über allen Zweifel erhaben, sie galt als »integer« und war so etwas wie das moralische Aushängeschild für die Gruppe.

Auch »K2R«, Klaus Rainer Röhl, schätzte Ulrike als Genossin, und er musste nun feststellen, dass sie auch als Frau so reizlos nicht war, wie er anfangs gedacht hatte. Als die beiden einmal notgedrungen gemeinsam in einem Hotelzimmer übernachten mussten, als Genosse und Genossin, entdeckte er zu seiner Überraschung, dass unter ihrem Schlabberpulli und den zerbeulten Hosen eine attraktive Frau steckte, sogar eine »makellos schöne junge Frau«. Und mit fachmännischem Blick nahm er ihre schlanken Beine, ihren »klassischen Halsansatz«, ihre »ausgebildete Hüfte« und ihre »erstaunliche Haut« zur Kenntnis.[6] Diese körperlichen Vorzüge konnten allerdings nicht die Abneigung überwinden, die er gegen diese – wie ihm schien – allzu seriöse und lustfeindliche Frau immer noch hatte. Aber es schmeichelte ihm, dass sie offenbar eifersüchtig war auf andere Frauen aus der *konkret*-Gruppe, mit denen er flirtete und denen er Geschenke machte.

Ulrike Meinhof wünschte sich, von Röhl wahrgenommen

zu werden, auch als Frau. Sicher wusste Röhl von seiner Wirkung auf Ulrike Meinhof. Und sicher wollte er ihr auch imponieren, als er sie eines Tages mitnahm zu einem der konspirativen Treffen in Ostberlin. Sie fuhren mit dem Auto über die Zonengrenze nach Westberlin und dann mit der S-Bahn in den Osten der Stadt, wo überall der Geruch nach *Minol*, dem hier verwendeten Kraftstoff, in der Luft lag. Röhl nutzte die Gelegenheit, um Ulrike in das ABC des Lebens im Untergrund einzuweihen. Er benahm sich wie in einem Krimi. Im letzten Moment sprang er mit ihr in eine S-Bahn, um etwaige Verfolger abzuschütteln. Er wollte Ulrike auch zeigen, wie man unauffällig in einer Menschenmenge verschwindet. Das Problem war nur, dass die Kaufhäuser am Alexanderplatz, die sie zu diesem Zweck betraten, ziemlich leer waren. Und auch die nächste Lektion, das schnelle Umsteigen auf ein anderes Verkehrsmittel, klappte nicht recht, weil an den Taxiständen nur viele Leute Schlange standen und weit und breit kein Taxi zu sehen war.

Immerhin kam das geplante Treffen zustande. Am verabredeten Ort, auf die Minute genau sprach sie ein unauffälliger Mann in grauem Mantel an, der sie in ein Hinterzimmer führte, und dort saßen sie dann zwei Männern der Partei gegenüber. Das waren recht schlichte Vertreter des Arbeiter- und Bauernstaates, die ihren Vortrag über den westdeutschen Imperialismus und den Kommunismus als Verteidiger des Friedens wie gut gelernte Lektionen herunterspulten. Klaus Rainer Röhl und Ulrike Meinhof ließen diese Belehrung gutwillig über sich ergehen. Was für sie zählte, war, dass sie es hier mit Leuten zu tun hatten, deren

Eltern als Kommunisten in den Kellern der Gestapo und in den KZs gefoltert und ermordet worden waren und die überzeugt waren, den Kampf für Freiheit und Gerechtigkeit weiterzuführen.

Das Treffen in Ostberlin war auch dazu gedacht, Ulrike Meinhofs politische Zuverlässigkeit zu prüfen. Sie bestand die Prüfung glänzend. Die ostdeutschen Genossen waren begeistert über ihre Klugheit und ihr kompromissloses Eintreten für Frieden und Verständigung zwischen Ost und West und sagten ihr eine große politische Zukunft voraus. Ulrike Meinhof erfüllte alle Erwartungen. Sie trat in die KPD ein und auch bei *konkret* gab sie bald den Ton an.

Das war zu einer Zeit, im Sommer 1959, als die Zeitschrift auf einem Tiefpunkt war. Durch das politische Engagement der Redaktion war die journalistische Arbeit vernachlässigt worden und die Verkaufszahlen waren rapide gesunken. Jetzt wurde ein Geschäftsführer bestimmt und die Aufgaben neu verteilt. Darüber hinaus standen nun Pläne im Raum, aus dem reinen Studentenblatt eine Zeitschrift für Kultur und Politik zu machen. Ulrike Meinhof sollte im politischen Ressort mitarbeiten. Im Oktober 1959 erschien ihr erster Artikel mit der Überschrift *Der Friede macht Geschichte*. Sie kommentierte darin die Reise des sowjetischen Ministerpräsidenten Nikita Chruschtschow in die USA. In einer Rede vor der UNO-Vollversammlung hatte Chruschtschow eine allgemeine kontrollierte Abrüstung vorgeschlagen. Meinhof sah darin eine entscheidende »Wende«, den Sieg von »Vernunft und Menschlichkeit«. Der Adenauer-Regierung hielt sie dagegen vor, die Entwicklung verschlafen zu haben und sich mit ihrer Politik als Kreis von »ewig Gestrigen« zu erweisen.[7]

Für Ulrike Meinhof war keineswegs ausgemacht, dass ihre Zukunft als Journalistin bei *konkret* liegt. Sie war immer noch Studentin und hatte ihre Pläne, einmal Lehrerin zu werden, noch nicht aufgegeben. Zumindest wollte sie ihr Studium abschließen, mit einer Dissertation. Ein Thema hatte sie auch schon. Ihr Vater war in seiner Zeit als Museumsdirektor in Jena auf die Schriften eines Pädagogen aus dem 17. Jahrhundert namens Waigel gestoßen. Über ihn wollte Ulrike jetzt eine Doktorarbeit schreiben und siedelte dazu im Winter 1959 nach Jena über. Bis in das Frühjahr des folgenden Jahres hinein forschte sie in den Archiven und wertete das gefundene Material aus. Dann brach sie ihr Vorhaben ab und kehrte zurück nach Hamburg.

Was den Ausschlag für diesen Entschluss gegeben hat, ist unklar. Mag sein, dass die gefundenen Unterlagen zu unergiebig waren. Möglich ist auch, dass die Genossen sie in den Westen zurückgerufen haben, weil man sie dort brauchte. Vielleicht wollte sie auch wieder in Röhls Nähe sein, der sich in ihrer Abwesenheit mit einer hessischen Friseurin vergnügte. Vielleicht auch wollte sie Renate Riemeck zu Hilfe kommen.

Renate Riemeck war wegen ihres politischen Engagements stark unter Druck geraten. In der *Deutschen Zeitung* war ein Artikel erschienen mit der Überschrift *Professor Riemeck prüft Marx*. Der Verfasser warf ihr vor, in einem Staatsexamen nach Marx gefragt zu haben. Verdächtig hatte sie sich schon ein Jahr vorher gemacht, als sie eine Einladung zur 400-Jahr-Feier der Universität Leipzig erhalten und im Unterschied zu vielen anderen deutschen Professoren auch angenommen hatte. Im Frühjahr 1960 wurde dann von dem Komitee »Rettet die Freiheit«, dessen Geschäftsführer der CDU-Abgeordnete Rainer Barzel war, ein »Rotbuch« herausgegeben, das die Namen von circa 500 Personen enthielt, die man der »kommunistischen Kulturarbeit« verdächtigte. Neben Künstlern und Gelehrten wie Max Born, Otto Dix, Martin Niemöller, Carl Orff, Erich Kästner, Luis Trenker, Wolfgang Koeppen und Ernst Rowohlt war auch Renate Riemeck in diesen erlesenen Kreis aufgenommen worden.[8]

Für den nordrhein-westfälischen Kultusminister Werner Schütz war der politische Ruf Renate Riemecks nicht mit ihrem Beamtenstatus vereinbar. Im Juli 1960 untersagte er ihr, weiter Prüfungen abzunehmen. Die Wuppertaler Studenten waren empört über dieses Verbot. Mehrere hundert fuhren nach Düsseldorf und setzten sich auf die Treppe des Kultusministeriums. Sie hielten Plakate und Spruchbänder hoch, auf denen etwa stand: »Beamtengehorsam hat seine Grenzen« oder »Studenten fordern Rehabilitierung von Frau Prof. Riemeck«.

Auch Ulrike Meinhof tat das Ihre und schrieb in *konkret* einen Artikel zum Fall Riemeck.[9] Wie viele Freunde und Bekannte bedrängte sie ihre Pflegemutter auch, bei der Gründung einer neuen Partei mitzumachen, die eine echte Alternative zur Rüstungspolitik der Regierung bieten sollte. Renate Riemeck ließ sich überreden. Sie verfasste einen Aufruf zur Gründung dieser neuen Partei. DFU sollte sie heißen,

Deutsche Friedens-Union. Im Dezember 1960 wurde die Partei gegründet und Renate Riemeck neben zwei Männern in das dreiköpfige Führungsgremium gewählt.

Für ihre Vorgesetzten war mit dieser Wahl die Grenze des Hinnehmbaren überschritten, man drohte mit einem Disziplinarverfahren. Renate Riemeck wollte es nicht so weit kommen lassen. Sie legte ihr Lehramt nieder und bat um die Entlassung aus dem Staatsdienst. Damit verzichtete sie auf finanzielle Absicherung und Pensionsanspruch.

Als Renate Riemeck diesen radikalen Schritt machte, waren ihre Pflegetochter Ulrike Meinhof und Klaus Rainer Röhl schon ein Paar. Sie hatten sich am 13. September 1960 verlobt, heimlich, in einer Hamburger Kneipe. Wie war es dazu gekommen? Offenbar war Ulrike Meinhof die treibende Kraft gewesen. Sie war fest davon überzeugt, dass der arrogante und eingebildete Röhl mit dem Maskengesicht und dem schiefen Mund nur eine Fassade war, hinter der sich ein ganz anderer Röhl verbarg, ein Röhl, der im Grunde ihr ähnlich war: idealistisch und aufrichtig, mit einem natürlichen Instinkt für Wahrheit und Gerechtigkeit, etwas Besonderes eben. »Nur Qualität kann Qualität erkennen«, antwortete Ulrike Meinhof oft Freunden, die es nicht glauben konnten, dass zwei so verschiedene Menschen zusammenfanden.

Umgekehrt glaubte auch Klaus Rainer Röhl, hinter der ernsten, biederen Ulrike eine andere Ulrike zu entdecken, eine schöne und sinnliche Frau. »Rikibaby« nannte er sie jetzt gern.[10]

Röhl hat über sein Verhältnis zu Ulrike Meinhof später

ein Buch geschrieben mit dem Titel *Die Genossin*. Es ist eine Art biographischer Roman, in dem die tatsächlichen Ereignisse und Personen nicht schwer zu entschlüsseln sind. Das Buch erschien, als Ulrike Meinhof im Gefängnis saß, zwei Jahre vor ihrem Tod. Röhl gibt ihr darin den Namen Katharina Holt. Die Figur, die ihn darstellen soll, nennt er Michael Luft. Dieser Michael Luft versucht, aus Katharina eine andere Frau zu machen. Er ermuntert sie, ihr Haar lang wachsen zu lassen und Röcke, kurze Röcke, zu tragen. Um ihre fahle Gesichtshaut wieder aufzufrischen, soll sie das Rauchen einschränken und mehr schlafen. Und auch ihre »Reformbüstenhalter aus dem Pfarrhaushalt« kann Michael nicht mehr sehen. Eines Tages schenkt er ihr ein fast durchsichtiges Hemdchen samt Höschen, Marke *Babydoll*, in dem sie kindlich und zugleich verworfen aussehen soll. Dass sich Katharina darüber nicht freuen kann, kränkt ihn sehr, weil er doch nur etwas »Hübsches und Reizendes« aus ihr machen wollte.

Sich selbst ändert Michael Luft kaum. Nach wie vor hat er auch Affären mit anderen Frauen. Für Katharina sind es »Pippi-Mädchen«. Sie hat sich nun einmal für Michael entschieden und bleibt ihm hartnäckig treu. Oft, wenn er spätabends von seinen Weibergeschichten nach Hause kommt, wartet sie in seinem Zimmer oder liegt vor seiner Tür. Sie schlafen oft miteinander und verstehen sich auch politisch sehr gut. Doch Michael wird das Gefühl nicht los, dass etwas fehlt, das »Zwischenstück«, und das Fehlende sei, so glaubt er, die Liebe.[11]

Mit Ulrikes neuem Verlobten war offenbar auch ihre Pflegemutter einverstanden. Jedenfalls ergab sich schnell ein enger Kontakt zwischen der »Riemeck-Partei« DFU und dem »Röhl-Blatt« konkret. Reinhard Opitz wurde Pressechef der neu gegründeten Partei, und Röhl übernahm die Aufgabe, den Wahlkampf anzukurbeln. Im Sommer hingen überall die Werbeplakate der DFU. Auf der rechten Seite war Renate Riemecks entschlossenes Gesicht abgebildet, darüber war zu lesen: »Im Geiste Albert Schweitzers«. Die linke Hälfte nahm Schweitzer selbst ein, mit mahnend erhobenem Zeigefinger, »neutral, atomwaffenfrei« stand darunter. Renate Riemecks Gesicht prangte auch groß auf der Titelseite des Nachrichtenmagazins Der Spiegel. Der Artikel über sie und die DFU begann mit den Worten: »Eine muntere Junggesellin, ein wenig viril und ein wenig charmant, hat in das mickrige Bonner Wahlkampf-Feuer gepustet.« Auch Ulrike Meinhof wird erwähnt. Die »Kleine«, so heißt es, sei von ihrer Pflegemutter dermaßen gepäppelt worden, dass sie heute als Chefredakteurin der ultralinken Hamburger Studentenzeitung konkret amtiere.[12]

Die Chancen der DFU, die Fünf-Prozent-Hürde zu überspringen, standen gar nicht schlecht. Den Regierungsparteien sagten die Prognosen dagegen hohe Verluste voraus. Das änderte sich jedoch schlagartig, als am 13. August 1961 Einheiten der ostdeutschen Volkspolizei und der Nationalen Volksarmee damit begannen, die Grenze zwischen dem Sowjetsektor und Westberlin abzuriegeln. Die Berliner Mauer, in der Ost-Propaganda »antifaschistischer Schutzwall« genannt, wurde errichtet. Nun war in Westdeutschland mit der Losung »neutral, atomwaffenfrei« natürlich nichts mehr zu gewinnen. Bei den Wahlen zum vierten Deutschen Bundestag am 17. September 1961 erreichte die CDU/CSU 45,3 Prozent der Stimmen, die SPD beachtliche 36,2. Die DFU brachte es gerade mal auf 2,2 Prozent.

Am 27. Dezember 1961 heirateten Ulrike Marie Meinhof und Klaus Rainer Röhl. Ulrike hatte zuvor noch ihre Pflegemutter gefragt, ob sie diesen Schritt wagen solle, und zur Antwort bekommen, sie werde in dieser Ehe dann wohl öfters beide Augen zudrücken müssen. »Ich glaube nicht, dass ich das so ohne weiteres kann«, hatte sie gesagt.[13] Röhl gelobte, von allen »flatterhaften Gedanken« für immer Abschied zu nehmen. Er hatte eigentlich eine Hochzeit mit großem Pomp geplant, in einer Kirche, mit Martin Niemöller als Pfarrer, mit Predigt und Chor, vielen Gästen und allem, was so dazugehört. Ulrike Meinhof hatte das abgelehnt, weil man mit solchen Dingen keinen Spaß mache. Sie ließen sich also im Standesamt trauen und nachher gab es eine kleine Party.

Das junge Paar machte eine Hochzeitsreise nach Italien, nach Ronchi in der Nähe von Viareggio. Nach Röhls Schilderungen fühlte sich Ulrike hier wohl wie noch nie in ihrem Leben. Sie habe die Blicke der italienischen Männer genossen und stolz erklärt, dass ihr Mann »der beste Mann der Welt« sei. Sie badete nackt im Meer und rief begeistert: »Io soono felice«, mit ganz langem »o« – Ich bin soo glücklich.[14] Während dieser Ferien in Italien stellte sich auch heraus, dass Ulrike schwanger ist.

VII. Wider das Vergessen

»Wie wir unsere Eltern nach Hitler
fragen, so werden wir eines Tages nach
Herrn Strauß gefragt werden.«

Bereits in der Ausgabe vom 5. März 1961 war das Impressum von *konkret* geändert worden. Als »verantwortlicher Redakteur« war nun angegeben: Ulrike Marie Meinhof. Nach ihrer Hochzeit nannte sie sich auch öfter Ulrike Marie Röhl. Am Stil ihrer Artikel änderte sich freilich nichts, auch wenn die männerdominierte Redaktion von *konkret* erwartete, dass die neue Chefredakteurin ihre Haltung als christliche Friedenskämpferin nun vollends ablegen würde. Als Reinhard Opitz einmal flapsig meinte: »Und von der christlichen Masche biste auch bald weg«, war sie verletzt und empört.[1] Sie war zwar nun eine politische Journalistin, aber ihre christlichen Grundsätze waren für sie keine »Masche« und sie hatte sie keineswegs aufgegeben. Ihre Artikel waren daher auch eine Mischung aus genauer politischer Analyse und Bekenntnis. Bekenntnis zu Frieden, Freiheit, Gewaltlosigkeit und Verständigung.

In diesem Sinne verstand sich Ulrike Meinhof auch als Demokratin und sie verteidigte vehement das Grundgesetz. Jene Männer, die sich im August 1948 in Herrenchiemsee getroffen hatten, um einen Verfassungsentwurf auszuarbeiten, hatten für Ulrike Meinhof wirklich aus der Geschichte gelernt. Sie wollten verhindern, dass es in Deutschland noch einmal möglich sein würde, mit unmenschlichem Terror gegen äußere und innere Feinde vorzugehen. Die Freiheit des innenpolitischen Gegners sollte gewährleistet sein, ebenso wie der friedliche Umgang mit den Regierungen anderer Länder. Insofern war für Ulrike Meinhof das Grundgesetz in seiner ursprünglichen Fassung »total freiheitlich und total antimilitärisch«.[2]

Diese höchsten Leitideen der Verfassungsväter, Freiheit und Frieden, sah sie nun allerdings durch die Politik der Adenauer-Regierung verletzt, wenn nicht gar zerstört. Wehrpflicht, NATO-Beitritt und atomare Aufrüstung hielt sie für unvereinbar mit dem Ziel eines friedlichen Zusammenlebens der Völker. Und es stand zu befürchten, dass nun auch die zweite Säule des Grundgesetzes, die Freiheit, durch die geplanten Notstandsverordnungen zum Einsturz gebracht werden sollte.

Erste Entwürfe zu so genannten Notstandsgesetzen hatte der deutsche Innenminister Gerhard Schröder bereits Anfang 1960 vorgelegt. Diese Gesetze sollten in Krisensituationen in Kraft treten, um die in der BRD stationierten Streitkräfte zu schützen und die öffentliche Sicherheit und Ordnung aufrechtzuerhalten. Für die Regierungsparteien dienten diese Notstandsgesetze dem Schutz der freiheitlichen Ordnung der Bundesrepublik. Ulrike Meinhof dagegen befürchtete, dass man damit ein Instrument schaffen wollte, um wesentliche Grundrechte wie Streikrecht, Versammlungsrecht und das Recht der freien Meinungsäußerung einzuschränken oder gar aufzuheben.

Die Gefährdung dieser Rechte durch die geplanten Notstandsgesetze war für Ulrike Meinhof nicht nur Anlass, sich über die junge deutsche Demokratie Sorgen zu machen. Für sie offenbarte sich in solchen Entwicklungen ein nicht überwundener »Faschismus«. Dieses Wort hatte bei ihr allerdings eine weite Bedeutung. Gemeint war damit weniger das historische Phänomen des deutschen Nationalsozialismus. »Faschistisch« war für sie ein Feindbild und umfasste alles, was es in der modernen, kapitalistischen Gesellschaft an autoritären, freiheitseinschränkenden, kriegstreiberischen, unterdrückenden Tendenzen gab. Ja, man kann sogar sagen, dass der Verweis auf Hitler und den Faschismus bei ihr oft nichts anderes bedeutete als »unmenschlich« oder »menschenverachtend«. In diesem Sinn wies sie in ihren Artikeln immer wieder auf einen »neuen Faschismus« hin, etwa wenn sie eine Politik der atomaren Abschreckung als »Verbrechen hitlerischen Ausmaßes« bezeichnete oder wenn sie schrieb: »Es ist an der Zeit, zu begreifen, dass die Vergasungsanlagen von Auschwitz in der Atombombe ihre technische Perfektion gefunden haben [...].«[3]

Links zu sein bedeutete für Ulrike Meinhof, sich klar gegen die faschistische Vergangenheit abzusetzen. Und wie viele Linke in Deutschland betrachtete sie den Faschismus nicht als einmaliges historisches Ereignis, das mit dem Ende des Zweiten Weltkrieges abgeschlossen war. Die Nazi-Herrschaft war für sie der Inbegriff eines Unrechtsstaats, und wo immer sie auf Unrecht stieß, da sah sie den Faschismus wieder aufleben.

Als sicheren Beweis für diese Kontinuität wertete sie die Tatsache, dass Leute, die unter Hitler Karriere gemacht hatten, auch in der Bundesrepublik wieder zu Macht und Ehren kamen und teilweise hohe Ämter bekleideten. Man konnte auf Generäle verweisen, die Hitler gefolgt waren und nun beim Aufbau der Bundeswehr mitwirkten. Ein anderer bekannter Fall war der Jurist Hans Globke, der im Bundeskanzleramt als Staatssekretär und enger Vertrauter Adenauers saß. Dieser Karriere hatte nicht im Wege gestanden, dass Globke an der Formulierung und Ausarbeitung der nationalsozialistischen Rassengesetze mitgewirkt hatte. Ebenso wenig nachtragend war man bei dem Jurist Wolfgang Fränkel. Fränkel, der 1962 zum Bundesanwalt ernannt wurde, war ein berüchtigter NS-Richter gewesen. »Offenbar«, so schrieb Ulrike Meinhof über Fränkel in bitter-ironischem Ton, »kann man auf Beamte und Juristen von solcher Staatstreue, solcher Skrupellosigkeit, solcher Korrektheit, solcher Gesinnungslumperei nicht verzichten.«[4]

In der Mai-Nummer von *konkret* war 1961 eine Kolumne von Ulrike Meinhof erschienen, mit der bezeichnenden Überschrift *Hitler in euch*. Darin kritisierte sie die politische Aufarbeitung des Nationalsozialismus und deutete an, welche die richtigen Konsequenzen aus den Erfahrungen des Nationalsozialismus gewesen wären, nämlich: »Versöhnung mit dem Gegner von damals, Koexistenz statt Krieg, verhandeln statt rüsten«. Und der Text schließt mit einem Satz, der zeigt, dass sich für Ulrike Meinhof die Fronten seit 1945 nicht verändert haben: »Wie wir unsere Eltern nach Hitler fragen, so werden wir eines Tages nach Herrn Strauß gefragt werden.«[5]

»Herr Strauß«, also Dr. Franz Josef Strauß, seit 1956 Verteidigungsminister der Bundesrepublik Deutschland, erstattete daraufhin Anzeige gegen die *konkret*-Kolumnistin wegen Beleidigung. Ulrike Meinhof ließ sich von keinem Geringeren verteidigen als Gustav Heinemann, dem späteren Bundespräsidenten. Der juristische Streit um die mögliche Auslegung des beanstandeten Satzes zog sich bis Anfang des nächsten Jahres. Am Ende kam es nicht zu einem gerichtlichen Verfahren, aber durch die Affäre war die achtundzwanzigjährige Ulrike Marie Röhl in ganz Deutschland bekannt geworden. Sogar der *Spiegel* berichtete in einem Artikel über den Zwist der jungen Chefredakteurin mit dem mächtigen Minister.[6]

Die Klage des CSU-Politikers Strauß war nicht die einzige Turbulenz, die *konkret* zu überstehen hatte. Auch wegen verächtlicher Darstellung von Streitkräften auf einem Titelblatt hatte man sich einen Strafantrag eingehandelt. Am meisten Ärger machten jedoch die Geldgeber im Osten. Wegen der neuen Ausrichtung und der erweiterten Leserschaft von *konkret* war nun eine andere Abteilung der Partei für die Zeitschrift zuständig. Und die Genossen dort waren mit dem politischen Kurs von *konkret* gar nicht zufrieden. Er war ihnen zu wenig linientreu und sie drohten offen mit Konsequenzen. Klaus Rainer Röhl nahm diese Drohungen nicht allzu ernst, vielleicht auch, weil bald andere Sorgen in den Vordergrund rückten.

Das jungverheiratete Paar war inzwischen umgezogen, in ein kleines Haus im Hamburger Stadtteil Lurup, mit vier Zimmern und Gemüsegarten. Die größere Wohnung war nötig geworden, schon wegen des erwarteten Nachwuchses. Die Schwangerschaft verlief zunächst normal, aber von einem Tag auf den anderen stellten sich bei Ulrike starke Kopfschmerzen ein. Man führte sie auf die Schwangerschaft zurück. Aber als noch leichte Sehstörungen hinzukamen, schickte sie der Hausarzt zum Augenarzt und der wiederum überwies sie weiter an einen Neurologen. Die Diagnose, die dieser nach eingehenden Untersuchungen stellte, war ein schwerer Schlag. Etwas in Ulrike Meinhofs Gehirn drückte gegen die Nerven, wahrscheinlich ein Tumor. Ulrike Meinhof musste natürlich sofort an ihre Eltern denken, die beide an Krebs gestorben waren.

Eine Operation kam während der Schwangerschaft nicht in Frage. Ulrike Meinhof wollte das Kind und war bereit, die Schmerzen bis zur Geburt zu ertragen, um sich dann operieren zu lassen. Sie ging weiter ihrer Arbeit in der Redaktion nach, obwohl die Schmerzen stärker wurden und wegen des Kindes nur mit leichten Mitteln bekämpft werden durften. Hinzu kam, dass die Sehstörungen schlimmer wurden. Ein Auge bewegte sich nicht mehr parallel zum anderen und ein Lid hing schlaff herunter, weswegen Ulrike eine Augenklappe tragen musste.

Am Ende des sechsten Monats der Schwangerschaft wurden die Schmerzen unerträglich. Das deutete darauf hin, dass es sich um einen bösartigen Tumor handelte. Die Ärzte duldeten nun keinen Aufschub mehr. Am 21. September 1962 wurde Ulrike Meinhof in die Frauenklinik verlegt und sofort ein Kaiserschnitt durchgeführt. Erst bei dieser Entbindung stellte sich heraus, dass man es mit zwei Kindern zu tun hatte, genauer gesagt mit zwei Mädchen.

Die zu früh geborenen Zwillinge überlebten im Brutkasten. Der Mutter konnte man nun Morphium gegen die Kopfschmerzen geben und sie auf die Operation vorbereiten. Es wurde ihr klar gemacht, dass es kein gefahrloser Eingriff werden würde, und man legte ihr nahe, ein Testament zu verfassen. In der Zwischenzeit schmuggelte Klaus Rainer Röhl eine Schreibmaschine in ihr Krankenzimmer. Er wollte ihr das Gefühl geben, weiterhin gebraucht zu werden. Also tippte sie im Krankenbett einen Artikel zu den Notstandsgesetzen. Aufgrund massiver Proteste der Gewerkschaften hatte die Bundesregierung einen neuen Entwurf vorgelegt. Ulrike Meinhof nahm jede Formulierung genau aufs Korn und wollte zeigen, warum auch diese neue Regelung nicht vor Missbrauch sicher war. Die Regierung, so verlangte sie, sollte besser für mehr Demokratie sorgen, statt das zarte Pflänzchen der Demokratie in der BRD mit letztlich undemokratischen Mitteln zu verteidigen.

Vier Wochen nach der Geburt wurde Ulrike Meinhof operiert. Man sägte aus ihrer Schädeldecke ein dreieckiges Stück heraus. Weil die Geschwulst sich an der Unterseite des Gehirns befand, nahe der Augenhöhle, musste man das Gehirn anheben. Fast fünf Stunden dauerte die Operation. Es stellte sich heraus, dass es sich um keinen bösartigen Tumor handelte, sondern um eine schwammartige Geschwulst, ein so genanntes Kavernom, das sich wahrscheinlich aufgrund der Schwangerschaft gebildet hatte und das man mit Silberklammern eindämmen konnte.[7]

Die Operation war erfolgreich verlaufen, doch die darauf folgenden Tage müssen für Ulrike Meinhof die Hölle gewesen sein. Wundwasser drückte gegen die Nerven im Gehirn und verursachte schreckliche Schmerzen. Um den Heilungsprozess überprüfen zu können, durfte sie wieder keine Schmerzmittel bekommen. Sie schrie wie unter der Folter, aber man konnte ihr nicht helfen. Hilflos mussten auch die Freunde, die sie besuchten, Peter Rühmkorf und seine spätere Frau Eva Maria Titze, das Schreien ertragen.

Drei Monate nach der Operation wurde Ulrike Meinhof aus der Klinik entlassen. Es muss für sie gewesen sein wie die Rückkehr aus einem Alptraum ins Leben. Auch der Zustand der Zwillinge war nun so stabil, dass sie nach Hause durften. Die Eltern hatten sich geeinigt, sie Regine und Bettina zu nennen, beide mit zweitem Namen Ingeborg, nach Ulrikes verstorbener Mutter. Der Vater, Klaus Rainer Röhl, plante eine große Taufe. Doch wie schon bei der Heirat verzichtete Ulrike Meinhof lieber auf die kirchliche Feier, als daraus ein »Theater« zu machen.

Mit ihrer neuen Situation kam Ulrike Meinhof nur schwer zurecht. Eigentlich wollte sie nach der schwierigen Geburt und der Operation erst einmal ganz für ihre Kinder da sein, aber dazu war sie selber noch viel zu schwach und erholungsbedürftig. Weiterhin plagten sie Kopfschmerzen und die Sehstörungen gingen nur langsam zurück. Diese Folgen der Operation schlossen auch aus, dass sie bald wieder in ihren Beruf zurückkehren konnte. Formell war sie immer noch die Chefredakteurin von *konkret*, die damit verbundenen Aufgaben in der Redaktion konnte sie freilich nicht wahrnehmen. Also blieb sie zu Hause in dem kleinen Haus im Stadtteil Lurup, war Hausfrau und Mutter und schrieb Artikel für *konkret*.

Die Zwillinge brachte sie oft für längere Zeit zu Renate Riemeck. Die wohnte mittlerweile in dem kleinen Dorf Gundelfingen bei Freiburg und kämpfte selbst mit gesundheitlichen Problemen. Im Wahlkampfendspurt ihrer Partei, der DFU, war sie ausgefallen, weil bei ihr plötzlich Lähmungserscheinungen aufgetreten waren. Die erste, noch ungesicherte Diagnose war multiple Sklerose. Wegen ihrer Abneigung gegen jede »Apparatemedizin« hatte sie sich einer anthroposophischen Ärztin im Schwarzwald anvertraut und tatsächlich lernte sie nach einiger Zeit wieder halbwegs gehen und schreiben. Ihren Haushalt in Gundelfingen besorgte nun Holde Bischoff, eine alte Freundin noch aus Bad Bernecker Zeiten. Und es war auch »die Holde«, die sich in Gundelfingen um die Zwillinge kümmerte, die im Sommer auf der Gartenwiese krabbelten und ihre ersten Schritte probierten.

Renate Riemeck machte sich Sorgen um »ihre« Ulrike. Es schien ihr, sie habe sich durch die Operation verändert und mute sich angesichts ihres Zustands schon viel zu viel zu. Ulrike Meinhof wollte wieder öffentlich wirken. Ihrer Meinung nach gab es sowieso zu viele, die sich ins Private zurückzogen, und zu wenige, denen es nicht egal war, was in ihrem Land geschah. Und dieses Land sah sie »am Abgrund des Krieges«[8]. Der einzige Lichtblick waren die Ostermarschierer, die nach dem Vorbild der englischen Friedensbewegung an den Osterfeiertagen gegen Atomwaffen und Aufrüstung auf die Straße gingen. »Eine Hand voll Aufrechter« und »die Moralisten des 20. Jahrhunderts« nannte sie diese engagierten Menschen.[9] An diese wenigen knüpfte sie ihre Hoffnung, die geplanten Notstandsgesetze zu verhindern.

Ulrike Meinhof verglich die Notstandsgesetze mit dem Ermächtigungsgesetz, das 1933 Hitler vollends den Weg an die Macht geebnet hatte. Und waren nicht Politiker ihrer Generation auch wieder dabei, die Demokratie zu unterwandern? Hatte nicht ihr Erzfeind Franz Josef Strauß wieder gezeigt, wie schnell er bereit war, sich über Grundrechte hinwegzusetzen? Während sie, Ulrike Meinhof, im Krankenhaus gewesen war, hatte Strauß für einen Skandal gesorgt. In der Nacht vom 26. auf den 27. Oktober 1962 waren auf seine Veranlassung hin die Räume des Nachrichtenmagazins *Der Spiegel* durchsucht worden. Auslöser der Aktion war ein Artikel, in dem angeblich militärische Geheimnisse verraten worden waren. Im Zuge der Untersuchung wurden sechs Personen verhaftet, darunter auch der Herausgeber Rudolf Augstein, der dann über hundert Tage im Gefängnis saß. Für Ulrike Meinhof war die Besetzung der Verlagsräume eine »Gestapo-Aktion«[10], und sie wiederholte trotzig den Satz, der sie in Konflikt mit dem Minister gebracht hatte: »Wie wir unsere Eltern nach Hitler fragen, so werden wir eines Tages nach Herrn Strauß gefragt werden.«

Erst Anfang 1964 war Ulrike Meinhof wieder in der Lage, in der *konkret*-Redaktion mitzuarbeiten. Chefredakteurin war sie nur noch formal, tatsächlich hatte Röhl diese Aufgabe übernommen und eine Mannschaft um sich geschart. Darunter waren auch so junge Leute wie Stefan Aust, der gerade erst die Schule verlassen hatte. Ulrike Meinhof blieb mit ihrer Kolumne nicht nur eine feste Größe bei *konkret*, sie galt auch immer mehr als eine maßgebliche Stimme des linken Lagers. Wie groß ihr Ansehen war, zeigt sich daran, dass sie aufgefordert wurde, neben prominenten Journalisten und Historikern wie Rudolf Augstein und Golo Mann an einem Sammelband mitzuwirken, in dem die »Ära Adenauer« beleuchtet werden sollte.

Von einer »Ära« konnte man nun auch insofern reden, als Adenauer nicht mehr Bundeskanzler war. Im Oktober 1963 war er von seinem Amt zurückgetreten und Ludwig Erhard, der Vater des Wirtschaftswunders, war zu seinem Nachfolger ernannt worden.

Ulrike Meinhofs Beitrag geriet zu einer Abrechnung mit Adenauer und den Deutschen. Während andere Autoren wie Rudolf Augstein und Golo Mann bei aller Kritik auch lobende Worte fanden für die »unbeirrbare Geradlinigkeit« von Adenauers Europa-Politik und es ihm als Verdienst anrechneten, dass unter seiner Kanzlerschaft die erste stabile parlamentarische Demokratie in Deutschland begründet wurde, konnte Ulrike Meinhof nichts Lobenswertes an Adenauers Hinterlassenschaft entdecken. Nach vierzehn Jahren Kanzler Adenauer sind die Deutschen für sie ein Volk, das seine politische Verantwortung nicht ernst nimmt, das seine eigene Vergangenheit verdrängt und für das Unterhaltung, Vergnügen und Wohlstand wichtiger sind als die politischen Probleme. »Provinziell« und »kleinkariert« kommt ihr Deutschland vor, ein Land, das in »Mief und Muff« versinke. Und weiter schreibt sie: »Sie lebt an sich selbst und ihrer Geschichte vorbei, die Bevölkerung der Bundesrepublik, uninformiert, unaufgeklärt, desorientiert, unentschieden zwischen *Pril* und *Sunil*, im Bilde über *Alete*-Kinderkost und Küchenmaschinen, nicht über Angriffspakt und kernwaffenfreie Zonen.« Und Zweifel an ihrer eigenen Arbeit als Journalistin und Aufklärerin scheinen durch, wenn sie feststellt: »Alles ist schon einmal gesagt worden, aber nichts und nirgends wurde etwas begriffen.«[11]

Wo aber wurde überhaupt etwas begriffen? Wo änderte sich wirklich etwas? Ulrike Meinhof hatte inzwischen auch den Glauben daran verloren, dass im »anderen Deutschland« vieles besser wäre. Die Genossen von »drüben« benahmen sich oft kleinkarierter als jeder westdeutsche Spießer. Veränderungen im eigenen sozialistischen Weltbild konnten oder wollten sie nicht hinnehmen. Und jungen Künstlern wie Wolf Biermann oder Volker Braun, die von einem neuen Sozialismus sangen oder schrieben, begegneten sie mit Misstrauen und Ablehnung. *konkret* verteidigte diese junge Generation und druckte Texte jener Autoren, außerdem berichtete man über die Reformbewegungen in sozialistischen Staaten.

So aber hatten sich die Hintermänner im Osten die protegierte Zeitschrift nicht vorgestellt. Sie versuchten, *konkret* wieder auf ihre Linie zu bringen. Bei einem der Treffen, so berichtet Klaus Rainer Röhl, saß dann Ulrike Meinhof einmal stumm und wie gelähmt in einem Sessel, wie vor den Kopf geschlagen von so viel »Ignoranz, Dummheit und kulturellem Stalinismus«.[12]

konkret änderte seinen Kurs nicht und trennte sich auch nicht, wie verlangt, von Klaus Rainer Röhl, den die Genossen von drüben für den ideologischen Schlendrian verantwortlich machten. Und so kam es, dass im Juni 1964 die Zahlungen aus dem Osten schlagartig eingestellt wurden. Obwohl man mit einer solchen Maßnahme schon gedroht hatte, war das für *konkret* doch ein Schock. Besonders für den Herausgeber Klaus Rainer Röhl. Er, der fünfunddreißigjährige Familienvater, saß nun da mit einer Zeitschrift, die sich nicht selbst tragen konnte, und einem Schuldenberg von über 40 000 Mark.

Es spricht für Röhl, dass er nicht kapitulierte. Im Juli erschien keine Ausgabe von *konkret*. Stattdessen wurde den Abonnenten ein hektographiertes Blatt ins Haus geschickt, ein Hilferuf mit der Überschrift *SOS konkret*. Darin wurde von der Notlage der Zeitschrift berichtet, und alle Leser wurden aufgefordert, neue Leser und Abonnenten zu werben, um *konkret* als eine der »letzten unabhängigen Kulturzeitungen« zu retten. Vom wahren Grund der Misere erfuhr natürlich niemand, man machte eine »heimtückische Flüsterpropaganda« und »Diffamierung, Brunnenvergiftung und Verleumdung« von Kommunistenjägern für die Schwierigkeiten verantwortlich.[13]

Es geschah, was man kaum zu hoffen gewagt hatte. Der Notruf löste eine wahre Lawine der Solidarität aus. Über 1000 Abonnenten überwiesen Jahresbeiträge, Zeitschriften- und Buchverlage gaben Anzeigen auf und zu guter Letzt sorgte *Der Spiegel* mit einem Artikel über die missliche Lage von *konkret* für kostenlose und unbezahlbare Werbung. Mit der Ausgabe vom August, die Klaus Rainer Röhl im Alleingang zusammengestellt hatte, erreichte man eine Auflage, die doppelt so hoch war wie die früheren. Fast überschritt man die Marke von 50 000 verkauften Exemplaren.

Die SOS-Aktion hatte *konkret* zunächst gerettet, das weitere Überleben des Blattes war damit noch lange nicht gesichert.

Irgendwie musste man auf Dauer eine hohe Auflage erreichen, neue Leserschichten gewinnen. Aber dazu mussten erst neue Mitarbeiter gefunden werden, denn nachdem der Geldhahn im Osten zugedreht worden war, hatten die meisten Redaktionsmitglieder *konkret* verlassen. Zu allem Übel musste Klaus Rainer Röhl auch noch für einige Wochen ins Gefängnis, wegen Alkohol am Steuer. Kaum war er entlassen, reiste er nach Stockholm, zu einem Treffen der Gruppe 47, einem lockeren Zusammenschluss von Autoren und Kritikern. Dort traf er seinen alten Freund Peter Rühmkorf, und Rühmkorf war es, der die entscheidende Idee hatte, wie man *konkret* vor dem Absturz bewahren könnte. Er empfahl, nicht mehr weiter »links am Lustprinzip vorbeizusegeln«, sondern sich ganz ungeniert gewisser »Treibsätze« zu bedienen, was heißen sollte, das Blatt mit Sex zu beleben.[14]

Röhl musste sich nicht überwinden, diesem Rat zu folgen. Als Erstes übersetzte er einen schwedischen Porno-Roman ins Deutsche und druckte ihn in *konkret* ab. Im Dezember-Heft räkelte sich dann die erste Nackte auf dem Titelblatt, mit züchtig bedecktem Po. Und in den darauf folgenden Nummern war immer mindestens ein Artikel, der etwas mit Sex zu tun hatte: Sex und Werbung, Sex an der Schule und an der Universität, ein Bericht über »Jungfrauen« und einer über Sex in der DDR mit der sinnigen Überschrift *Im Sex-schritt, marsch?*.

In Deutschland berührte man mit solchen Bildern und Themen natürlich ein Tabu. Immerhin gab es noch einen Kuppeleiparagraphen und ein Werbeverbot für Verhütungsmittel. Erst allmählich begann ein freierer Umgang mit Sexualität, etwa durch die Aufklärungsfilme von Oswald Kolle. Auch Klaus Rainer Röhl wollte die Nacktfotos und Sexgeschichten in *konkret* als Beitrag zur sexuellen Emanzipation verstanden wissen. Doch die Bilder und Artikel waren so reißerisch, dass man an diese aufklärerische Absicht nicht ganz glauben mag.

Natürlich sollte *konkret* auch eine politische Zeitschrift bleiben. Dafür stand in erster Linie Ulrike Meinhof. In ihren Kolumnen, die nun optisch herausgehoben und mit einem Foto von ihr versehen waren, kämpfte sie weiter, gegen Aufrüstung, gegen Antikommunismus, gegen »braune« Politiker, gegen die Notstandsgesetze. Sie tat das in dem Bewusstsein, sich an eine Minderheit zu richten. Die Mehrheit dagegen kam ihr vor wie »Lämmer«[15], die willig alles mit sich geschehen ließen, solange nur ihr angenehmes und bequemes Leben nicht gefährdet war.

Gerade der Widerstand gegen die Notstandsgesetze war ein Widerstand gegen diese Gleichgültigkeit. Immerhin hatte diese agile Minderheit bisher verhindern können, dass die Gesetze im Bundestag eine Mehrheit fanden. Nun aber, so Ulrike Meinhof, sei man »abgekämpft«. Trotzdem müsse »die Puste« noch reichen, um wenigstens bis zur nächsten Bundestagswahl, im Herbst 1965, eine Beschlussfassung zu verhindern. »Wir wollen nicht wie Schlachtvieh behandelt werden«, schrieb sie. »Wir wollen uns aber auch auf keinen Fall wie Schlachtvieh verhalten.«[16]

Als *konkret*-Kolumnistin war sie selbst alles andere als ein geduldiges Lamm. So griff sie auch die Illustrierte *Stern* an, weil Franz Josef Strauß auf deren Seiten seine politischen Meinungen äußern durfte. Strauß war nach der »*Spiegel*-Affäre« zurückgetreten, schien aber seine Rückkehr in die »große« Politik wieder vorzubereiten. Ulrike Meinhof hielt die Hilfestellung der *Stern*-Redaktion für »gesinnungslos und geschäftstüchtig« und sie nannte Strauß den »infamsten deutschen Politiker«.[17] Strauß pflegte nur in zehn Prozent aller beleidigenden Angriffe gegen ihn Strafantrag zu stellen. Aber anscheinend wollte er die *konkret*-Redakteurin nie ungeschoren davonkommen lassen, denn er ging wegen dieser Äußerung wieder mit rechtlichen Mitteln gegen sie vor.

Ulrike Meinhof war nun nicht mehr die unbekannte Redakteurin eines mehr oder weniger unbedeutenden Studentenblattes. Ihre Artikel sorgten für Aufsehen, und es bot sich ihr die Möglichkeit, auch über *konkret* hinaus journalistisch zu arbeiten. Für die Fernsehsendung *Panorama* sollte sie ein Feature über Arbeitsunfälle schreiben. Und der Hessische Rundfunk hatte ihr angeboten, aus ihrem Artikel über den Prozess gegen den ehemaligen General der Waffen-SS Karl Wolff eine Hörfunksendung zu machen.

Mitte März flog Ulrike Meinhof von Hamburg nach Frankfurt, um mit dem Hessischen Rundfunk wegen eines Features über Heimkinder in der BRD zu verhandeln. Von Frankfurt aus wollte sie weiterreisen nach Weilburg, wo ein

Schülertreffen ihrer alten Klasse zum zehnten Jahrestag des Abiturs stattfinden sollte.

Von Frankfurt nach Weilburg nahm sie den Bus, der schon vor zehn Jahren diese Strecke gefahren war. Es war ein alter Bus, mit dunkelroten Kunstledersitzen, der noch immer »schnaufte und schlenkerte« wie damals. Als es dunkel wurde, ging die Innenbeleuchtung an, die so trüb war, dass man nicht lesen konnte. Ulrike Meinhof störte das eigentlich nicht, sie empfand es anheimelnd, dass sich dieser Bahnbus am Wirtschaftswunder »vorbeigedrückt« hatte.

In Weilburg nahm sie ein Zimmer im »Jägerhof« und besuchte gleich alte Freunde, das Ehepaar Gelbhaar, bei dem sie schon als Schülerin oft zu Gast gewesen und dann mit Pfannkuchen gefüttert worden war. Ulrike hatte für den Abend ein sehr schickes Kleid mitgenommen, aber die Gelbhaars rieten ihr zu, es lieber nicht anzuziehen, weil es doch für ein Klassentreffen viel zu übertrieben sei. Also verzichtete Ulrike auf ihr Kleid und zog sich ganz leger an.

Zum Treffen im »Weilburger Hof« waren sechzehn der einundzwanzig aus der alten Abiturklasse gekommen. Auch Ulrikes früherer Freund Werner Link war da. Er war inzwischen promoviert, Assistent an der Uni und gerade dabei, eine Habilitationsschrift zu schreiben, über deutsch-amerikanische Beziehungen in der Weimarer Republik. Er war verheiratet und hatte bereits drei Kinder. Außerdem, so bemerkte Ulrike, war er nicht mehr so schmal wie früher. Ulrike Meinhof war bester Stimmung und alle erlebten sie als sehr aufgeweckt, gescheit, warmherzig und glücklich. Stolz erzählte sie von ihren Kindern und ihrem Beruf. Von ihrer

Operation und den Schwierigkeiten, danach wieder Fuß zu fassen, erwähnte sie nichts.

Wahrscheinlich weil sie Journalistin geworden war, schob man ihr die Aufgabe zu, einen Bericht über das Treffen für das Mitteilungsblatt der ehemaligen Schüler des Weilburger Gymnasiums zu verfassen. Also ließ sich Ulrike von jedem den Werdegang seit dem Abitur erzählen und sie machte daraus später kurze, flott formulierte Texte. Wie schilderte sie, die in ihren Kolumnen so hart ins Gericht ging mit den unkritischen, wohlstandsverwöhnten Deutschen, ihre früheren Mitschüler?

Besonders scheint es sie interessiert zu haben, ob diejenigen Frauen aus ihrer Klasse, die Hausfrau und Mutter geworden waren, zufrieden waren mit ihrem Los. Über eine Mitschülerin schreibt sie: »Das Hausfrauendasein kommt ihr nicht als höchste Erfüllung vor. Es sei unproduktiv.« Und eine andere, die ebenfalls Hausfrau und Mutter geworden war, zitiert sie mit dem Ausspruch: »Kommentar überflüssig.«[18]

In einem Brief nach dem Treffen bemerkt sie dazu: »Die Mädchen sind Hausfrauen. Aber gescheit genug, um diese Existenz so mies zu finden, wie sie ist.«[19] Über sich selber schreibt Ulrike Meinhof, dass sie Kinder und Mann habe, nach dem Studium Redakteurin, dann Chefredakteurin bei *konkret* geworden sei und seit Herbst 1964 freiberuflich für Funk und Fernsehen arbeite. Sie lässt auch nicht unerwähnt, dass sie gerade einen Prozess mit Franz Josef Strauß führe, weil sie ihn »den infamsten deutschen Politiker« genannt habe.

Erst morgens um halb zwei Uhr ging man im »Weilburger Hof« wieder auseinander. Man verabschiedete sich, wünschte sich alles Gute, besonders für die Kinder. Dann, so hielt Ulrike Meinhof die Szene vor dem Gasthaus später fest, »waren es stattliche und säuberliche Autos der sechziger Jahre, deren Motoren aufheulten, und kein Gang kreischte – geübte Fahrer also, die Familienväter und -mütter und die Kinderlosen des Reifejahrgangs 1955«.

Man hatte sich für 1967 zum nächsten Treffen verabredet. Doch Ulrike Meinhof kam nie wieder nach Weilburg.

VIII. Revolutionskasper

> »*Man zwingt mich, Dinge lächelnd*
> *zu sagen, die mir bluternst sind.*«

Ende des Jahres 1965 schaffte sich Klaus Rainer Röhl ein
neues Auto an, einen ziemlich flotten Wagen, einen roten
Opel Rekord Coupé mit sechs Zylindern. Die Röhls konnten sich das jetzt leisten. Ulrike wurde für ihre Beiträge für
Rundfunk und Fernsehen überaus gut bezahlt und *konkret*
war innerhalb eines Jahres zu einem Massenblatt geworden.
Die Mischung aus Sex und Politik hatte die Auflage auf über
100 000 explodieren lassen und die Tendenz war weiter stei-
gend. Diesen sensationellen Erfolg hatte man auch dem
skandalumwitterten Ruf der Zeitung zu verdanken. So hatten sich 6000 Bürger der Stadt Schwabach zusammengetan,
um *konkret* wegen seiner angeblich jugendgefährdenden Artikel und Bilder verbieten zu lassen. Die Anträge, die man
bei der zuständigen Bundesprüfstelle einreichte, wurden abgelehnt, nur einzelne Fotos mit zu tiefen Einblicken und zu
viel nackter Haut wurden beanstandet und mussten heraus-
geschnitten werden. Aber das machte nur noch neugieriger
auf die nächsten Ausgaben.

Eine ähnlich gegenläufige Wirkung hatte auch der
Rechtshändel mit Franz Josef Strauß. Ulrike Meinhof verlor
zwar ihren zweiten Prozess gegen den ehemaligen Minister
und musste 600 Mark Strafe zahlen, aber das rechnete sie
sich als Ehre an und es steigerte nur ihre Bekanntheit und

ihr Ansehen. Sie war nun so etwas wie ein Star geworden und wurde sogar zu Fernsehdiskussionen eingeladen. Leute suchten ihre Nähe, zu denen man im linken Milieu um *konkret* eher Distanz hielt, Leute aus dem so genannten Establishment also, die im Ruf standen, weniger an politischen Veränderungen als an ihrer Karriere interessiert zu sein. In Hamburg fand Ulrike Meinhof Zugang zu solchen Kreisen durch den Rundfunkkommentator Peter Coulmas. Er und seine Frau Danae waren der Mittelpunkt einer Gesellschaft von Journalisten, Künstlern, reichen Geschäftsleuten und Politikern, und eines Tages kam man auf die Idee, auch die Leute von *konkret* einzuladen. Peter Rühmkorf, der zu den *konkret*-Gästen gehörte, erinnert sich, dass es im Hause Coulmas immer sehr bunt und lustig zuging. Man feierte Partys, tanzte zur Musik der Beatles und der Rolling Stones, aß griechischen Hammelbraten mit Knoblauchsoße und Kronsbeerenkompott und diskutierte etwa über die letzte Bundestagswahl, aus der wieder eine Koalition aus CDU/CSU und FDP hervorgegangen war. Diese christlich-liberale Koalition war jedoch von vornherein durch die Wirtschaftskrise belastet, und man konnte schon darüber spekulieren, wie lange sie überhaupt noch halten würde und wann die SPD ihr Ziel, in Bonn an die Macht zu kommen, endlich erreichen würde.

Die Partygesellschaft in Hamburg verstand sich durchaus als »links«. Peter Rühmkorf schildert sie als eine »Society«, die mit den politischen Verhältnissen nicht einverstanden war, politische Meinungen aber lieber im Privaten, unter sich, austauschte, statt sich öffentlich dafür einzusetzen.[1]

In den Briefen, die Ulrike Meinhof in dieser Zeit an Renate Riemeck schrieb, erwähnte sie oft ihren Umgang in Hamburg. Dabei redete sie einerseits recht ironisch über ihre neuen Bekannten, denen sie sich eigentlich gar nicht zugehörig fühlte, andererseits gab sie auch zu, dass sie es ganz angenehm fand, in dieser Gesellschaft zu verkehren. Das war sicher eine neue Erfahrung für Ulrike Meinhof, für die »links sein« immer noch bedeutete, »arm« oder bescheiden zu sein.

Auf den Partys in Hamburg, die immer weitere Kreise zogen, genoss es Ulrike Meinhof, ausgelassen zu feiern und oft im Mittelpunkt zu stehen. Sie war eine gefragte Gesprächspartnerin, und von allen wurde sie bewundert, weil sie so »gescheit« und schön war, weil sie eine so erfolgreiche Journalistin war und neben dem Beruf auch noch eine Familie mit zwei Kindern hatte. Die Journalistin Christa Rotzoll erinnert sich, wie Ulrike Meinhof einmal ganz in Weiß, unnahbar wie ein »ernster Engel«, durch eine Gesellschaft glitt und ein andermal wie eine »Renoir-Schönheit in Schwarz« wild herumtobte. Immer sei sie »todernst« gewesen, auch wenn sie lächelte.[2]

Ulrike Meinhof ließ sich die Bewunderung gefallen. Und niemand hatte den Eindruck, dass sie sich in dieser linken Schickeria fehl am Platze fühlte. Im Gegenteil, Peter Rühmkorf war überzeugt, dass sie zielstrebig den Kontakt zu dieser »Partyrepublik« suchte und auch mit offenen Armen aufgenommen wurde, mit offeneren jedenfalls als Klaus Rainer Röhl, den man als ungehobelten Störenfried an ihrer Seite wohl oder übel hinnehmen musste. Über die unterschiedliche Beliebtheit des Ehepaars Röhl schrieb Peter Rühmkorf ziemlich spitz: »Während man ihn als unvermeidlichen Kotzbrocken mit in Kauf nahm, zog man sie liebreich an die Brust und schmückte sich mit ihr; und sie schmückte sich für die Gesellschaft und trug zum *Gloria*-Modellkleid gern das handgehämmerte *Skoluda*-Gehänge.«[3]

Die junge, attraktive Frau im eleganten Kleid, die mit dem Sektglas in der Hand auf Partys gegen Amerika oder die deutschen Streitkräfte donnerte, das war die eine Ulrike Meinhof. Eine andere war die Journalistin, die in die verwahrlosten Unterkünfte griechischer Gastarbeiter ging oder in überfüllte Kinderheime, um über die vergessenen und abgeschobenen Menschen am Rand der Gesellschaft zu berichten. Zu dieser anderen, zweiten Seite gehörte, dass sie Ungerechtigkeit nie einfach hinnehmen konnte. »Man muss etwas tun!«, meinte sie oft, um gleich darauf zu fragen: »Was tun *wir*?«[4]

Etwas tun wollte Ulrike Meinhof auch, als im Januar 1966 vom Norddeutschen Rundfunk die satirische Sendung *Hallo Nachbarn!* abgesetzt wurde. In ihrem Hamburger Freundeskreis war man einhellig empört über diese offenkundige politische Zensur. Ulrike Meinhof wollte mehr. Sie wollte eine Demonstration auf die Beine stellen, und zwar noch am gleichen Tag. Also musste Klaus Rainer Röhl notdürftig ein Plakat basteln und bemalen, während Ulrike Leute zusammentrommelte. Mindestens hundert sollten es werden. Der kleine Haufen, der sich dann am Abend bei bitterer Kälte vor dem Funkhaus versammelte, bestand gerade mal aus einem Dutzend Demonstranten, bewacht von ebenso vielen Polizisten in drei Streifenwagen. Ein Pressefotograf machte ein Bild von den Anführern der Demonstration, dem Ehepaar Röhl und dem Ehepaar Rühmkorf, alle gegen die Kälte in dicke Mäntel eingemummt und ein Plakat vor sich haltend: »Meinungsfreiheit für Hallo Nachbarn!«[5] Wer konnte schon ahnen, dass bald ganz andere Demonstrationszüge durch die Straßen ziehen würden, mit tausenden von Leuten und nicht mehr so friedlich und harmlos wie bei der Protestaktion vor dem Hamburger Funkhaus am kalten Januarabend 1966.

Ulrike Meinhof besuchte um diese Zeit mit ihren Kindern wieder einmal ihre Pflegemutter in Gundelfingen. »Oma Renate« hörte, wie das Auto vorfuhr und laut gehupt wurde: zwei Mal lang und drei Mal kurz, nach dem Rhythmus des Protestrufs, mit dem Studenten jetzt gegen den Krieg in Vietnam protestierten: Ho-Ho-Ho-Tschi-Minh. Gleich darauf kamen Bettina und Regine ins Haus gestürmt und schrien laut: »Ho-Ho-Ho-Tschi-Minh«.[6]

Ho Tschi Minh war der Präsident des kommunistischen Nordvietnam und für viele eine Symbolfigur des vietnamesischen Befreiungskampfes gegen die USA. Nordvietnam wurde seit dem Februar 1965 von den Amerikanern bombardiert, um dem verbündeten Südvietnam beizustehen und um, so die offizielle Begründung, den weiteren Vormarsch des Kommunismus in diesem Teil der Welt zu verhindern. Das taten die USA mit einem stetig steigenden Einsatz an Waffen und Soldaten. Ende 1965 waren fast 185 000 amerikanische Soldaten in Vietnam stationiert. Napalmbomben wurden eingesetzt und giftige Chemikalien, unter denen in zunehmendem Maß auch die Zivilbevölkerung zu leiden hatte. Diese Kriegsführung rief in den USA immer mehr Kritik hervor, vor allem an den Universitäten. Und auch in Deutschland ging der Protest gegen den Vietnamkrieg von den Studenten aus.

In der Nacht vom 2. auf den 3. Februar 1966 schlichen dunkle Gestalten durch Berlin und klebten illegal Plakate an Wände und Litfaßsäulen. Einer von ihnen war der Soziologiestudent Rudi Dutschke. Auf den Plakaten stand unter anderem mit roten Buchstaben: »AMIS RAUS AUS VIET-NAM!« Diese Aufforderung bekam allerdings kaum jemand zu Gesicht. Die Polizei durchkämmte noch in der Nacht die ganze Stadt und riss alle Plakate wieder ab.

Zwei Tage später fand in Westberlin eine vom wiedererstarkten SDS angemeldete Demonstration gegen den Krieg in Vietnam statt. 2500 Studenten nahmen daran teil und blockierten mit einem Sitzstreik den Kurfürstendamm. Anschließend zog ein Teil der Demonstranten weiter zum Amerikahaus am Bahnhof Zoo. Aus der Menge flog plötzlich ein Ei und platschte gegen die Fassade des Gebäudes. Der Treffer wurde mit Lachen quittiert, und man lachte noch mehr, als dem ersten Ei noch vier weitere folgten. Dann griff die Polizei ein und schleppte die sitzenden Demonstranten weg.

Die meisten der alteingesessenen Berliner fanden diese Aktion nicht zum Lachen. Sie hatten das Kriegsende, die Blockaden, die Luftbrücken und den Mauerbau erlebt und waren stolz darauf, dem Druck des Ostblocks getrotzt zu haben. Für sie verteidigten die Amerikaner in Vietnam auch die Freiheit der »Frontstadt« Westberlin. Viele waren daher einem Aufruf gefolgt und hatten kleine Nachbildungen der Berliner Freiheitsglocke an die Witwen gefallener amerikanischer Soldaten geschickt, als Zeichen dieser Verbundenheit. Für die Berliner Zeitungen waren daher die Studenten »Wirrköpfe« und »Narren« und die Eier gegen das Amerikahaus eine »Schande für unser Berlin«. Der Rektor der Freien Universität und der Berliner Bürgermeister Willy Brandt schrieben Entschuldigungsbriefe an den amerikanischen Stadtkommandanten. Und drei Tage nach dem Zwischenfall fand eine große Sympathiekundgebung für die amerikanische Politik statt. Als einige Jugendliche mit längeren Haaren durch Zwischenrufe auffielen, wurden sie von Teilnehmern der Kundgebung zum Bahnhof Zoo gedrängt und gezwungen, sich Fahrkarten in den Ostteil der Stadt zu kaufen.

Die Kolumnistin Ulrike Meinhof stand auf der Seite der Studenten. Für sie war der Vietnamkrieg ein »schmutziger Krieg«, verbunden mit einem Rückfall in gefährliche Klischees. Das, was in Vietnam passierte, wurde in der Öffentlichkeit wieder verkürzt auf die einfache Formel vom Kampf der freien gegen die unfreie Welt, und damit wurde eine aggressive Politik gegen alles Kommunistische gerechtfertigt. Tatsachen, die nicht in dieses Muster passten, wurden einfach ausgeblendet. Und zu diesen Tatsachen gehörte für Ulrike Meinhof, dass es in Südvietnam keine Demokratie zu verteidigen gab und die Volksbewegung der Vietkong nicht einfach als »kommunistisch« abgestempelt werden konnte. Dass solche Einwände nicht erhoben wurden und nicht erwogen werden durften, das war für sie das Werk der Meinungsmacher in Politik und Medien. Ihnen warf sie vor, Tatsachen zu unterschlagen oder zu verschleiern, damit »die Bevölkerung nichts durchschaut, aber mitmacht«.[7]

Ulrike Meinhof sah es als Gefahr, dass nur noch eine Minderheit sich über die wahren politischen Hintergründe informieren konnte. Die große Mehrheit wurde ihrer Meinung nach in Unwissenheit gehalten oder von Leuten wie dem Zeitungsverleger Axel Springer mit einem simplen antikommunistischen Weltbild versorgt. Ein solches Weltbild musste immer in Gewalt und Unterdrückung enden. Und Vietnam zeigte nur, dass diese Folgen weltweit waren. Die Opfer in Vietnam, im amerikanischen Bombenhagel, waren offensichtlich. In Deutschland gab es auch Opfer dieses »neuen Faschismus«, sie waren allerdings verdeckter, ihre Verletzungen subtiler.

Ulrike Meinhofs journalistische Arbeit galt diesen Opfern. Sie machte Rundfunksendungen über Hilfsschüler, über unterbezahlte Frauen, über unfallgeschädigte Fließbandarbeiter, über Heimkinder. Diese Features waren alle sehr erfolgreich und wurden zur besten Sendezeit ausgestrahlt. Für das Medium Hörfunk hatte sie eine eigene Form der Präsentation entwickelt, eine Mischung aus szenischer Schilderung und sachlicher Analyse.

In der Sendung über Heimkinder zum Beispiel erzählt ein Sprecher die Geschichten dreier Kinder, Paul, Susi und Margarete, die alle aus zerrütteten Familien kommen und von einem Heim in das nächste abgeschoben wurden. Ohne dauerhafte Beziehung, ohne richtige Ausbildung landen sie fast zwangsläufig in der Arbeitslosigkeit oder in der Prostitution. Die Lebensgeschichten werden unterbrochen von Berichten über die Situation in deutschen Heimen und von wissenschaftlichen Erkenntnissen über die psychische Entwicklung von Kindern. Schilderung und Analyse führen dann zu der Feststellung, dass für das von vornherein aussichtslose Leben dieser Kinder nicht die Heime verantwortlich sind, sondern eine Gesellschaft, »die sich weigert, moralisch und fiskalisch die Mittel aufzubringen, die nötig wären, auch einer Minderheit eine Chance zu geben«.[8] Doch Ulrike Meinhof klagt in dieser Sendung nicht nur an, sie hat auch ein Bild von Kindheit, wie sie sein soll. Jede Erziehung, selbst die in Heimen, müsse sich an der Familie orientieren, nur dort gebe es dauerhafte Beziehungen und Zuwendung.

Ihre eigene Familie war Ulrike Meinhof sehr wichtig. Als freiberufliche Journalistin konnte sie viel zu Hause arbeiten und ihre Termine selbst bestimmen. Für den Haushalt hatte sie eine Hilfe angestellt, auch um mehr Zeit für ihre Kinder zu haben. Die fast vierjährigen Zwillinge nahmen sie voll in Anspruch. Meistens wollten sie alles gleichzeitig, gleichzeitig erzählen, gleichzeitig auf ihrem Schoß sitzen, gleichzeitig ihre Hand nehmen. Nur krank wurden sie nie gleichzeitig, sondern immer nacheinander, klagte sie in einem Brief an einen Verwandten. Darin beschrieb sie auch ihren Alltag mit den Kindern: »Sie fahren Fahrrad, singen ziemlich falsch und tanzen genauso gerne wie ihre Eltern zu den Beatles, wobei Bettina sehr hübsch und musisch ihre Beinchen schwingt, während Regine es vorzieht, Purzelbäume dazu zu machen, das bringt sie weniger in Verlegenheit.«[9]

Für die Erziehung der Kinder war natürlich die Mutter zuständig. Klaus Rainer Röhl war vollauf mit *konkret* beschäftigt. Die Auflage war bis Mitte 1966 noch einmal auf 150 000 gestiegen, und Röhl hatte sich einen weißen Mercedes gekauft, was ihm seine linken Genossen sehr übel nahmen. Seine Ehe in dieser Zeit nannte Röhl später »eine einzige Harmonie«. Daran darf man zweifeln. Offenbar nahm er es mit seinem Treueversprechen nicht so genau. Jedenfalls wusste man unter den Freunden der Röhl'schen Familie, dass er Ulrike »mit Schwung und Lärm«[10] betrog. Ulrikes Treue empfand »K2R« dagegen als »geradezu stur«. Sie konnte sich an seinen freizügigen Lebensstil nicht gewöhnen, eine Freizügigkeit, die im Hamburger Freundeskreis gang und gäbe war.

Viele dieser Hamburger Freunde verbrachten die Sommerferien in Kampen auf Sylt. Und die Röhls waren im Sommer 1966 auch dabei. Ein Abschnitt des Strandes war reserviert für die Nacktbader, und das waren größtenteils die Prominenten und Reichen, die darauf achteten, unter sich zu bleiben. In einem der begehrten Strandkörbe saß nun auch Ulrike Meinhof, etwas abseits spielten die Zwillinge im Sand mit Timon, dem gleichaltrigen Jungen der Familie Coulmas. Auch hier am Kampener Strand bildeten sich Cliquen und man feierte spontane Partys. Einen Anlass gab es immer, ob Geburtstag oder Scheidung oder die Ankunft von Bekannten. Mal brachte jemand Kuchen mit, mal Krabben oder Kaviar. Dazu trank man Champagner, die leeren Flaschen steckte man dann reihenweise auf die Sandburgen am Strand, daneben die leeren Austernschalen.

Wie in Hamburg war Ulrike Meinhof in Kampen immer umgeben von Leuten. Sie erzählte von ihren neuesten Plänen, jetzt auch einen Fernsehfilm machen zu wollen, über die ausweglose Situation von Mädchen in Erziehungsheimen. Man sprach natürlich auch über Vietnam und darüber, was die protestierenden Studenten eigentlich wollten, eine Reform der Universität oder eine radikale Veränderung der ganzen Gesellschaft. Ein Dauerthema am Strand und nachher auf einer der allabendlichen Partys war auch die Krise der Regierung. Und man fragte sich, ob es wirklich zu einer Verbindung der großen Parteien CDU/CSU und SPD kommen könnte.

Es kam zu dieser Großen Koalition, noch im gleichen Jahr. Nachdem im Streit um Steuererhöhungen die FDP ihren Rückzug aus der Regierung erklärt hatte, nahmen die CDU/CSU und die SPD Gespräche auf und Mitte November 1966 war die neue Koalition beschlossene Sache. Am 1. Dezember wurde der baden-württembergische Ministerpräsident Kurt Georg Kiesinger zum neuen Kanzler gewählt. Vizekanzler und Außenminister wurde Willy Brandt, Finanzminister Franz Josef Strauß.

Für viele Linke war diese Koalition ein Alptraum. Sie fürchteten, dass die SPD nun völlig vereinnahmt werden und ihr linkes Profil verlieren würde. Der Schriftsteller Günter Grass, auch ein Hamburger Bekannter von Ulrike Meinhof, schrieb Willy Brandt einen Brief, in dem er ihn eindringlich vor dieser »miesen Ehe« warnte. Die Jugend werde sich vom Staat abkehren und sich »nach links und rechts verrennen«, prophezeite Grass.[11]

Willy Brandt antwortete, dass es keinen »faden politischen Eintopf« geben werde und die Große Koalition sei die zwar begrenzte, aber heute einzig mögliche Alternative zum »bisherigen Trott«.

Solche Reden über realpolitische Kompromisse klangen in Ulrike Meinhofs Ohren wie faule Ausreden. Sie war wie Grass maßlos enttäuscht. Die SPD war nie ihre Partei gewesen, schon gar nicht nach dem Godesberger Programm, trotzdem hatte sie immer empfohlen, die SPD zu wählen, weil die Sozialdemokraten der einzige Hoffnungsträger für eine andere Politik in Deutschland waren. Diese Hoffnung war nun durch die Große Koalition zunichte gemacht. In ihrer Kolumne sprach sie von »Verrat« und davon, dass die SPD sich »prostituieren« wollte und sich von der CDU habe »umarmen« lassen. Nicht mehr lange, so fürchtete sie, und das gesamte politische Leben in Deutschland werde »tot sein«, ohne Kontraste, ohne wirkliche Kritik. Was allein zähle, sei dann der gesicherte Lebensstandard, und keiner mehr werde auf die Idee kommen, dass es auch anders sein könnte, als es ist.[12]

Dieser fortschreitenden Gleichmacherei, Vermischung, Vernebelung sei nur entgegenzuwirken, wenn man die Unterschiede der politischen Richtungen deutlich machte, wenn man, wie Ulrike Meinhof schrieb, wieder »klare Fronten« schaffte. In dieser Hinsicht erwartete sie aber nichts mehr von den Parteien und vom Parlament. Ihre Hoffnung war, dass nun die Gegner der Großen Koalition »außerhalb« der Parteien »Krach schlagen« würden.

Diese außerparlamentarische Opposition begann sich

wirklich schon zu formieren und sie schlug Krach, mit den unterschiedlichsten Mitteln. Da waren vor allem die Studenten, die aus Amerika neue Formen des Protestierens, das Sit-in und Go-in, übernahmen. Es bildeten sich Gruppen, in denen Marx und Mao gelesen, diskutiert, geschult, gekifft und getanzt wurde. Daneben gab es die Jugendlichen, für die Protest in erster Linie bedeutete, ihren Lebensstil zu ändern. Sie erkannten einander an den langen Haaren und am Gammel-Look. Und nicht nur in Großstädten wie Berlin und München, auch in kleineren Orten gab es jetzt junge Leute, die in ihrem Zimmer Poster von Mao Tse-tung und Che Guevara an die Wand hängten und ihren privaten Aufstand probten.

Manch normalem Bürger wurde angesichts dieses Treibens angst und bange. Und es konnte ihm ergehen wie dem Bundeskanzler Kurt Georg Kiesinger, dem die Worte fehlten und der nur beschwörend-mahnend hervorbrachte: »Ich sage nur China, China, China …« Vielleicht dachte Kiesinger auch an die Mitglieder der Kommune I, die zeitweise in ziemlich phantastischen, asiatisch anmutenden Kleidern herumliefen.

Diese Kommune wurde Anfang 1967 in Berlin gegründet mit dem Ziel, eine neue Form des Zusammenlebens zu erproben, ohne privates Eigentum, ohne Leistungsprinzip, ohne sexuelle Tabus. Ihre Mitglieder wie Rainer Langhans, Fritz Teufel oder Dieter Kunzelmann machten sich einen Spaß daraus, den Bürgerschreck zu spielen und dafür auch die Medien kräftig auszunutzen. »Erst blechen, dann sprechen« stand im Flur an die Wand geschrieben für alle Journalisten, die ein Interview wollten. Wenn sie dann gezahlt hatten, bedienten sie die Kommunarden mit schockierenden Sprüchen wie: »Was geht mich der Vietnamkrieg an, solange ich Orgasmusschwierigkeiten habe?« Das nahmen manche als Beweis für die unpolitische Haltung der Gruppe. Der Satz war aber Ausdruck der Überzeugung, dass private und politische Probleme zusammengehören, dass auch die Probleme im Persönlichen ihre Wurzeln in der Gesellschaft haben.

Anfang April 1967 sorgten die Kommunarden wieder für Schlagzeilen. Der amerikanische Vizepräsident Hubert Humphrey kam nach Berlin. Durch einen Spitzel hatte die Polizei erfahren, dass Mitglieder der Kommune einen Anschlag planten. Was man bei einer Durchsuchung der Wohngemeinschaft fand, waren keine Bomben, sondern Zutaten für Rauchkerzen und mit Mehl, Joghurt, Puddingpulver und Farbe gefüllte Plastikbeutel. Die *Bild-Zeitung* berichtete am nächsten Tag von den »hirnverbrannten Verschwörern«, die mit »Bomben, hochexplosiven Chemikalien und sprengstoffgefüllten Plastikbeuteln« den hochrangigen Gast der Stadt ermorden wollten.[13]

Gleich in der nächsten Ausgabe von *konkret* äußerte sich Ulrike Meinhof zu diesem »Pudding-Attentat«. Was sie von jenen Berliner Politclowns halten sollte, wusste sie selbst nicht so recht. Sie vermisste die klare politische Botschaft. Andererseits imponierte ihr die Art, wie die Kommunarden auf sich aufmerksam machten und wie sie die fragwürdige Haltung der Befürworter des Vietnamkriegs bloßlegten. Diese Haltung prangerte sie an, wenn sie schrieb: »Nicht Napalmbomben auf Frauen, Kinder und Greise abzuwerfen ist demnach kriminell, sondern dagegen zu protestieren.

[…] Es gilt als unfein, mit Pudding und Quark auf Politiker zu zielen, nicht aber, Politiker zu empfangen, die Dörfer ausradieren lassen und Städte bombardieren.«[14]

Ulrike Meinhof verfolgte gespannt die Entwicklung der neuen Protestbewegung. Sie hatte immer gefordert, dass man etwas tun müsse, und diese Studenten taten nun wirklich etwas. Sie machten Aktionen und gingen auf die Straße und riskierten dabei, von der Polizei verprügelt zu werden. Sie selbst schrieb zwar politische Artikel, riskierte damit aber nichts und außer Franz Josef Strauß regte sich niemand groß darüber auf.

Insgesamt verlief ihr Leben doch in sehr bürgerlichen Bahnen. Ende 1966 hatten Klaus Rainer Röhl und sie einen Bausparvertrag abgeschlossen, um ein Haus zu kaufen, eine Jugendstilvilla im vornehmen Stadtteil Blankenese. Es war Ulrikes Idee gewesen und sie hatte auch die Villa entdeckt. Das Haus hatte hohe, helle Räume und Glastüren, die auf einen Garten mit großen Bäumen führten.

Vielleicht hatte Ulrike Meinhof das Haus auch kaufen wollen, um die Familie wieder enger zusammenzubringen. Ihr war nicht verborgen geblieben, dass Röhl sich heftig verliebt hatte, in die Frau des Hausfreundes Peter Coulmas, Danae Coulmas. In ihrem Freundeskreis war das nichts Ungewöhnliches. Dauernd wurden neue Verbindungen geknüpft und alte aufgelöst. Peter Rühmkorf meinte später über diese Jahre, er habe nie wieder eine Zeit erlebt, in der so viele Ehen gefährdet waren, so viele Blicke getauscht und so viele Betten vertauscht wurden. Nun wurde auch die Ehe der Röhls in diesen Gefühlsstrudel gerissen. Ulrike Meinhof wollte ihre Ehe retten, vor allem wollte sie nicht, dass ihre Kinder ohne Vater aufwachsen, wie es ihr eigenes Schicksal gewesen war.

Während sie in Hamburger Antiquitätengeschäften nach passenden Möbeln für ihr Haus suchte, bahnte sich wieder eine Auseinandersetzung zwischen den aufmüpfigen Studenten und der Staatsmacht an. Der Schah von Persien, Reza Pahlevi, und seine Frau Farah Diba besuchten Deutschland. Die Studenten waren auf diesen Besuch schon vorbereitet. Der persische Student Bahman Nirumand hatte sie über die Verhältnisse im Iran aufgeklärt, über die Armut der Bevölkerung, über Menschenrechtsverletzungen, über die diktatorische Herrschaft des Schahs und seines von den USA gestützten Geheimdienstes. Über diese betrüblichen Tatsachen berichteten die Zeitungen freilich nicht. Sie waren mehr interessiert an der orientalischen Pracht des Pfauenthrons und an Klatschgeschichten vom Hof. Auf diese Berichterstattung vornehmlich der Regenbogenpresse reagierte Ulrike Meinhof mit einem *Offenen Brief an Farah Diba*, der mit den Sätzen beginnt: »Guten Tag, Frau Pahlawi, die Idee, Ihnen zu schreiben, kam uns bei der Lektüre der *Neuen Revue* vom 7. und 14. Mai, wo Sie Ihr Leben als Kaiserin beschreiben. Wir gewannen dabei den Eindruck, dass Sie, was Persien angeht, nur unzulänglich informiert sind. [...] Sie erzählen da: ›Der Sommer ist im Iran sehr heiß und wie die meisten Perser reise auch ich mit meiner Familie an die persische Riviera am Kaspischen Meer.‹ ›Wie die meisten Perser‹ – ist das nicht übertrieben? In Balutschestan und Mehran z. B. leiden ›die meisten Perser‹ – 80 Prozent – an erblicher Syphilis.

Und die meisten Perser sind Bauern mit einem Jahresein-
kommen von weniger als 100 Dollar. Und den meisten per-
sischen Frauen stirbt jedes zweite Kind – 50 von 100 – vor
Hunger, Armut und Krankheit. Und auch die Kinder, die in
14-stündigem Tagewerk Teppiche knüpfen – fahren auch
die – die meisten? – im Sommer an die persische Riviera am
Kaspischen Meer?«[15]

Dieser *Offene Brief* von Ulrike Meinhof wurde in tausenden Exemplaren als Flugblatt verteilt und trug wahrscheinlich auch dazu bei, dass der Staatsbesuch nicht ganz so har-
monisch verlief, wie die meisten Deutschen das wünschten.

Am 2. Juni traf das Kaiserpaar in Berlin ein. Nach einem
Empfang im Schöneberger Rathaus folgte am Abend ein Besuch der Oper, wo Mozarts *Zauberflöte* aufgeführt wurde.
Vor der Oper versammelten sich tausende von Demonstranten und Schaulustigen. Sprechchöre skandierten Parolen
wie: »Schah-Schah-Schaschlik« oder »SA-SS-Schah«. Dann
fuhren Busse vor, denen Männer in schwarzen Anzügen ent-
stiegen. Getreue des Schahs, so genannte »Jubelperser«, aus-
gerüstet mit Holzlatten, mit denen sie auf die vorderste
Linie der Demonstranten einschlugen. Und während das
Kaiserpaar mit dem Berliner Bürgermeister Heinrich Albertz, der über seine Mutter, Elisabeth Meinhof, entfernt
mit Ulrike Meinhof verwandt war, der Mozart-Oper lausch-
te, ging die Polizei draußen zum Angriff über. Für sie waren
die Demonstranten nur kommunistische Unruhestifter, gegen die man hart vorgehen musste.

Nach der »Leberwursttaktik« wurde die Menge mit
Gummiknüppeln zurückgedrängt und geteilt, um sie in klei-

ne Gruppe zu zerstreuen. Dann setzte man den Studenten nach, um Rädelsführer festzunehmen. Für einen solchen Rädelsführer hielt man auch den sechsundzwanzigjährigen Romanistikstudenten Benno Ohnesorg, der das erste Mal in seinem Leben auf einer Demonstration war. Er floh mit anderen in eine Nebenstraße, in die Krumme Straße. Dort wurden sie von Polizisten auf einem Garagenvorplatz gestellt. Als Ohnesorg versuchte zu entkommen, wurde er von Schutzpolizisten umringt, die auf ihn einschlugen, bis er zusammensackte. Dann war ein Knall zu hören. Ohnesorg war von einer Kugel tödlich im Kopf getroffen worden. Den Schuss hatte der neununddreißigjährige Kriminalobermeister Karl-Heinz Kurras abgegeben.

Der Tod des Studenten Benno Ohnesorg veränderte Deutschland. Der Funke des Protests sprang auf das ganze Land über. Schon am nächsten Tag fanden in fast allen Städten mit Hochschulen und Universitäten Schweigemärsche, Trauerkundgebungen und Demonstrationen statt. Auf Spruchbändern protestierte man gegen die Brutalität der Polizei und gegen die Hetzkampagne der Springer-Presse. Deren Zeitungen wiederum gaben den Demonstranten in Berlin die Schuld am Tod des Studenten. In der *Bild-Zeitung* hieß es: »Gestern haben in Berlin Krawallmacher zugeschlagen, die sich für Demonstranten halten. Ihnen genügt der Krawall nicht mehr. Sie mussten Blut sehen. Sie schwenken die rote Fahne und sie meinen die rote Fahne. Hier hören der Spaß und der Kompromiss und die demokratische Toleranz auf.«[16]

In der Tat hatten viele Studenten das Gefühl, neuerdings

eine Menge über Toleranz gelernt zu haben. Nur weil sie in einer toleranten Gesellschaft lebten, so hielt man ihnen vor, konnten sie ihre Kritik äußern. Aber diese Kritik, so ihre Erfahrung, blieb fast immer wirkungslos. Und wenn der Protest dann lauter und dringlicher wurde, bekamen sie die harte Hand der staatlichen Gewalt zu spüren.

Einer der Vordenker der Studentenbewegung, der das Unbehagen an der Gesellschaft und das Gefühl der Ohnmacht genauer zu erklären suchte, war der Philosoph Herbert Marcuse. Von ihm stammte der schillernde Begriff von der »repressiven Toleranz«. Er meinte damit eine Haltung, die gerade durch ihre scheinbar tolerante Offenheit jede Kritik an ihr ins Leere laufen lässt und hintergründig doch ihre eigenen Interessen durchsetzt. Dazu schrieb Marcuse: »[...] die konzentrierte Macht kann es sich leisten, die radikale andere Meinung so lange zu tolerieren (vielleicht sogar zu verteidigen), wie sie sich den etablierten Regeln und Gewohnheiten fügt (und sogar ein wenig darüber hinaus). Die Opposition wird so gerade in die Welt gezogen, der sie opponiert.«[17]

Die Schüsse auf Benno Ohnesorg waren auch für Ulrike Meinhof ein einschneidendes Ereignis. Endlich sei es mit der »falschen Harmonie« vorbei, schrieb sie, endlich seien die wirklichen Konflikte offen gelegt. Auch für ihr eigenes Leben brachten die politischen Ereignisse eine Klärung. War sie nicht auch, in Marcuses Worten, in eine Welt gezogen worden, die sie eigentlich bekämpfte? War sie nicht vereinnahmt worden von einer Gesellschaft, die ihren Artikeln und Sozialreportagen applaudierte, aber nie daran dachte, daraus Konsequenzen zu ziehen? War sie nicht das politische Feigenblatt für eine Zeitschrift, die immer mehr zum unterhaltsamen Männermagazin wurde? War sie nicht auch verführt worden durch Erfolg, Ansehen, Wohlstand und hatte sie nicht darüber ihre Ideale verraten?

Dass sich Ulrike Meinhof solche Fragen gestellt hat, das zeigt eine Tagebuchnotiz, auf die Klaus Rainer Röhl zufällig gestoßen ist:

»Das Verhältnis zu Klaus, die Aufnahme ins Establishment, die Zusammenarbeit mit den Studenten – dreierlei, was lebensmäßig unvereinbar scheint, zerrt an mir, reißt an mir. Das Haus, die Partys, Kampen, das alles macht nur partiell Spaß, ist aber neben anderem meine Basis, subversives Element zu sein, Fernsehauftritte, Kontakte, Beobachtungen zu haben gehört zu meinem Beruf als Journalistin und Sozialist, verschafft mir Gehör über Funk und Fernsehen über *konkret* hinaus. Menschlich ist es sogar erfreulich, deckt aber nicht mein Bedürfnis nach Wärme, nach Solidarität, nach Gruppenzugehörigkeit. Die Rolle, die mir dort Einsicht verschaffte, entspricht meinem Wesen und meinen Bedürfnissen nur sehr partiell, weil sie meine Gesinnung als Kasperle-Gesinnung vereinnahmt, mich zwingend, Dinge lächelnd zu sagen, die mir, uns allen, bluternst sind: also grinsend, also maskenhaft.«[18]

Im Sommer 1967 war Ulrike Meinhof nur kurz auf Kampen. Anschließend reiste sie mit Klaus Rainer Röhl nach Italien und sie besuchten den Verleger Giangiacomo Feltrinelli. Feltrinelli war einer der reichsten Männer Italiens. Er war auch ein überzeugter Kommunist und unterstützte mit seinem Geld revolutionäre Bewegungen auf der ganzen Welt. Ulrike Meinhof und er waren sich von Anfang an sympathisch. Feltrinelli war gerade dabei, sich von seiner Frau Inge zu trennen, und bald machte er auch Schluss mit seinem Doppelleben. Er ging »in die Wälder«, das heißt, er stieg aus seinem großbürgerlichen Leben aus und schloss sich illegalen Widerstandsgruppen an. Im März 1972 fand man ihn tot in der Nähe von Mailand. Beim Versuch, einen Hochspannungsmast zu sprengen, hatte er sich selbst in die Luft gejagt. Die zehn Stangen Dynamit, die er am Körper befestigt hatte, waren vorzeitig explodiert.

Anfang Oktober 1967 veranstalteten die Röhls ein großes Fest, zu dem alle Hamburger Freunde kamen. Das Haus sollte eingeweiht werden und gleichzeitig wollte man auch Ulrikes dreiunddreißigsten Geburtstag feiern. Doch Ulrike und das Haus gerieten in den Hintergrund. Das Fest wurde zu einer Verlobungsfeier zwischen Klaus Rainer Röhl und seiner Geliebten Danae Coulmas. Gegen Mitternacht verließen die beiden einfach Arm in Arm das Haus und alle bedauerten Ulrike. Für Ulrike Meinhof war klar, dass sie Röhl verloren hatte. Oder dachte sie, er habe sie verraten? Auf die Maßstäbe seines Lebens wollte sie sich nicht mehr einlassen, schon gar nicht auf eine Dreierbeziehung. Wenige Monate nach dem Einweihungsfest zog Ulrike Meinhof aus der Blankeneser Villa aus, ziemlich überstürzt. Sie packte Kleider und ihre Kinder in das Auto, alles andere wollte sie später holen. Ihr Ziel war Berlin. Wollte auch sie »in die Wälder«?

IX. Ulrike Meinhof und die Brandstifter

> *» Widerstand ist, wenn ich dafür sorge,*
> *dass das, was mir nicht passt, nicht länger geschieht. «*

Das Leben in Westberlin war in den 60er Jahren anders als in anderen deutschen Städten. Seit dem Mauerbau glich die Rumpfstadt einer kleinen Insel inmitten des Staatsgebietes der DDR, total isoliert vom Umland mit Hilfe von 155 Kilometern Beton und Stacheldraht. Vor allem die alteingesessenen Einwohner betrachteten Berlin als die »Frontstadt«, als die vorderste Bastion des freien Westens, als »Pfahl im Fleisch des Kommunismus«.

Die Stadt sollte auch ein Aushängeschild des Westens werden, man wollte sie zu einer Metropole der Wissenschaft und Kultur umbauen. Dazu floss viel Geld nach Berlin, und das schaffte günstige Lebensbedingungen, von denen gerade junge Leute aus Westdeutschland angelockt wurden. Nach dem Mauerbau hatten viele Einwohner die Stadt verlassen, und nun standen eine Menge großer Wohnungen leer, die unglaublich günstig zu mieten waren. Billig waren auch die zahllosen Kneipen, die wie Pilze aus dem Boden schossen. Dort trafen sich Studenten, Künstler und Lebenskünstler aus den verschiedensten Milieus und Subkulturen. Eine Polizeistunde gab es nicht, das Nachtleben kannte kein Ende. Viele unter den jungen Leuten waren auch nach Berlin gekommen, um dem Dienst in der Bundeswehr zu entgehen. Der Sonderstatus der Stadt befreite sie davon. »Es war eine tolle Zeit«, erinnert sich der Regisseur Rosa von Praunheim an die 6oer Jahre in Berlin. »Das wunderbare Gefühl, nach einer intensiven Nacht euphorisch durch den Morgen zu laufen, vorbei an Spießern, die diszipliniert und mürrisch zur Arbeit rennen, frustriert von Zwängen und Pflichten.«[1]

In einer plüschigen Schwulenbar im Stadtteil Schöneberg, im »Kleist-Casino«, begegnete Rosa von Praunheim manchmal einem jungen, gut aussehenden Mann, der gern knallenge Hosen trug und sich auch schon mal mit Lidschatten und falschen Wimpern schminkte. Er hieß Andreas Baader. Baader war in München aufgewachsen, wo er zwei Jahre vor Kriegsende, am 6. Mai 1943, geboren worden war. Sein Vater, ein promovierter Historiker und Archivar, war nicht mehr aus der russischen Kriegsgefangenschaft zurückgekehrt und so wurde »Andi«, wie ihn alle nannten, von den Frauen der Familie aufgezogen: von seiner Mutter Anneliese, seiner Großmutter Hermine und seiner Tante Elfriede.

Nach den Beschreibungen seiner Mutter war der kleine »Andi« ein hübscher, intelligenter, aber stinkfauler Kerl, der nie Angst hatte. Wenn ihn etwas nicht interessierte, dann verlor er jede Lust, sich damit weiter zu beschäftigen. Wenn er sich aber etwas vorgenommen hatte, setzte er es auch durch, notfalls mit den Fäusten. Mit dieser Mischung aus Faulheit, Sprunghaftigkeit und Aggressivität hatten besonders seine Lehrer ihre Mühe. Wegen »unzureichender Leistungen« und disziplinärer Probleme musste er mehrmals die Schule wechseln. Und als auch ein Internat und eine Privatschule keinen Erfolg brachten, beendete Andreas Baader vorzeitig seine Schulkarriere.[2]

Im Herbst 1963, als Zwanzigjähriger, verließ er München und ging nach Westberlin. Dort führte er das Leben eines Dandys. In den Bars, in denen er verkehrte, erzählte er gern Geschichten aus seinem Leben, von denen niemand wusste, wie viel Wahres daran war. So behauptete er, Schriftsteller zu sein und ein Nachfahre des Philosophen Franz von Baader. Oder er erzählte, dass er als Praktikant bei der *Bild-Zeitung* gearbeitet habe und gefeuert worden sei, weil er wie Tarzan an einem Kronleuchter geschaukelt und dann dem Redakteur mit den Füßen ins Gesicht getreten hätte.

Im »Kleist-Casino« lernte Andreas Baader auch das Künstlerehepaar Manfred Henkel und Ellinor, genannt Ello, Michel kennen, die beide fasziniert waren von seinem ruppigen Charme und seinem Sex-Appeal. Kurz darauf zog Baader in die geräumige Altbauwohnung des Paares, das ein gemeinsames Kind hatte, ein. Im März 1965 bekam Ello ein zweites Kind, ein Mädchen, und diesmal war Andreas Baader der Vater. Dem Zusammenleben im Künstlerhaushalt tat das keinen Abbruch.

Als der Schah von Persien nach Berlin kam und der Student Benno Ohnesorg von der tödlichen Kugel getroffen wurde, hielt sich Andreas Baader nicht in Berlin auf. Seine wilde Vergangenheit in München hatte ihn wieder eingeholt. Damals hatte er ein Motorrad geklaut und war damit ohne Führerschein herumgerast. Dafür musste er nun in Traunstein eine Jugendstrafe absitzen. Als er im Sommer 1967 wieder in Berlin auftauchte, war die Stadt verändert. Die Studenten waren im politischen Aufruhr. Baader wollte offenbar den Anschluss an die neue Zeit nicht verpassen und suchte die Nähe zur Kommune I. Es gibt sogar Fotos, die ihn bei Aktionen der Kommunarden zeigen. Auf dem einen gehört er zu den Trägern eines Pappsargs. Mit diesem Sarg mischten sich die Kommunarden unter die Trauergäste bei der Beerdigung des ehemaligen Reichstagspräsidenten Paul Löwe. Aus der Pappkiste sprang dann wie ein Schachtelteufel Dieter Kunzelmann, mit weißem Nachthemd und Zipfelmütze, und warf Flugblätter um sich. Auf einem anderen Foto sieht man den etwas steif tanzenden und verlegen schauenden Andreas Baader auf dem Kurfürstendamm, neben ihm Rainer Langhans im weißen Plüschrock und mit Blumenstrohhut auf dem Lockenkopf.

Auf diesen Fotos macht Baader den Eindruck, als ob er nicht so recht zu den Kommune-Leuten passte. Rainer Langhans meinte später, Baader sei eine ganz andere Art Mann gewesen, ein »absoluter Frauentyp«, mit dem Auftreten eines Zuhälters, und die Männer aus der K I seien sich neben ihm vorgekommen wie »verklemmte Jünglinge«. Deren Klamauk lag Baader nicht und eigentlich war er auch unpolitisch. Bei den politisierten Studenten genoss er dennoch eine gewisse Bewunderung. Denn zu dieser Zeit wurde heftig darüber diskutiert, ob im politischen Widerstand auch Gewalt erlaubt sei, und viele Studenten empfanden es als persönliche Schwäche, dass sie nicht so ohne weiteres den Schritt zur Gewalt tun konnten. Baader dagegen galt als einer, der mit Gewalt keine Probleme hatte. Er war skrupellos, jedenfalls trat er so auf.

Baader war auch dabei, als sich im August 1967 eine Gruppe in der Wohnung des Autors und Verlegers Bernward

Vesper und seiner Verlobten Gudrun Ensslin traf. Man beratschlagte über den Plan, von der Berliner Gedächtniskirche ein Transparent mit der Aufschrift »Enteignet Springer« herabzulassen. Baader, der es liebte, die zögerlichen Studenten zu schockieren, machte den Vorschlag, den Turm gleich in die Luft zu sprengen. Das ging den anderen dann doch zu weit. Nur Gudrun Ensslin war von dieser Idee begeistert. Seit dem Tod von Benno Ohnesorg war sie überzeugt, dass Befreiung nur im Kampf möglich sei, und nun war da endlich mal einer, der das auch wirklich wollte.

Schon bald darauf änderte Gudrun Ensslin ihr Leben radikal. Die Tochter aus einer schwäbischen Pfarrersfamilie verließ ihren Verlobten und den neun Monate alten Sohn Felix, sie brach ihr Germanistikstudium ab, machte bei einem Sexfilm mit und wurde Andreas Baaders Gefährtin.

Als Ulrike Meinhof nach Berlin übersiedelte, waren die unbeschwerten Jahre der Boheme endgültig vorbei. Die politisierten Studenten verbrachten ihre Tage und oft auch die Nächte damit, schwer verständliche Texte zu lesen, etwa die Bücher der so genannten Frankfurter Schule, zu der Max Horkheimer, Theodor W. Adorno, Herbert Marcuse und Jürgen Habermas gehörten, oder die Schriften von Karl Marx, Mao oder Lenin und Trotzki. Die Lektüre diente auch dazu, sich einzuüben in eine Sprache, die gespickt war mit soziologischen Ausdrücken wie »organisierte Repression«, »falsches Bewusstsein« oder »systemabschaffender Reformismus«. Auch wenn die Bedeutung dieser Wörter nicht immer klar war, so vermittelten sie doch das Gefühl, mit ihnen eine Gesellschaft durchschauen zu können, der man nicht mehr traute und die, so glaubte man, ihr wahres Gesicht hinter einem Schleier von Propaganda, Unterdrückung und Gewalt verbarg.

Für sich und ihre Kinder hatte Ulrike Meinhof eine kleine Wohnung gefunden in der Goßlerstraße in Dahlem. Das war eine Gegend im Südwesten Berlins, mit vornehmen Häusern und gepflegten Gärten. Die Wohnung war nicht das, was Ulrike Meinhof sich vorgestellt hatte. Sie war zu dunkel und lag zu weit weg vom Stadtzentrum, und am liebsten wäre es Ulrike Meinhof gewesen, mit anderen zusammenzuwohnen. Dann hätten die Zwillinge in einer Gemeinschaft aufwachsen können und sie hätte vielleicht mehr Freiraum gehabt. Doch Leute, die für eine Wohngemeinschaft in Frage kamen, kannte sie nicht. Ulrike Meinhof stellte eine Haushaltshilfe ein und für die Kinder fand sie eine private, recht teure Schule in der Nähe.

Der Unterschied zum früheren Leben in Hamburg war groß. Dort hatte sie unzählige Freunde und Bekannte gehabt und war von allen bewundert und hofiert worden. Hier in Berlin kannten zwar viele Leute den Namen der berühmten Kolumnistin, doch im Grunde war sie fremd in der Stadt. Trotzdem gewann sie ihrem neuen Leben auch positive Seiten ab. »In Berlin lebt's sich leichter«, schrieb sie an alte Freunde. »Die netten Leute hier zeigen leichter, dass sie nett sind. Man trifft sich nicht nur auf Partys. Sie verstecken ihr Privatleben nicht so und mimen nicht ganz so glatte Oberflächen. Das finde ich schön.«[3]

Ulrike Meinhof suchte Anschluss an die Szene der außerparlamentarischen Opposition (APO), so nannte sich inzwischen die Bewegung gegen die Große Koalition in Bonn. Sie verkehrte im »Republikanischen Club«, einem Treffpunkt der Linken, diskutierte mit den Leuten und aß, wie dort üblich, eine Bohnensuppe oder ein Schmalzbrot. Auch in den Räumen des SDS am Kurfürstendamm 140 wurde die prominente Journalistin nun öfter gesehen. Sie nahm an den Sitzungen teil, gehörte aber nie richtig dazu. Der SDS war ein gewachsener Kreis von Studenten und sie kam von außen. Zudem war sie eine berufstätige Frau und im Durchschnitt zehn Jahre älter als die Studenten.

Am besten verstand sie sich noch mit Rudi Dutschke, dem charismatischen APO-Führer. Ihn kannte sie schon von früher. Klaus Rainer Röhl hatte ihn einmal nach Hamburg eingeladen, in ihre Blankeneser Villa, wo sich der asketische, unrasierte Rudi in seinem abgetragenen Pulli ausgenommen hatte wie ein Mönch der Revolte. Röhl, der einen Narren an ihm gefressen hatte, wollte ihn als Stimme der APO für *konkret* gewinnen.

Ulrike Meinhof fühlte sich Rudi Dutschke näher als den Leuten aus der Kommune I. Auch für ihn war politische Revolte kein Spaß und Spiel. Er war ernst und entschlossen, manchmal auch warmherzig, einen »duften Kerl« nannten ihn manche, und er galt als absolut aufrichtiger Mensch, der hundertprozentig hinter seiner Sache stand. Zu diesem Bild passte es, dass er mit seiner Frau Gretchen und dem neugeborenen Sohn Hosea Che in einer engen Kellerwohnung hauste.

Dutschke redete mit Ulrike Meinhof viel darüber, wie sich

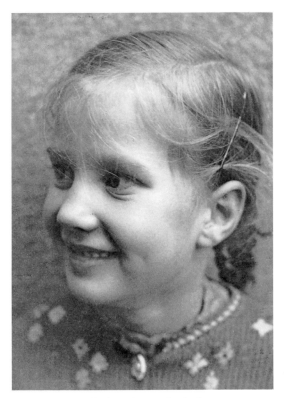

Ulrike Meinhof mit knapp fünf Jahren, 1939

Renate Riemeck mit Ulrike (links) und Wienke Meinhof (rechts)
und ihrem »Patenkind« Christiane

Ulrike Meinhof als Chefredakteurin der Zeitschrift *konkret*, 1962

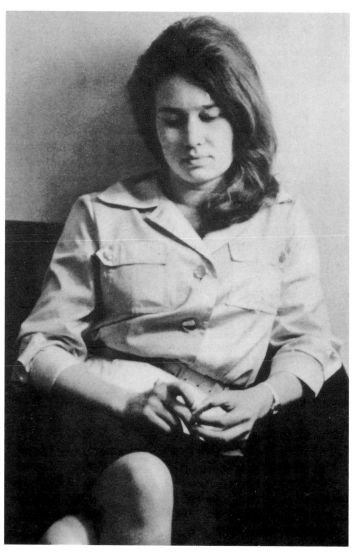

Der »ernste Engel«, 1967

Ulrike Meinhof nach der gescheiterten Besetzung der *konkret*-
Redaktion und der anschließenden Aktion in der Jugendstilvilla in
Blankenese, ihrem früheren Zuhause, Mai 1969

MORDVERSUCH
in Berlin
10.000 DM BELOHNUNG

Am Donnerstag, dem 14. Mai 1970, gegen 11.00 Uhr wurde anläßlich der Ausführung des Strafgefangenen ANDREAS BAADER in Berlin-Dahlem, Miquelstr. 83, und seiner dabei durch mehrere bewaffnete Täter erfolgten Befreiung der Institutsangestellte Georg Linke durch mehrere Pistolenschüsse lebensgefährlich verletzt. Auch zwei Justizvollzugsbeamte erlitten Verletzungen.

Der Beteiligung an der Tat dringend verdächtig ist die am 7. Oktober 1934 in Oldenburg geborene Journalistin

Ulrike Meinhof
geschiedene ROHL.

Personenbeschreibung: 35 Jahre alt, 165 cm groß, schlank, längliches Gesicht, langes mittelbraunes Haar, braune Augen.

Die Gesuchte hat am Tattage ihren Wohnsitz in Berlin-Schöneberg, Kufsteiner Str. 12, verlassen und ist seitdem flüchtig. Wer kann Hinweise auf ihren jetzigen Aufenthalt geben?
Für Hinweise, die zur Aufklärung des Verbrechens und zur Ergreifung der an der Tat beteiligten Personen führen, hat der Polizeipräsident in Berlin eine Belohnung von **10.000.- DM** ausgesetzt. Die Belohnung ist ausschließlich für Personen aus der Bevölkerung bestimmt und nicht für Beamte, zu deren Berufspflichten die Verfolgung strafbarer Handlungen gehört. Ihre Zuerkennung und Verteilung erfolgt unter Ausschluß des Rechtsweges.
Mitteilungen, die auf Wunsch vertraulich behandelt werden, nehmen die Staatsanwaltschaft in Berlin, 1 Berlin 21, Turmstr. 91 (Telefon 35 01 11) und der Polizeipräsident in Berlin, 1 Berlin 42, Tempelhofer Damm 1 - 7 (Telefon 69 10 91) sowie jede andere Polizeidienststelle entgegen.

Berlin im Mai 1970

Der Generalstaatsanwalt
bei dem Landgericht Berlin

Fahndungsplakat

Ulrike Meinhof nach ihrer Verhaftung in
Hannover-Langenhagen, Juni 1972

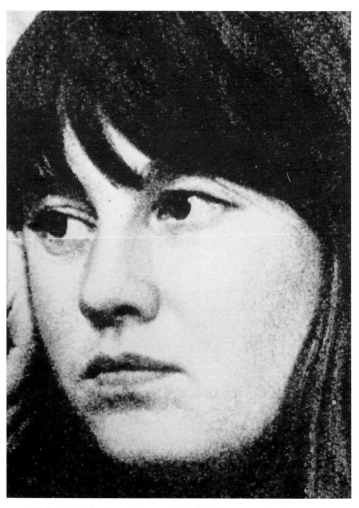

Ulrike Meinhof kurz bevor sie in den Untergrund ging, 1970

die APO nach Ohnesorgs Tod verhalten sollte. Für ihn war es nun Zeit, das Gewaltmonopol des Staates in Frage zu stellen. Das alleinige Recht des Staates, Gewalt anzuwenden, war seiner Meinung nach nur das wirksamste Mittel des »Systems«, die eigene Macht zu erhalten und keine wirklich gefährliche Kritik aufkommen zu lassen. Nach außen hin wurde das durch eine scheindemokratische Fassade verdeckt. Deshalb musste es nun darum gehen, durch gezielte Regelverletzungen die Ordnungsmächte zu reizen und so den verdeckten totalitären Charakter des Staats für alle sichtbar zu machen.

Diese Strategie der Provokation fand nicht nur Zustimmung. Jürgen Habermas, der Frankfurter Philosoph, der eigentlich mit den protestierenden Studenten sympathisierte, hielt sie für extrem gefährlich und brandmarkte die dahinter stehende Geisteshaltung mit dem Wort »Linksfaschismus«.[4] Auf diese Weise, so entgegnete Habermas Dutschke, schaffe man erst die Gewalt, die man voraussetze, um sie dann anzuprangern und daraus das Recht abzuleiten, auf sie wiederum mit Gewalt zu reagieren.

Ulrike Meinhof teilte Dutschkes Ansichten. Für sie wurden die »herrschenden Verhältnisse« durch Unterdrückung und Gewalt aufrechterhalten. Und gezielte Provokationen konnten das sichtbar machen. Sie schufen keine Gewalt, wie Habermas meinte, sondern zeigten nur die Gewalt, die latent immer schon da ist. Wie weit allerdings der Widerstand gegen die staatliche Gewalt gehen darf, diese Frage ließ auch Ulrike Meinhof offen.

Noch kannte sie Andreas Baader nicht, doch er hätte sie

wohl zu jenen Intellektuellen gezählt, die viel von Widerstand reden, aber nicht den »Mumm« haben, wirklich etwas zu tun. Ulrike Meinhof hätte ihm wohl Recht geben müssen und sie litt auch unter ihrer unentschiedenen Haltung. Ihre christlichen Grundsätze verboten ihr die Anwendung jeder Gewalt, und im Juli 1962 hatte sie auch geschrieben: »Schießenderweise verändert man nicht die Welt, man zerstört sie.«[5] Aber seit diesem Satz waren viele Jahre vergangen, und angesichts von selbstherrlichen Professoren, von knüppelnden und schießenden Polizisten und verdummenden Massenblättern und im Gefühl der eigenen Ohnmacht war sie nun nicht mehr strikt gegen jede Gewalt, sondern für »Gegen-Gewalt«, also für Gewalt aus »Notwehr«.[6]

Ulrike Meinhof drückte aus, was viele dachten, die sich der APO, der außerparlamentarischen Opposition, zurechneten. Seit dem Tod Benno Ohnesorgs war das Gefühl immer drängender geworden, dass es nicht mehr so weitergehen kann, dass man die Willkür von Polizei und Richtern nicht mehr einfach hinnehmen darf, dass man zurückschlagen muss. Es fehlte nicht mehr viel, so war die allgemeine Stimmung, und die Bereitschaft zur Gewalt würde umschlagen in tatsächliche Gewalt. Die Hemmschwelle senkte sich noch weiter, als im November 1967 der Polizeiobermeister Karl-Heinz Kurras, der die tödlichen Schüsse auf Ohnesorg abgegeben hatte, freigesprochen wurde. Wie nackter Hohn kam es den Studenten vor, dass der Kommunarde Fritz Teufel immer noch in Untersuchungshaft saß, weil er angeblich bei der Schah-Demonstration einen Stein geworfen hatte. Rudi Dutschke hatte daraufhin empört die Frage gestellt:

»Was muss denn noch alles passieren, damit man endlich zur radikalen Tat schreitet?«

Ein letztes Signal zu so einer radikalen Tat erwarteten viele von dem großen Vietnamkongress, der am 17. und 18. Februar 1968 in Berlin stattfand. Auf den Plakaten zu diesem Großereignis wurden solche Erwartungen auch geschürt, wenn es hieß: »Was uns offen steht, ist nicht die Waffe der Kritik, sondern die bewaffnete Kritik!« Der Kongress wurde zum Treffen des gesamten antiautoritären Lagers der Bundesrepublik, dazu erschienen Vertreter von revolutionären Gruppen aus ganz Europa.

Als der Kongress im Audimax der Technischen Universität eröffnet wurde, herrschte in dem riesigen, voll besetzten Saal erwartungsvolle Spannung. Ulrike Meinhof saß in der ersten Reihe neben Giangiacomo Feltrinelli, dem millionenschweren Revolutionär und heimlichen Finanzier der Veranstaltung, der ein Grußwort der italienischen Genossen überbrachte. Feltrinelli hatte am Abend zuvor Rudi Dutschke mit einem ungewöhnlichen Gastgeschenk überrascht, mit einer Ladung Dynamit. Der konsternierte Rudi Dutschke und seine Frau Gretchen hatten die Dynamitstangen in eine Kindertragetasche gepackt und zur Tarnung das wenige Wochen alte Söhnchen Hosea Che darauf gebettet. Und mit dieser explosiven Fracht waren sie in die Wohnung eines unverdächtigen Freundes gefahren, wo sie das Dynamit in einer Wäschetruhe versteckten. Was er mit dem Sprengstoff anfangen sollte, wusste Dutschke selbst nicht.[7]

Auf dem Vietnamkongress war Rudi Dutschke der unbestrittene Star und Hauptredner. In seinem Grundsatzreferat beschrieb er das »weltweite Netz der organisierten Repression«. Dagegen habe sich ein Widerstand gebildet, der zusammengehalten werde durch den »existenziellen Ekel« an einer Gesellschaft, die von Freiheit schwätze, aber die unmittelbaren Bedürfnisse der Menschen brutal unterdrücke. Die Zeit der »lauen Oppositionsbewegung«, so Dutschke, sei nun vorbei, der spontane Widerstand habe begonnen. Und zum Schluss beschwor er die einmalige geschichtliche Chance, durch einen Bewusstseinswandel endlich eine Welt ohne Herrschaft, Hunger und Krieg zu schaffen, und er verkündete: »Die Revolutionierung der Revolutionäre ist so die entscheidende Voraussetzung für die Revolutionierung der Massen. Es lebe die Weltrevolution und die daraus entstehende freie Gesellschaft freier Individuen!«[8]

Auch Klaus Rainer Röhl war nach Berlin gekommen. Er versorgte die erhitzten Revolutionäre auf dem Podium mit Bier und Cola und verteilte einen Sonderdruck von Ulrike Meinhofs neuester *konkret*-Kolumne über »Gegen-Gewalt«. Ulrike hatte die Scheidung eingereicht, und Röhl fürchtete, dass ihre Forderungen ihn und *konkret* ruinieren würden. Beide hatten sich Anwälte genommen und die suchten nun nach einer gütlichen Regelung.

Am zweiten Tag, einem Sonntag, brachen die Teilnehmer auf zu einer Demonstration, die erst kurz vorher genehmigt worden war. Draußen erwartete man ein Großaufgebot der Polizei, mit Panzerfahrzeugen und Wasserwerfern. Wie man sich gegenüber dieser Staatsgewalt verhalten sollte, dafür hatte Rudi Dutschke schon vorher, in einem Interview, die Devise ausgegeben: »[...] die Höhe der Gewalt wird bestimmt von der anderen Seite, nicht von uns.« Aber die Polizei hatte seit dem Staatsbesuch des Schah dazugelernt und hielt sich zurück. Und so zogen an diesem grauen Februartag an die 15 000 Leute friedlich über den Kurfürstendamm Richtung Oper. Über dem Menschenstrom wehten rot-blaue Fahnen mit einem fünfzackigen Stern in der Mitte, die Fahne Nordvietnams, und Plakate mit den Konterfeis von Ho Tschi Minh, Che Guevara und Rosa Luxemburg wurden hochgehalten. Im lauten Chor rief man »Ho-Ho-Ho-Tschi-Minh« oder »Wir sind die kleine radikale Minderheit!«. Die Teilnehmer wurden von einer Welle der Begeisterung erfasst und erfanden spontan eine neue Form der Demonstration: Die Leute in den vordersten Reihen hakten sich unter und stürmten plötzlich Parolen rufend eine kurze Strecke weit los, die nächsten Reihen hinterher, so dass sich der ganze Zug auseinander- und zusammenzog wie ein Akkordeon. Den Berlinern, die ungläubig aus offenen Fenstern auf dieses Spektakel herabblickten, rief man zu: »Bürger, lasst das Glotzen sein, kommt herunter, reiht euch ein!«

Die Bürger kamen herunter, aber erst drei Tage später, zu ihrer eigenen Demonstration. Und sie schrien nicht »Ho-Ho-Ho-Tschi-Minh«, sondern »Teufel in den Zoo« oder »Dutschke raus aus Westberlin«. Ein Verwaltungsangestellter, der das Pech hatte, Rudi Dutschke ähnlich zu sehen, wurde von einem Mob verfolgt, der hinter ihm herschrie: »Schlagt den Dutschke tot! Lyncht ihn, hängt ihn auf!« Der zu Tode geängstigte Mann konnte sich nur mit knapper Not in die Arme der Polizei retten.

Der Vietnamkongress hatte nicht, wie befürchtet, in einer

gewaltigen Straßenschlacht geendet. Auch Pläne, eine amerikanische Kaserne in Berlin zu stürmen, waren fallen gelassen worden. Und Feltrinellis Dynamit-Geschenk verschwand später unbenutzt in dunklen Kanälen.

Es gab Leute, die über diesen Ausgang des Kongresses enttäuscht waren. Andreas Baader gehörte zu ihnen. Für ihn hatte es wieder nur zu Reden und Gesten gereicht. Und ein Protest, der aus Reden und Gesten bestehe, werde vom System »gefressen und verdaut«. Für Baader waren auch die Aktionen der Kommune I nur »Wichserei«, auch wenn sie die verbale Gewalt auf die Spitze trieben. Mitglieder der Kommune hatten im Mai 1967 ein Flugblatt in Umlauf gebracht, auf dem sie den Brand in einem Brüsseler Kaufhaus, bei dem hunderte von Menschen umgekommen waren, als eine gelungene terroristische Aktion bewunderten. Durch die Feuersbrunst, so argumentierte man, werde auch hier, in Europa, ein »knisterndes Vietnamgefühl« vermittelt. Und ein weiteres Flugblatt endete mit den Worten: »Wenn es irgendwo brennt in der nächsten Zeit, wenn irgendwo eine Kaserne in die Luft geht, wenn irgendwo in einem Stadion die Tribüne einstürzt, seid bitte nicht überrascht. [...] burn, ware-house, burn!«[9]

Wegen »Aufforderung zur Brandstiftung« waren die Kommunarden daraufhin vor Gericht gestellt worden. Den Prozess machten sie mit ihren Sprüchen und Späßen auf bewährte Manier zu einer Lachnummer und schließlich wurden sie, im März 1968, freigesprochen. Das umstrittene Flugblatt wurde als Satire gewertet.

Drei Wochen später, am 2. April 1968, brannte es tatsächlich in zwei Frankfurter Kaufhäusern, im »Kaufhaus Schneider« und im »Kaufhof«. Kurz vor Mitternacht wurde das Feuer in den oberen Etagen bemerkt. Die Feuerwehr konnte den Brand schnell löschen. Menschen wurden nicht verletzt. Aber der Sachschaden belief sich auf über eine halbe Million Mark. Kurz nach Ausbruch des Feuers hatte sich eine Frau telefonisch bei der Deutschen Presse-Agentur gemeldet und die Brandstiftung als »politischen Racheakt« bezeichnet.

Schon am nächsten Tag nahm die Polizei in einer Frankfurter Wohnung vier Verdächtige fest. Unter ihnen Andreas Baader und Gudrun Ensslin. Wie sich später herausstellte, hatten die beiden in der Möbelabteilung des »Kaufhaus Schneider« einen Brandsatz mit Zeitzünder deponiert.[10]

Die Brandstiftung von Frankfurt fand in den Zeitungen keine übermäßige Beachtung und wurde auch bald verdrängt von ganz anderen Schlagzeilen. Am 4. April wurde in der amerikanischen Stadt Memphis der Bürgerrechtler Martin Luther King ermordet. Beeindruckt von dieser Tat, fuhr am 11. April, dem Gründonnerstag, der vierundzwanzigjährige Anstreicher Josef Bachmann von München nach Westberlin. Er fragte sich durch nach Rudi Dutschke und stand schließlich vor dem Gebäude am Kurfürstendamm, in dem das Büro des SDS war. Rudi Dutschke hatte an diesem Tag tatsächlich etwas im SDS-Büro zu erledigen gehabt und wartete nun auf seinem Fahrrad sitzend vor der geschlossenen Apotheke neben dem SDS-Zentrum. Er wollte Nasentropfen für seinen Sohn Hosea besorgen.

Bachmann kam auf ihn zu und fragte ihn, ob er Rudi Dutschke sei. Als der bejahte, sagte Bachmann: »Du dreckiges Kommunistenschwein«, zog eine Pistole aus der Tasche und schoss Dutschke in den Kopf. Der stürzte vom Rad, taumelte und riss sich die Schuhe von den Füßen und die Uhr vom Handgelenk und sank zu Boden. Bachmann schoss noch zweimal aus kurzer Distanz auf ihn, dann rannte er weg und versteckte sich im Keller eines Neubaus. Dort wurde er von der Polizei nach einer Schießerei festgenommen.[11] In seiner Tasche fand man einen Ausschnitt aus der *Deutschen Nationalzeitung* mit der Überschrift *Stoppt Dutschke jetzt!*.

Am Ort des Attentats blieben Dutschkes Fahrrad mit der alten Ledertasche am Lenker auf der Bordsteinkante und seine Schuhe auf der Straße liegen, von der Polizei mit Kreidestrichen umrahmt. Rudi Dutschke überlebte, aber von den schweren Verletzungen erholte er sich nie wieder ganz, und im Dezember 1979 starb er im dänischen Exil an den Spätfolgen des Attentats.

Als Ulrike Meinhof von dem Attentat auf Rudi Dutschke erfuhr, kam sie sofort in das SDS-Büro am Kurfürstendamm. Dort waren schon viele Leute versammelt. Alle waren bestürzt und ratlos. Es hieß, Dutschke sei tot. Später kam die Meldung, dass er überlebt habe und seine Chancen 50:50 stünden. Man entwarf ein Flugblatt und rief dazu auf, abends um acht Uhr in das Audimax der Technischen Universität zu kommen. Auf diesem Flugblatt machte man für das Attentat die Springer-Presse und ihre systematische Hetze gegen alles Linke, besonders gegen Rudi Dutschke verantwortlich. Bei der Versammlung im Audimax wurde beschlossen, im Protestzug zum Springer-Verlagshaus zu ziehen.

Kurz nach neun Uhr abends setzte sich der Zug in Richtung Springer-Haus in der Kreuzberger Kochstraße in Bewegung. Ulrike Meinhof marschierte nicht mit. Sie fuhr mit ihrem Auto, einem blauen Renault 4, zur Kochstraße. Als sie dort ankam, waren einige Studenten damit beschäftigt, Autos vor das Verlagsportal zu dirigieren, um die Ausfahrt für Lieferwagen von Springer zu blockieren. Ein Student forderte Ulrike Meinhof auf, auch ihren R4 zur Verfügung zu stellen. Doch sie zögerte. Sie hatte Angst, das Auto könnte beschädigt werden, und sie brauchte es doch. Sie parkte das Auto dann an einer weniger gefährlichen Stelle dicht an eine Hauswand. Dort blockierte es nicht die Ausfahrt und konnte doch irgendwie zur Barrikade gezählt werden.[12]

Die Demonstranten kamen mit roten Fahnen und Fackeln und riefen Parolen wie »Springer – Mörder« oder »*Bild* hat mitgeschossen«. In den vordersten Reihen fing man an, Steine zu werfen. Dort standen Leute wie Michael Baumann, wegen seiner Leidenschaft für Explosives auch »Bommi« Baumann genannt. Er wunderte sich, dass nicht alle Leute mitmachten, und es kam sogar vor, dass ihm Steine von hinten aus der Hand genommen wurden.[13] Ulrike Meinhof stand in den hintersten Reihen und betätigte sich als »Zupflegerin«, wie man das in Fachkreisen nannte, das heißt, sie reichte Steine nach vorne weiter zu jenen, die sie dann gegen die Fenster des Hochhauses warfen.

Bei Steinen blieb es nicht. Gegen Mitternacht erschien Peter Urbach, ein bekannter Aktivist aus dem Umkreis der Kommune I, mit einem Weidenkorb voll Molotow-Cocktails. Mit diesen benzingefüllten Flaschen wurden umge-

169

kippte Fahrzeuge auf dem Verlagsparkplatz in Brand gesteckt. Die Feuerwehr rückte an, die Polizei setzte Wasserwerfer gegen die Demonstranten ein, es gab Verletzte auf beiden Seiten. Was niemand wusste: Dieser Peter Urbach arbeitete für den Berliner Verfassungsschutz, versorgte also in dessen Auftrag die Protestierenden mit »Mollis« und später gar mit Sprengstoff und Waffen – eine Strategie der Provokation also auch auf der anderen Seite.

Bei Ulrike Meinhof müssen die Ereignisse vor dem Springer-Haus einen tiefen Eindruck hinterlassen haben. Zum ersten Mal hatte sie hautnah miterlebt, wie die Grenze des Erlaubten und damit, wie sie glaubte, Wirkungslosen überschritten wurde. Die Steine auf die Hausfassade hatte sie empfunden wie eine Befreiung. Und der Anblick des splitternden Glases muss so stark auf sie gewirkt haben, dass sie das Gefühl hatte, selbst geworfen zu haben. So jedenfalls schilderte sie wenig später ihr Erlebnis dem Hamburger Freund Freimut Duve. »Weißt du«, meinte sie beschwörend und immer noch wie ungläubig erstaunt über das Geschehene, »du musst das mal erlebt haben. Du nimmst so einen Stein und schmeißt ihn in eine Scheibe des Springer-Hauses! Und das klirrt!« Freimut Duve konnte nicht nachvollziehen, was an einem geschmissenen Stein faszinierend sein sollte. Von einem »Befreiungsklang des splitternden Glases« zu schwärmen hielt er schlichtweg für »Schwachsinn«, den man noch bei übermütigen Kindern verstehen könne, aber nicht mehr bei einer erwachsenen Frau und Mutter.

Von solchen Einwänden ließ sich Ulrike Meinhof nicht beirren. Für sie hatte die Protestbewegung mit der Aktion

170

gegen Springer einen wichtigen Schritt gemacht, den Schritt »vom Protest zum Widerstand«. Fritz Teufel hatte einen Stein geworfen und war verhaftet worden. Nun hatten viele Leute viele Steine geworfen, und für Ulrike Meinhof war dadurch klar geworden, dass es sich nicht mehr nur um eine Straftat handelte, sondern um eine politische Tat. Einen Tag nach der Springer-Demo hatte sie im Audimax der Universität verkündet: »Wirft man einen Stein, so ist das eine strafbare Handlung. Werden tausend Steine geworfen, ist das eine politische Aktion. Zündet man ein Auto an, ist das eine strafbare Handlung, werden hunderte Autos angezündet, ist das eine politische Aktion.«[14]

In den Tagen nach dem Attentat auf Rudi Dutschke wurden noch viele Steine geworfen und viele Autos angezündet. In deutschen Großstädten kam es zu schweren Straßenschlachten und in München wurden ein Journalist und ein Student von Steinen tödlich getroffen.

An diesen blutigen Ostertagen des Jahres 1968 fuhr Ulrike Meinhof nach Hamburg, um ihre restlichen Sachen aus der Blankeneser Villa zu holen. Die Scheidung war Ende März besiegelt worden. Mit dem Ergebnis waren beide Seiten zufrieden. Röhl behielt das Haus und den Verlag und verpflichtete sich, Alimente für die Kinder zu zahlen. Ulrike Meinhof bekam das Sorgerecht für Regine und Bettina und eine stattliche Abfindung von 50 000 Mark. In Hamburg halfen ihr Freunde und Bekannte, Kleider und Möbel in einen kleinen Laster zu verfrachten. Ihr Hochzeitskleid ließ sie zurück, ihre Geige auch. Röhl war nicht da. Er verbrachte die Tage auf Gran Canaria, mit seiner neuen Freundin.

Mit Klaus Rainer Röhl, ihrem nunmehrigen Ex-Mann, blieb Ulrike Meinhof weiter in Verbindung. Sie stehe nicht »im Schmollwinkel«, schrieb sie ihm. Röhl bot ihr sogar wieder den Posten der Chefredakteurin bei *konkret* an. Ulrike lehnte ab. Sie war vollauf beschäftigt mit einem Fernsehfilm über Mädchen in Heimen, und überhaupt, so schrieb sie, wolle sie nicht zwanghaft mit ihm zusammenarbeiten, aber sie sei bereit, mitzudenken und zu planen, wenn es um *konkret* gehe.[15]

Geplant war und beschlossen wurde dann auch, dass Ulrike Meinhof mit anderen Berliner APO-Leuten wie Hans Magnus Enzensberger, Peter Schneider oder Gaston Salvatore ein »Autorenkollektiv« bildet, das Texte für *konkret* liefert. Ein eigenes Büro in Berlin wurde eingerichtet. Das Projekt lief ziemlich schief. Das Kollektiv erwies sich als unzuverlässig, die gelieferten Texte waren dürftig, manchmal höchst fragwürdig. So hieß es in einem Artikel über »Gewalt in den Metropolen«: »In prinzipieller Hinsicht endet die Frage nach der Gewalt in der Frage, ob wir entschlossen sind, unsere Ziele zu erreichen [...]. Wir werden damit nicht warten, bis noch eine Generation und noch eine Generation kaputtgemacht wird, sondern uns jetzt wehren.«[16]

Diese Sätze spiegeln auch die Stimmung nach dem Mai 1968 wider. Die Revolte hatte ihren Höhepunkt erreicht, und es schien, als sei sie auf dem ganzen Globus entbrannt. In den USA, in Italien, England, Japan gab es Massendemonstrationen von Studenten. In Frankreich hatten sich sogar viele Arbeiter mit den Studenten verbündet und es gab bürgerkriegsähnliche Szenen in den Straßen von Paris.

So verschieden die Gründe für die Jugendrevolten in den einzelnen Ländern auch waren, so hatten sie doch gemeinsam, dass es immer auch ein Konflikt zwischen den Heranwachsenden und der Elterngeneration war. Der kleinste gemeinsame Nenner all dieser jugendlichen Proteste war das »Gefühl einer Entwertung der eigenen Existenz«[17]. Die Kinder konnten und wollten die Ideale der Eltern nicht mehr übernehmen und suchten nach neuen Lebensformen. Viele waren im Mai 1968 davon überzeugt, dass nun die Revolution nicht mehr aufzuhalten sei und die alten Autoritäten und Ordnungen hinweggefegt würden.

Inwieweit Ulrike Meinhof an den Artikeln des »Autorenkollektivs« mitwirkte, lässt sich nicht sagen. Sie schrieb weiter ihre eigenen Kolumnen für *konkret*, für die sie jeweils immerhin 1500 Mark bekam. Ihre Artikel drehten sich jetzt meist um die Frage der Gewalt. Man konnte sie auch lesen als Appelle an die eigene Bereitschaft zur Gewalt, etwa wenn sie die Einstellung eines Mitglieds der amerikanischen Black-Power-Bewegung mit den Worten wiedergibt: »Protest ist, wenn ich sage, das und das passt mir nicht. Widerstand ist, wenn ich dafür sorge, dass das, was mir nicht passt, nicht länger geschieht.«[18]

Gleichzeitig hat man beim Lesen den Eindruck, die Kolumnistin Ulrike Meinhof schrecke zurück vor den Konsequenzen dieses Widerstands. Wie eine Warnung hört es sich an, und man spürt die Angst vor der eigenen Courage, wenn sie schreibt, dass Gegengewalt Gefahr laufe, »zu Gewalt zu werden«. Schuld an dieser Gewalt seien dann aber die »Brutalität der Polizei« und die »unerträglichen« Verhältnisse.

Die Verhältnisse wurden für Ulrike Meinhof noch unerträglicher, als im Juni 1968 die Notstandsgesetze in Kraft traten. Zehn Jahre Opposition gegen diese Gesetze waren nun umsonst gewesen. Für Ulrike Meinhof ein Beweis dafür, dass man sich mit den falschen Mitteln gewehrt hatte, nur »verbal« und mit »harmlosen Veranstaltungen«. Und sie forderte dazu auf, nun zum »Kampf« überzugehen, zum Kampf gegen die »gesellschaftlichen Mächte«, zum Kampf für die »Demokratisierung von Staat und Gesellschaft«. Wenn man in einem Gefängnis sitze, so Ulrike Meinhof, reiche es nicht, sich gegen den Wechsel von einer großen in eine kleine Zelle zu wehren, man dürfe nicht vergessen, »den Ausbruch vorzubereiten«.[19]

Am 14. Oktober wurde vor dem Frankfurter Landgericht der Prozess gegen die mutmaßlichen Kaufhausbrandstifter eröffnet. Angeklagt waren die »Studentin« Gudrun Ensslin, der »Journalist« Andreas Baader, der »Schauspieler« Horst Söhnlein und der »Gelegenheitsarbeiter« Thorwald Proll. Verteidigt wurden sie unter anderem von den Rechtsanwälten Otto Schily und Horst Mahler.

Die Angeklagten zeigten von Anfang an, was sie von dem Gericht hielten, nämlich nichts, für sie war es ein Instrument der »Justiz der herrschenden Klasse«. Sie benahmen sich demonstrativ gleichgültig, machten Faxen und warfen mit Bonbonpapier. Ensslin und Baader bekannten sich zu dem Anschlag, wollten aber ihre Motive als politische verstanden wissen. Aus Protest gegen die Gleichgültigkeit gegenüber dem Krieg in Vietnam habe man das Feuer gelegt. Und Gudrun Ensslin erklärte mit »rührend verlegenem Pathos«: »Ich interessiere mich nicht für ein paar verbrannte Schaumstoffmatratzen, ich rede von verbrannten Kindern in Vietnam.«[20]

Der psychiatrische Gutachter hatte Gudrun Ensslin als eine hochbegabte und »charakterlich integre Persönlichkeit« beschrieben. Eher bedenklich sah er ihre Fähigkeit, »elementar zu hassen«. Und ihren Eifer, in die Tat umzusetzen, wovon sie überzeugt war, führte er auf die Erziehung im evangelischen Pfarrhaus zurück.

Ulrike Meinhof wollte für *konkret* einen Artikel über die Frankfurter Brandstifter schreiben. Sie besuchte Gudrun Ensslin und Andreas Baader während des Prozesses in der Untersuchungshaft. Besonders von Gudrun Ensslin schien sie sehr angetan gewesen zu sein. Sie selbst war auch christlich erzogen worden und auch ihr politisches Engagement war von tief moralischen Motiven geleitet. Was Gudrun Ensslin in einem Interview zur Verteidigung ihrer Tat gesagt hatte, das entsprach ganz Ulrike Meinhofs eigener Einstellung: Niemals werde sie sich damit abfinden, dass man gegen den täglichen »Faschismus« nichts tun könne. »Aber ich will etwas getan haben dagegen«, erklärte sie.[21]

Über das Gespräch in der Haftanstalt wollte Ulrike Meinhof dann lieber doch nichts schreiben. Wenn sie berichte, was sie dort gehört habe, dann kämen die nie aus dem Gefängnis.

Zur Urteilsverkündung erschien Thorwald Proll mit Zigarren und Mao-Bibel, wofür er Sonderapplaus von den Zuschauerbänken erntete. Wegen »versuchter menschengefährdender Brandstiftung« wurden die vier Angeklagten zu drei Jahren »Zuchthaus« verurteilt. Die Verlesung der Urteilsbegründung ging im Tumult unter. »Faschist!«, schrie man aus dem Publikum. Baader und Söhnlein setzten im Hechtsprung über die Anklagebank, Polizisten rannten durch den Gerichtssaal hinter ihnen her. Als ein Justizwachtmeister Baader endlich in den Schwitzkasten bekam, lachte der über das ganze Gesicht.[22]

Über die Unterhaltung im Gefängnis schrieb Ulrike Meinhof zwar nicht, aber sie verfasste eine Kolumne über Warenhausbrandstiftung. Zuvor besuchte sie Renate Riemeck, die in der Nähe von Frankfurt wohnte. Sie wollte sich mit ihr beraten, weil sie nicht recht wusste, welche Haltung sie zu den Brandstiftern einnehmen sollte. Nach dem Gespräch hatte Renate Riemeck den Eindruck, Ulrike werde einen scharfen Angriff auf jede Form des Terrorismus schreiben. Was aber dann in der Kolumne stand, war sehr zweischneidig. Waren in einem Kaufhaus zu vernichten, so meinte sie, sei einerseits keine revolutionäre Tat, weil die Vernichtung von Waren zum Kapitalismus gehöre. Andererseits liege ein »progressives Moment einer Warenhausbrandstiftung« in der »Kriminalität der Tat, im Gesetzesbruch«. Es werde nämlich ein Gesetz gebrochen, das nicht die Menschen, sondern das Eigentum schützt, ein Eigentum, mit dem in der kapitalistischen Gesellschaft die Entfremdung der Menschen von sich selbst betrieben wird, durch monotone Arbeit, Werbung, Überproduktion. Die Menschen, die eigentlich ge-

schützt werden müssten, werden mit diesen Waren hinweg-
getröstet über ihre unmenschliche Lage. Weil aber eine
Brandstiftung nur ein Gesetz bricht, die Menschen jedoch
nicht über ihre unbefriedigten Bedürfnisse aufklärt, rät Ulrike Meinhof davon ab, diese Tat nachzuahmen. Zustimmend
zitiert sie aber Fritz Teufel, der gesagt hatte: »Es ist immer
noch besser, ein Warenhaus anzuzünden, als ein Warenhaus
zu betreiben.«[23]

X. Wahrheit und Wirklichkeit

»Das ist so schön. Warum kann man nicht so leben?«

»Mein Jahr 68 war ganz schön schwer«, schrieb Ulrike
Meinhof in einem Brief an Freunde. »Jetzt finden wir langsam unsern Tritt, die Wohnung stimmt, jedes Kind hat ein
Zimmer für sich, was ihnen sehr wohl tut.« Sie berichtet
auch, dass die Zwillinge in den Herbstferien bei ihrem Vater
in Hamburg waren. Ihre Oma, also Röhls Mutter, habe ihnen zum Frühstück sechs verschiedene Marmeladengläser
auf den Tisch gestellt, alle zu sechs Mark, und sie sei fast in
Ohnmacht gefallen, als die Mädchen erklärten, unter acht
fingen sie nicht zu essen an. »Wenn ihr Konsumterror
macht«, hat Ulrike Meinhof zu Röhl und seiner Mutter gesagt, »dürft ihr euch nicht wundern, wenn die Kinder auch
Konsumterror machen.«[1]

Mit Wörtern wie »Konsumterror« waren Regine und Bettina schon vertraut. In Berlin gingen sie in einen jener Kin-
derläden, die aus der Protestbewegung entstanden waren
und in denen man die neuen antiautoritären Erziehungside-
en verwirklichen wollte. Dazu gehörte es auch, den Kindern
begreiflich zu machen, warum die Erwachsenen nun auf den
Straßen demonstrierten und wofür sie kämpften. Also erzählte man ihnen von Mao Tse-tung in China, vom Vietnamkrieg und von den Bomben der Amerikaner. Und man
erklärte ihnen, was ein Kapitalist ist und warum man zu

Polizisten »Bullen« sagt. Zu Hause dann malten Regine und Bettina ein Bild, auf dem ein Zug von Demonstranten an einem Mann vorbeizieht, der den Kapitalismus darstellen soll. Auch Polizisten waren auf dem Bild zu sehen, die viele Demonstranten einsperrten. »Und wer soll die nun aus dem Gefängnis befreien?«, fragte Ulrike Meinhof. »Na du – wer denn sonst!«, antworteten sie.[2]

Weihnachten 1968 kam Klaus Rainer Röhl zu Besuch nach Berlin, in die Dahlemer Wohnung. Ulrike hatte auch ein Geschenk für ihn, eine neue Kolumne für *konkret*. »Lies mal, Klaus!«, meinte sie lächelnd. »Ich bin gespannt, ob du das druckst!« Es war wirklich viel verlangt von Röhl, zu drucken, was sie geschrieben hatte. Sie griff *konkret* an, weil die Zusammenarbeit mit den Berliner APO-Leuten geplatzt war. Und sie stellte ihre Rolle als Kolumnistin radikal in Frage. Ein Kolumnist sei »Feigenblatt, Alibi, Ausrede«. Er genieße eine »eingezäunte Spielwiesenfreiheit«, die darüber hinwegtäusche, dass die Zeitschrift nach den Regeln der Gesellschaft funktioniere und nur zur Aufrechterhaltung der bestehenden Verhältnisse beitrage. »Damit aus der Theorie keine Praxis wird, leistet man sich Kolumnisten, ohnmächtige Einzelne, Stars.«[3]

Klaus Rainer Röhl druckte die Kolumne tatsächlich ab, gleich im ersten Heft des neuen Jahres, allerdings zusammen mit einer eigenen Stellungnahme: Darin versuchte er zu erklären, warum man bei *konkret* nicht nur die reine Lehre der Neuen Linken verkünden könne, sondern, um die hohe Auflage zu halten, unter Termindruck arbeiten und ab und zu auch ein nacktes Mädchen auf dem Titelblatt abbilden müsse. Was Röhl als Einmaleins der journalistischen Arbeit und als überlebensnotwendige Zugeständnisse an den Lesergeschmack darstellte, das waren für Ulrike Meinhof freilich die Zwänge des »Systems«, die jede wahre Aufklärung verhindern.

Die Nacktbilder und Sexartikel in *konkret* waren ihr seit jeher zuwider, aber sie hat sie als notwendiges Übel hingenommen. Jetzt allerdings ist *konkret* für sie nur noch eine »Wichsvorlage«[4]. In der zweiten März-Nummer erschien ihre letzte Kolumne, über Gustav Heinemann, der als erster Sozialdemokrat kurz vorher zum Bundespräsidenten gewählt worden war. Heinemann hatte sie als Anwalt vor Gericht vertreten, sie kannte ihn persönlich und hatte ihn immer bewundert wegen seiner Aufrichtigkeit und seines Mutes. Nun ist sie von ihm enttäuscht: Wieder einer, der sich vom »System« hat einspannen lassen. Er diene dazu, nach außen den Schein von Liberalität zu wahren. Heinemann sei nun, so schrieb sie, »ebenso integer wie integriert«.[5]

In der *Frankfurter Rundschau* erklärte Ulrike Meinhof Ende März, dass sie ihre Mitarbeit bei *konkret* einstelle, weil das Blatt im Begriff sei, »ein Instrument der Konterrevolution zu werden«. Damit war das Kapitel *konkret* für sie noch lange nicht geschlossen. Immer noch hielten sie und ihre APO-Freunde in Berlin an dem Plan fest, die Zeitschrift zu einem Sprachrohr der Linken zu machen. Versuche dazu hatte es schon gegeben. Immer wenn Röhl nicht in der Hamburger Redaktion war, waren dort dubiose Leute eingeschleust worden, die versuchten, sich in die tägliche Arbeit einzumischen. Ende März dann hatte es eine Redaktionskonferenz gegeben, auf der diese »Gegen-Redaktion« unter Führung von Ulrike Meinhof lautstark den Sturz Röhls forderte. So weit kam es aber nicht. Röhl nahm dem Berliner Kollektiv den Wind aus den Segeln, indem er sich bereit erklärte, den Posten des Chefredakteurs mit zwei anderen zu teilen, mit seinem alten Freund Peter Rühmkorf und mit Uwe Nettelbeck, der erst vor kurzem von der *Zeit* zu *konkret* gewechselt war. Nach diesem missglückten Putschversuch kündigte Ulrike Meinhof in einem Untergrundblatt einen neuerlichen Versuch an, dieses Mal »mit anderen Mitteln«.

Was das für Mittel waren, das zeigte sich am 7. Mai 1969. An diesem Tag starteten um ein Uhr morgens in Berlin ein VW-Bus und einige Autos in Richtung Hamburg. Ein gemischter Haufen von Leuten aus der APO-Szene saß dicht gedrängt in den Fahrzeugen. Neben Rockern mit Lederjacken, Helmen und eisernem Kreuz um den Hals waren auch Astrid Proll, die Schwester des Frankfurter Brandstifters Thorwald Proll, und Bernward Vesper, der Ex-Verlobte von Gudrun Ensslin, mit von der Partie. Ulrike Meinhof saß nicht in einem der Fahrzeuge, sie wollte mit dem Flugzeug nachkommen.

Etwa gegen zehn Uhr vormittags kam der Konvoi auf dem Hamburger Gänsemarkt an, wo gleich um die Ecke, in der Gerhofstraße, der *konkret*-Verlag seine neue Adresse hatte. Der Plan war, die Räume zu stürmen, die Arbeit an der neuen Ausgabe lahm zu legen, um so mit unsanftem Druck die eigenen Forderungen durchzusetzen. Man hatte

Transparente dabei mit der Aufschrift: »*konkret*-Lohnschreiber fordern Mitbestimmung!«, und einen Kampfruf hatte man sich auch ausgedacht, eine kleine Abwandlung von Röhls Namen: »Raus, kleiner Röhl!« Aber zu aller Überraschung traf man auf Polizei, und es stellte sich heraus, dass die Räume des Verlags verlassen waren. Durch Zufall hatte Röhl nämlich von der geplanten Aktion Wind bekommen und man hatte einen Tag vorher die Redaktion ausgelagert. Röhl selbst hatte die Nacht bei Peter und Eva Rühmkorf in deren Haus in Övelgönne verbracht. Weil er keine Ruhe fand, hatte er ein Schlafmittel genommen und verschlief nun den Sturm auf seinen Verlag.

Dieser Sturm endete allerdings bald in einer gewissen Ratlosigkeit. Unschlüssig standen die Berliner Besucher vor dem Eingang zum Verlag und wussten nicht recht, wohin mit den Flugblättern, die man eigentlich an die Mitarbeiter von *konkret* hatte verteilen wollen. Da wurde Röhl als autoritärer Ausbeuter angeprangert und sein Salonmarxismus verhöhnt: »Überm Schreibtisch Che Guevara / Unterm Schreibtisch McNamara / Ihr fahrt mit der Straßenbahn / Der Chef reist mit 'nem Porsche an / Macht Schluss mit dem konkreten Mief / Und schafft ein APO-Kollektiv!«

Als Ulrike Meinhof erschien, im Regenmantel und mit dunkler Sonnenbrille, fand sie ihre Mitstreiter ratlos herumstehen. Unverrichteter Dinge wieder abziehen, das wollte man nicht, das wäre eine Blamage gewesen. Irgendjemand kam auf die rettende Idee, Röhl einen Besuch abzustatten. Also bestieg man wieder die Autos und fuhr nach Blankenese, zu der Jugendstilvilla, die zur Hälfte immer noch Ulrike gehörte. Im Haus war niemand, auch kein Röhl. Aber Ulrike Meinhof hatte einen Schlüssel und ließ ihre Mitkämpfer hinein. Bernward Vesper hat sich später vorgestellt, wie sie ihr altes Zuhause erlebt haben mag: »Es war ihr Haus, sie hatte es eingerichtet, bewohnt, mit den Kindern verlassen. Sie ging darin herum wie in einer Ruine, einer Bruchbude, die gleich der Spitzhacke zum Opfer fallen wird und bei deren Anblick man noch einmal alles ablaufen lässt, die Sequenzen des Films, die Haussuche, die Hypotheken, Verhandlungen, das langsame, tödliche Anhäufen der Waren, die bald alle Räume füllen, die Wände verstellen, sich eingraben ins Bewusstsein, versteinern, zu einer tödlichen Schale werden, die jeden Ausbruch verhindert, zu Barrikaden, die die Zukunft verstellen.«[6]

An diesem luxuriösen, bürgerlichen Wohngefängnis ließ man nun die revolutionäre Wut aus: Wände und Türen wurden mit Farbe beschmiert, auf die Frontseite pinselte jemand einen großen Phallus, Fenster wurden eingeschlagen, Möbel und ein Kickerkasten in den Garten geworfen, Leitungen aus der Wand gerissen, Einrichtung zerschlagen, die Plattensammlung ließ man mitgehen, und ein Genosse, es war wohl Bernward Vesper, pinkelte zum krönenden Abschluss in Röhls Ehebett.[7]

Nach der Aktion begaben sich alle in den »Republikanischen Club« in Hamburg, um die Aktion zu feiern und zu besprechen. Peter Rühmkorf fuhr ihnen nach, mit Wut im Bauch, und wollte die Gruppe zur Rede stellen. Viel Gehör fand er nicht. Aber in der nächsten *konkret*-Nummer schrieb er es sich von der Seele, was für ihn die Berliner

APO-Leute waren, nämlich »politische Trip-Nazarener«, »verkrachte Heilsmystiker«, die im »linken Spiritualismus« schwelgen und jeden Kontakt mit der Realität verweigern.[8]

Ulrike Meinhof war nicht zufrieden mit dem Ausflug nach Hamburg. Trotzdem fand sie es wichtig, dass man mal eine handfeste Aktion gemacht hatte. »Von Revolution reden heißt, es ernst meinen«, hatte sie in einem Buch über Revolution geschrieben.[9] Und es ernst meinen bedeutete, über Veränderung nicht mehr bloß zu reden, zu lesen und zu schreiben, sondern »Initiative zu ergreifen«. Initiative konnte jeder ergreifen, in seinem kleinen, privaten Umfeld. Es kam für Ulrike Meinhof nur darauf an, zu verstehen, dass private Angelegenheiten eben keine Privatsachen sind, sondern gesellschaftliche Ursachen haben, die man ändern kann.

Auch sie selbst wollte Initiative ergreifen. In ihrem Leben war vieles nicht in Ordnung, was sie ändern wollte. Sie sehnte sich nach wie vor nach Gemeinschaft und lebte doch ziemlich isoliert mit ihren Kindern in der Dahlemer Wohnung. Die Kinder, ihren Beruf und ihr soziales Engagement unter einen Hut zu bringen schaffte sie nicht. Wenn sie zu Hause war, hatte sie wenig Zeit, sich um die Mädchen zu kümmern. Der Südwestfunk wollte aus ihren Berichten über Fürsorgeerziehung einen Fernsehfilm machen. Sie hatte sich mit dem Regisseur Eberhard Itzenplitz getroffen und sollte ein erstes Manuskript entwerfen. Also saß sie nun die meiste Zeit schreibend in ihrem Arbeitszimmer, trank kannenweise Kaffee und rauchte eine Zigarette nach der anderen.

Daneben wollte sie ihre praktische politische Arbeit nicht zu kurz kommen lassen. So packte sie oft die Kinder ins Auto und nahm sie mit in das Märkische Viertel, eine neu entstandene Trabantensiedlung im Berliner Norden. Dort spielten Bettina und Regine zwischen den Pfützen, während ihre Mutter mit Gleichgesinnten die Bewohner aufzuklären versuchte über Vereinzelung und Horrormieten.

Ulrike Meinhof versuchte ihre Situation zu verstehen als die Situation vieler Frauen, die »in der Klemme« sitzen zwischen Familie und Beruf. Und sie wollte darüber aufklären, dass die Frauen von der Gesellschaft in diese Rolle gedrängt werden. Solange Frauen an Herd und Familie gebunden sind, sind sie isoliert und werden davon abgehalten, ihre Lage zu erkennen und sie zu ändern. Und das sicherste Mittel, sie in dieser Isolierung zu halten, sei das »chronisch schlechte Gewissen, das man berufstätigen Müttern macht«. Das Perfide an diesem schlechten Gewissen ist für Ulrike Meinhof, dass hier die echte und natürliche Fürsorge der Frauen für ihre Kinder missbraucht wird, um sie auszunutzen. »Frauen werden mit ihren Kindern erpresst, und das Menschliche an ihnen ist, dass sie sich erpressen lassen.«[10]

Unter diesen Voraussetzungen werden auch noch die menschlichsten Gefühle zu »Fesseln von Sitte & Anstand«, und man muss diese Fesseln als Fesseln erkennen und sich von ihnen befreien, um sich selbst befreien zu können. So erwartete Ulrike Meinhof von sich und von anderen Frauen, die Gesetze zu durchschauen, nach denen sie handeln. Und hier genüge es nicht, auf diesen oder jenen Missstand, auf diese oder jene Ungerechtigkeit hinzuweisen. Es gelte, das ganze »System« in den Blick zu bekommen, denn »die Frage nach dem System« dürfe nicht länger tabuisiert werden.[11]

Mit »System« meint Ulrike Meinhof zunächst die gesellschaftliche Wirklichkeit, in der alles mit allem zusammenhängt: die Bomben auf Vietnam, die prügelnden Polizisten in Berlin, die Kinder in den Heimen, das schlechte Gewissen berufstätiger Frauen. Für Ulrike Meinhof besteht hier nicht nur ein sachlicher Zusammenhang. Dahinter steht vielmehr so etwas wie ein Prinzip, ein Plan, den man weniger sachlich nachweisen kann als mit seinem moralischen Gewissen erspüren muss. Dieser Plan bewirkt, dass die ganze gesellschaftliche Wirklichkeit von Unrecht, Unmenschlichkeit und Gewalt geprägt wird – und zwar so umfassend, so lückenlos, dass alles ausgeschlossen und unterdrückt wird, was nicht dazu passt, was Widerstand leistet. Die Realität sei »total verknastet«, wird Ulrike Meinhof später sagen. Es gebe keinen Ort und keine Zeit, »wo du sagen könntest: von da geh ich aus«.[12]

Ist die Wirklichkeit solch ein gleichgeschaltetes System, dann ist alles bis ins Kleinste hinein festgelegt, bestimmt. Und umgekehrt kann man noch von der nebensächlichsten Kleinigkeit aus diesem Gesamtplan auf die Spur kommen. Das Erlebte wird zum Beispiel. Das Detail zum Typischen. Oder um es mit einem Ausdruck von Ulrike Meinhof zu sagen: Alles ist »symptomatisch«. In ihren Artikeln und Aufsätzen sammelte sie viele Symptome für eine Gesellschaft, um die es nicht gut bestellt ist: Da sind die »von Monotonie durch Automation verblödeten Metaller«, die »in Herr & Hund-Verhältnissen lebenden Frauen«, die »in falsch organisierten Krankenhäusern und Heimen arbeitenden Ärzte, Schwestern und Sozialarbeiter«, die in »Reihenhauskaninchenstallwohnungen« lebenden Menschen, die sich mit dem einschläfernden Fernsehprogramm und Bier ihre Angst vor der Schwangerschaft, vor der Schule, vor dem Chef, vor der Zukunft, vor dem Alter vertreiben.[13]

Die einzelnen Beobachtungen verweisen hier auf eine Wirklichkeit, in der es das Richtige und Gute nicht mehr gibt. Und Ulrike Meinhof war keineswegs die Einzige, die das so empfand. Michael Rutschky hat später versucht zu zeigen, dass diese Wahrnehmung in den 60er und 70er Jahren weit verbreitet war. Rutschky beschreibt sie als »negative Utopie«[14], als ein Lebensgefühl, für das alles Individuelle, alles Lebendige, alles Schöne und Menschliche aus der Welt verbannt waren. Man fühlte sich umgeben von einer feindlichen, kalten und bösen »Außenwelt«, gegen die man die letzten Reste von Glück und Freiheit verteidigen musste. Und der Blick auf diese Außenwelt bestätigte einem immer nur wieder, dass alle Lebensäußerungen den Geboten von Macht und Mammon unterworfen waren.

Rutschky hat auch darauf hingewiesen, dass dieses Lebensgefühl sehr stark beeinflusst war von philosophischen Theorien, vor allem von der so genannten Schule der »Kritischen Theorie« und dort besonders von den Büchern des Philosophen Theodor W. Adorno. Adornos Gedanken waren, so behauptet Rutschky, für viele selbstverständlich, auch wenn sie nie etwas von ihm gelesen hatten. Das Leben, wie er es zeigte, das kannte man. Es war ein Leben in einer fast unerträglichen Spannung. Der Spannung zwischen dem Wunsch nach Glück und der Erfahrung, dass man in einer glücksverlassenen Welt lebte. Adorno verlangte zwar von der Philosophie, dass sie das richtige Leben zeige, doch Glück und Harmonie waren für ihn wie eine sehr, sehr ferne Erinnerung, die höchstens einmal augenblickshaft aufblitzt. Im Vergleich zu diesem Ideal ist für Adorno die Wirklichkeit »das schlechte Gegebene«. Was Ulrike Meinhof das »System« nennt, ist bei ihm ein »Verblendungszusammenhang« oder einfach nur »das Ganze«, das zugleich auch »das Unwahre« ist.[15]

Dieses schlechte Ganze und die Verheißung von einem sinnvollen Leben stehen sich bei Adorno unversöhnlich gegenüber, es gibt keine Vermittlung, keine Überschneidungen, keine Vermischung. Und so muss auch der Einzelne stets das Bewusstsein wach halten, dass es eine Versöhnung nicht geben kann. Das heißt: Man muss in seinem Lebensraum immer wieder zeigen, »dass man *so* und *so* und *so* nicht leben kann; dass dies nicht Leben ist«.[16] Kritik wird hier zur Lebensform, und sie macht auch nicht vor demjenigen Halt, der sie ausübt. Denn auch die eigenen Gedanken und Gefühle sind ständig der Gefahr ausgesetzt, in den »Verblendungszusammenhang« hineingezogen zu werden. Adorno geht sogar so weit, zu behaupten, dass ein Rückzug in ein privates Glück oder in eine Innenwelt nicht möglich ist. Es gibt, wie er sagt, »kein richtiges Leben im falschen«.

Adorno hat sich immer dagegen verwahrt, praktische Konsequenzen aus seinen Gedanken zu ziehen. Deswegen ist er auch bei den rebellierenden Studenten, die auf Praxis pochten, in Ungnade gefallen. Einige Studentinnen haben den verkopften Professor einmal sogar mit ihren nackten Brüsten konfrontiert. Trotz seiner Scheu vor der Praxis hat

Adorno natürlich nicht verhindern können, dass andere mit seinen Gedanken Ernst gemacht haben. Was aber passiert, wenn jemand nach dieser Philosophie zu leben versucht?

Michael Rutschky hat behauptet, dass jemand, der diese »negative Utopie« lebt, unweigerlich von einer Melancholie befallen wird. Einer Melancholie, die daraus erwächst, dass man fortwährend alles, was einem begegnet, in das gleiche Muster von falsch und richtig, wahr und unwahr zwängt. Die konkrete Vielfalt des Lebendigen wird hierbei reduziert auf eine sehr abstrakte Diagnose, die keine Zwischentöne zulässt.

In einem Weltbild, das dieser unerbittlichen Trennung folgt, gibt es nichts Normales mehr, nichts Unschuldiges, nichts Selbstverständliches. Jede kleine Einzelheit ist an das »falsche Leben« gekettet und darum verdächtig. Und gerade wenn einem etwas gefällt oder angenehm ist, muss man doppelt auf der Hut sein und seinen Argwohn verstärkt zur Anwendung bringen. »Es gibt nichts Harmloses mehr«, schreibt Adorno in seinen *Reflexionen aus dem beschädigten Leben.* »Noch der Baum, der blüht, lügt in dem Augenblick, in welchem man sein Blühen ohne den Schatten des Entsetzens wahrnimmt; noch das unschuldige Wie schön wird zur Ausrede für die Schmach des Daseins, das anders ist, und es ist keine Schönheit und kein Trost mehr außer in dem Blick, der aufs Grauen geht, ihm standhält und in ungemildertem Bewusstsein der Negativität die Möglichkeit des Besseren festhält.«[17]

Es gibt Hinweise dafür, dass auch Ulrike Meinhof diese Melancholie gekannt hat. Ihre Freundin Ruth Waltz erinnert sich, dass Ulrike oft von einer Sekunde zur anderen in heftige Depressionen verfallen ist. Einmal waren sie in Ruths Wohnung, es war Frühling, die Sonne schien ins Zimmer und es stand eine Vase mit Tulpen auf dem Tisch. Bei diesem Anblick sei Ulrike »ganz melancholisch« geworden und habe gesagt: »Das ist so schön. Und so viel Licht. Warum kann man nicht so leben?«[18]

Auch Peter Rühmkorf hat Ulrike so erlebt. Sie hatte in Hamburg an einer Veranstaltung zum Thema »Pflicht zum Ungehorsam« teilgenommen. Anschließend übernachtete sie bei den Rühmkorfs in Övelgönne. Am nächsten Morgen, beim Frühstück, war Ulrike tief berührt von der Ruhe im Haus und der friedlichen Stimmung. »Dieser Friede!«, sagte sie. Doch gleich darauf war es mit dem Frieden vorbei, und sie forderte, »dass man den latenten Faschismus der Gesellschaft provozieren, ans Licht bringen, zur Entlarvung seiner selbst zwingen müsse«. »Nein, nein, nein, nein«, widersprach ihr Rühmkorf, »das heißt doch praktisch ihn entfalten helfen, Ulrike!« Eine Verständigung war aber nicht möglich und man ging auseinander mit einem, wie Rühmkorf schrieb, »Vorgefühl des Unfriedens«.[19]

Im Sommer des Jahres 1969 ergab sich für Ulrike Meinhof endlich eine Möglichkeit, aus ihrer ungeliebten Wohnung in Dahlem auszuziehen und mit anderen zusammenzuleben. Sie hatte Kontakt zu einer Wohngemeinschaft in der Halberstädter Straße gefunden und es war ein Platz für sie und ihre

Kinder frei geworden. Zur Wohngemeinschaft gehörten Thomas Mitscherlich, der Bruder von Ulrikes alter Freundin aus Marburger Studienzeiten Monika Mitscherlich, dessen Freundin Marianne Herzog und auch ein stiller Student namens Jan-Carl Raspe.

Für Ulrike Meinhof war wichtig, dass ihre Kinder nun in einer Art Familie lebten, und sie selbst konnte sich wieder mit einem besseren Gewissen ihrem Beruf widmen. Die Vorarbeiten zu dem Fernsehfilm *Bambule* waren weit fortgeschritten. Sie hatte ein Rohmanuskript geschrieben und nun musste ein Drehbuch daraus gemacht werden. Der Film sollte in einem Mädchenheim spielen und schildern, wie zwei Mädchen die stupide Arbeit, die Strafen und Verbote nicht mehr aushalten und aus dem Heim fliehen. In der Vorlage hatte Ulrike Meinhof geschrieben: »Heimerziehung, das ist der Büttel des Systems, der Rohrstock, mit dem den proletarischen Jugendlichen eingebläut wird, dass es keinen Zweck hat, sich zu wehren, keinen Zweck, etwas anderes zu wollen, als lebenslänglich am Fließband zu stehen, an untergeordneter Stelle zu arbeiten, Befehlsempfänger zu sein und zu bleiben, das Maul zu halten.«[20]

Interessiert hörte Ulrike Meinhof davon, dass es in Erziehungsheimen im Raum Frankfurt tatsächlich Unruhen gegeben hatte und sogar Jugendliche ausgebrochen waren. In diesem Zusammenhang fielen wieder die Namen Gudrun Ensslin und Andreas Baader.

Die beiden waren am 13. Juni 1969 aus dem Gefängnis entlassen worden. Ihre Anwälte hatten gegen das Urteil Revision eingelegt. Darüber sollte im November entschieden werden, und bis dahin setzte man die »Brandstifter«, wie sie nun überall genannt wurden, auf freien Fuß. Auflage war, dass sie sich eine Aufgabe im sozialen Bereich suchen sollten.

Baader, Ensslin und Proll machten nun mit bei einer Kampagne von Frankfurter Studenten. Unterstützt vom SDS zogen sie durch die Jugendheime in Nordhessen. Die Insassen dort waren für sie die echte, proletarische Jugend, der sie die Ideen von Freiheit und Sozialismus nahe bringen wollten. Auch in dem Erziehungsheim in Rengshausen hatten sich die Frankfurter Studenten angemeldet. Es handle sich um Pädagogikstudenten, die ihre theoretischen Kenntnisse in der Praxis überprüfen wollen, wurde den Jugendlichen gesagt. Als die Studenten an einem Wochenende in das Heim kamen, staunten die Heimzöglinge nicht schlecht. So hatte man sich zukünftige Lehrer nicht vorgestellt. Es war ein kunterbunter Haufen, einige mit langen Haaren, manche mit Lederjacke, die Frauen hippiemäßig gekleidet.

Das Wort führten drei von ihnen, Thorwald Proll, Gudrun Ensslin und Andreas Baader. Ihre pädagogischen Ideen waren recht einfach, sie forderten die Heiminsassen auf, gegen die Heimleitung zu rebellieren und aus der Anstalt auszubrechen. Und tatsächlich hämmerten wenige Tage später einige mit einem Stuhlbein ein Loch in die Außenmauer und verschwanden.[21]

Auch aus anderen Heimen, etwa dem in Staffelberg, rissen Jugendliche aus. Sie schlugen sich durch nach Frankfurt und suchten Unterschlupf bei ihren Befreiern, den Studenten. Zuerst nahm man sie mit in Studentenwohnheime und

Privatwohnungen. Dann schalteten sich das Jugendamt und das Diakonische Werk ein, und es gelang, die Ausreißer ganz legal in Wohnungen unterzubringen.

In der Heimkampagne unterschied man schon bald zwischen der »Baader-Gruppe« und den Studenten, die mit Marx und Lenin argumentierten. Baader gab sich dagegen bewusst nicht-intellektuell. Er las keine Bücher, sondern mit Vorliebe Comics. Seine Vorbilder waren nicht Marx oder Mao, sondern Kinohelden wie Marlon Brando oder Humphrey Bogart. Er forderte die Jugendlichen nicht auf, sich einen Arbeitsplatz zu suchen. Und schon gar nichts hielt er von dem Vorschlag, dass die Betreuer mit gutem Beispiel vorangehen und sich selbst eine Arbeit suchen sollten. Baader machte mit den Jugendlichen lieber »kleine Aktiönchen«, wilde Autorennen in der Frankfurter Innenstadt oder ein wenig Terror in Cafés gegen diesen oder jenen »liberalen Arsch«, dem man dann beispielsweise einen vollen Aschenbecher in die Kaffeetasse kippte.[22]

Bei »den Baaders« war immer was los und deswegen war Andreas Baader bei den geflüchteten Jugendlichen äußerst beliebt, manche hingen an ihm mit schier grenzenlosem Vertrauen. Das sahen die linken Studenten nicht gern. Statt mit ihnen in den Schulungsstunden einen Text von Karl Marx zu analysieren, zogen die befreiten Heimzöglinge lieber mit Baader durch die Frankfurter Straßen und übernahmen seine aggressiven Sprüche.

Von ihm lernten sie auch etwas über Politik, nur eben auf seine Art. Monika Faller, die Frau von Herbert Faller, der das Frankfurter Jugendamt leitete, erinnert sich, wie Baader einmal auf einen Stuhl stieg und ein Bündel Zehnmarkscheine zu Boden flattern ließ. Die Jugendlichen stürzten sich darauf, einige erhaschten Scheine, andere gingen leer aus. »Seht ihr«, meinte Baader, »so ist der Kapitalismus. Die einen haben was, die anderen nichts.«

Ulrike Meinhof kam öfter nach Frankfurt, denn sie hatte die Absicht, für eine Illustrierte einen Artikel zu schreiben über die Erziehungskampagne der Frankfurter Studenten. Sie wollte die entflohenen Heimzöglinge überreden, bei einer Protestaktion in anderen Heimen mitzumachen, um darüber berichten und Fotos machen zu können. Herbert Faller wollte das verhindern. Er fand Ulrike Meinhofs Verhalten äußerst fragwürdig. Seiner Meinung nach interessierte sie sich überhaupt nicht für das persönliche Schicksal der Jugendlichen, sondern wollte sie nur für ihren Artikel ausnutzen.[23]

Das Zusammenleben in der Wohngemeinschaft in der Halberstädter Straße funktionierte nur anfangs gut, dann traten Spannungen auf. Ulrike Meinhof klagte oft darüber, wie viel sie zu tun habe und wie oft sie reisen müsse. Und sie erwartete von den anderen, dass sie zusätzlich ihre Aufgaben in der Wohnung übernahmen. Dazu waren ihre Mitbewohner aber nicht bereit. Sie fühlten sich überrumpelt und ausgenutzt, und die Missstimmigkeiten wurden offenbar so groß, dass man schließlich die Wohngemeinschaft nicht mehr weiterführen wollte. Im Herbst zog Ulrike Meinhof vermutlich wieder zurück in die Dahlemer Wohnung und im Winter mietete sie dann eine neue Wohnung in der Kufsteiner Straße.

Ähnliche Schwierigkeiten hatte sie auch in dem Kinderladen, den Regine und Bettina besuchten. Dort galt für die Eltern eine Dienstpflicht, sie mussten also regelmäßig für die Kinder kochen und sauber machen. Ulrike fühlte sich dazu nicht fähig, vielleicht wollte sie auch ganz einfach nicht. Und so kam sie auf die Idee, jemanden zu bezahlen, der für sie diese Arbeiten machen sollte. Das gab einen Eklat und sie wurde auf einer Versammlung von den anderen Eltern »politisch niedergemacht«[24]. Daraufhin kam sie nicht mehr in den Kinderladen und schickte nur noch ihre Töchter hin.

Die Wohnung in der Kufsteiner Straße war groß und geräumig. Vielleicht hoffte Ulrike Meinhof, noch andere Mitbewohner zu finden. Vorerst lebte dort mit ihr und den Kindern nur noch Peter Homann. Homann hatte früher Kunst studiert, dann politische Aktionen gemacht und kurzzeitig für *konkret* gearbeitet. Er war nicht nur ihr Freund, sondern auch ihr Mädchen für alles. Er kochte, machte den Haushalt und brachte die Kinder in die Schule und in den Kinderladen.

Am 28. September 1969 fanden die Wahlen zum sechsten deutschen Bundestag statt. Die CDU/CSU behauptete sich wieder einmal als stärkste Partei, doch die SPD kam erstmals auf über 40 Prozent. Zünglein an der Waage war nun die FDP und sie entschied sich für ein Bündnis mit der SPD. Zusammen reichte es nur für eine knappe Mehrheit, trotzdem wollte man die Regierung bilden. Damit war der Machtwechsel perfekt. Drei Wochen später wurde Willy Brandt zum Bundeskanzler gewählt.

Der Elan der Jugendrevolte hatte schon nach der Verabschiedung der Notstandsgesetze merklich nachgelassen. Jürgen Habermas hatte der Bewegung auch in der theoretischen Auseinandersetzung einen Dämpfer verpasst. Eine »Scheinrevolte« hatte er die Protestbewegung genannt, die keinen Rückhalt in der Bevölkerung habe und von völlig falschen Voraussetzungen ausgehe: Kein Proletariat müsse sich für Hungerlöhne schinden, kein Volk leide unter der Willkür von Tyrannen.

Der Wahlsieg der SPD und die Wahl Willy Brandts zum Bundeskanzler lösten eine politische Aufbruchstimmung aus. Nun, so schien es, konnte man wieder auf verändernde Kräfte innerhalb der parlamentarischen Ordnung hoffen. Willy Brandt kündigte Reformen an und forderte dazu auf, »mehr Demokratie« zu wagen. Dazu gehörte für ihn auch das Gespräch mit der rebellierenden Jugend.

Von diesem neuen Kurs in der Politik profitierten die Frankfurter »Brandstifter« nicht. Am 10. November 1969 lehnte der Bundesgerichtshof ihren Revisionsantrag ab. Gudrun Ensslin, Andreas Baader, Thorwald Proll und Horst Söhnlein wurden aufgefordert, ihre Reststrafe anzutreten. Nur Horst Söhnlein kam später dieser Aufforderung nach. Die drei anderen hatten wenig Lust, noch einmal ins Gefängnis zu gehen. Sie waren fest davon ausgegangen, dass ihre soziale Arbeit sich strafmildernd auswirkt. Gudrun Ensslin war sogar eine Stelle als Sozialhelferin angeboten worden.

Das alles zählte nun nicht mehr, und sie beschlossen, sich nicht zu stellen, sondern unterzutauchen. Obwohl sie in

Deutschland noch gar nicht gesucht wurden, organisierten sie eine aufwändige Flucht. Autos standen an verschiedenen Orten bereit, und die drei wurden etappenweise Richtung Westen gebracht, nach Frankreich, nach Paris. In der französischen Hauptstadt hatten Gesinnungsgenossen dafür gesorgt, dass sich die deutschen Brandstifter in der Wohnung des bekannten Journalisten Regis Debray einquartieren konnten. Debray selbst saß in Bolivien im Gefängnis. Er hatte an der Seite Che Guevaras gekämpft und war 1967 verhaftet und zu dreißig Jahren Haft verurteilt worden. Schon 1970 kam er wieder frei. Seine Pariser Wohnung galt als sicher, da Debrays Familie sehr einflussreich war. Von der Wohnung nahe der Kathedrale Notre-Dame aus hielten die Flüchtlinge Kontakt zu Freunden in Deutschland. Sie telefonierten mit Thorwald Prolls Schwester Astrid und auch mit Ulrike Meinhof.

Alles, was die Brandstifter machten, setzte Ulrike Meinhof unter Druck und verstärkte ihre Selbstzweifel. Baader und Ensslin hatten ein Kaufhaus angezündet – sie hatte nur in Artikeln zum Widerstand aufgefordert. Die beiden hatten Jugendliche dazu gebracht, aus Heimen zu fliehen – sie berichtete nur über die Zustände darin. Und nun half sie gerade mit, einen Film über ein Mädchenheim zu drehen. Dieser Film hatte für sie nur dann einen Sinn, wenn er das Leben der Heimmädchen wirklich veränderte. Sie sollten sich ihrer Lage bewusst werden und dann aus dem Heim ausbrechen.

Im November 1969 wurden die Drehorte für den Film *Bambule* festgelegt. Das Drehbuch hatte Regisseur Eberhard Itzenplitz inzwischen fertig. Trotzdem gab es immer wieder

Streit darüber mit Ulrike Meinhof. »Das Problem war«, schrieb Itzenplitz später, »dass Ulrike nicht von dramaturgischen Erwägungen aus an den Stoff heranging. Im Vordergrund stand für sie vielmehr die politische Botschaft.«[25] Ulrike Meinhof wollte möglichst in jeder Szene ihre Sicht der politischen Verhältnisse zum Ausdruck bringen. Umsonst versuchte Itzenplitz sie davon zu überzeugen, dass es unglaubhaft, ja lächerlich wirke, wenn die Darsteller bei jeder Gelegenheit lehrhaft eine politische Botschaft vertreten. Als erfahrener Filmemacher hatte er gelernt, dass nichts falscher ist, als die Aussage eines Films dem Betrachter aufzudrängen. Die einzelnen Szenen dürfen nicht mit Bedeutung überlastet werden, sondern müssen Bruchstücke bleiben, die erst zusammen so etwas wie eine Aussage ergeben. Ebenso sollten die darstellenden Personen nicht zu Stichwortgebern degradiert werden. Sie müssen ein Eigenleben behalten, sonst werden sie zu Marionetten an den Fäden von Ideen.

Ulrike Meinhof wollte von solchen formalen Einwänden nichts wissen. Ihrer Meinung nach war der Film dann gelungen, wenn seine politische Aussage in jedem Gespräch, in jeder Handlung des Films deutlich wurde. Sie wolle »nicht der Wirklichkeit, sondern der Wahrheit näher kommen«.[26] Dieser Vorsatz galt für sie nicht nur in der journalistischen Arbeit oder beim Filmemachen. Grundsätzlich misstraute sie dem, was vor Augen lag. Die Wirklichkeit, die sie umgab, war bloß etwas Vordergründiges, eine Fassade, die eine zufriedene, lebenswerte Welt vorgaukelte. Es kam darauf an, diese verlogene, täuschende Wirklichkeit zu enttarnen und herauszufinden, wie es wirklich war.

Auch sich selbst nahm Ulrike Meinhof nicht so wichtig.
Und zwar in jeder Hinsicht. Seit sie aus Hamburg fortgezo-
gen war, legte sie keinen Wert mehr auf ihr Äußeres. Die
schönen Kleider und den wertvollen Schmuck hatte sie mit
ihrem früheren Leben abgelegt. Nun trug sie meistens Cord-
hosen und T-Shirts. Und anders als anderen bekannten Figu-
ren der Bewegung ging es ihr nie um Selbstdarstellung. Ihre
politischen Anliegen waren ihr wichtiger als die eigene Person. Helma Sanders, eine gute Freundin und Filmemacherin,
bewunderte gerade diese Eigenschaft an Ulrike. »Wenn sie
sprach«, so Sanders, »ging es ihr nicht um sich selbst. Es
ging ihr um die erkennbaren Unerträglichkeiten in der Bundesrepublik wie auf dem Erdball – um die Heuchelei, die
diese Zustände schönfärbt – und um die Empörung, die sie
eigentlich auslösen müssten.«[27]

Helma Sanders machte um die Jahreswende 1969/70 ein
Interview mit Ulrike Meinhof in deren Wohnung, bei dem
sie ihre Freundin auch filmte. Ulrike sitzt auf einem Stuhl,
hinter ihr, an der weißen Wand, eine Bettmatratze mit einer
Tagesdecke. Neben sich ein niedriges Tischchen, darauf eine
Kaffeetasse und eine angebrochene Schachtel mit filterlosen
Zigaretten. Ulrike hat ein schwarzes T-Shirt an, die dunklen
Haare reichen ihr weit in die Stirn, als sollten sie vor Blicken
schützen. In einer Hand hält sie eine Zigarette, in der ande-
ren rollt sie unentwegt ein Papierkügelchen zwischen den
Fingern. Sie wirkt fahrig. Im Hintergrund klimpert eines der
Kinder, es ist Regine, auf dem Klavier.

Ulrike Meinhof redet über ihre Situation, die auch die Situation vieler Frauen ist und die auch etwas zu tun hat mit

Wirklichkeit und Wahrheit. Wirklichkeit, dazu gehören ihre Kinder und die Anforderungen des Alltags. Wahrheit, das sind ihre politische Arbeit und die »richtigen Sachen«, von denen ihr Kopf voll ist. Beides sei schwer miteinander zu vereinbaren, besonders wenn man die »richtigen Sachen« auf keinen Fall aufgeben will und gleichzeitig davon überzeugt ist, dass die Familie als stabiler Ort mit stabilen menschlichen Beziehungen »notwendig und unerlässlich ist«.

Im Film von Helma Sanders versucht Ulrike diesen Zwiespalt zu erklären. Dann macht sie eine Pause, zündet sich eine neue Zigarette an und meint fühlbar betroffen: »Schwer – schwer – unheimlich schwer – na, es ist schwer – ist unheimlich schwer. Das ist natürlich viel einfacher, wenn man ein Mann ist und wenn man also eine Frau hat, die sich um die Kinder kümmert, und das geht in Ordnung. Und die Kinder brauchen ja wirklich stabile Verhältnisse und einen, der wirklich viel Zeit für sie hat. Und wenn man Frau ist und also keine Frau hat, die das für einen übernimmt, muss man selber alles machen – es ist unheimlich schwer.«

Was es noch schwerer macht, ist, dass sie als Frau in ein unpolitisches Privatleben gedrängt wird. Dabei sei es doch selbstverständlich, dass Privatleben und politische Arbeit zusammengehören. Die gesellschaftlichen Verhältnisse spiegeln sich im Privaten wider und umgekehrt. Aber wo fängt man an, wenn man etwas verändern will? Muss man erst die gesellschaftlichen Verhältnisse ändern, damit man dann ein richtiges Leben führen kann? Oder ist es möglich, ein richtiges Leben zu führen, auch wenn die Gesellschaft als

Ganzes unmenschlich und ungerecht ist? Ulrike Meinhofs Gedanken kreisen um diese Frage. Und sie nehmen eine Richtung, in der sich zum Schluss, wie ungewollt und indirekt, eine Antwort andeutet:

»Man kann nicht antiautoritäre Politik machen und zu Hause seine Kinder verhauen. Man kann aber auf die Dauer auch nicht zu Hause seine Kinder nicht verhauen, ohne Politik zu machen, das heißt, man kann nicht innerhalb einer Familie die Konkurrenzverhältnisse aufgeben, ohne nicht darum kämpfen zu müssen, die Konkurrenzverhältnisse auch außerhalb der Familie aufzuheben, in die jeder reinkommt, der also seine Familie anfängt ...«, Ulrike Meinhof zögert und meint dann kleinlaut und mit gesenktem Blick: »... zu verlassen.«

XI. Der Sprung in ein anderes Leben

»Ich habe keine Lust mehr, ein Autor zu sein.«

Es muss um den 12. Februar 1970 gewesen sein, als es eines Abends an der Wohnungstür von Ulrike Meinhof in der Kufsteiner Straße läutete. Als sie öffnete, standen vor ihr ein Mann und eine Frau, die sie erst auf den zweiten Blick erkannte, weil sie merkwürdig luxuriöse Kleider trugen und ihre Haare gefärbt hatten. Es waren Gudrun Ensslin und Andreas Baader. Sie waren nach ihrer Fluchtreise nach Berlin zurückgekehrt und suchten nach einer vorübergehenden Bleibe. Ulrike Meinhof war bereit, sie aufzunehmen.

Ensslin und Baader waren von ihrem ersten Versteck in Paris mit falschen Pässen weitergereist in die Schweiz und dann nach Italien. Ihre zeitweiligen Begleiter, Thorwald Proll und seine Schwester Astrid, waren nach und nach abgesprungen, weil ihnen die Sache zu heiß geworden war. Auf ihrer Reise Richtung Süden hatte das gesuchte Pärchen immer wieder Leute gefunden, die ihnen weiterhalfen mit Adressen, Kleidern und Geld. Auf diese Weise waren sie in Mailand bei Giangiacomo Feltrinelli untergekommen, dessen Gästehaus immer offen stand für verfolgte Linke. Und in Rom waren sie unter dort lebenden deutschen Künstlern herumgereicht worden. Von Rom waren sie wieder aufgebrochen, ohne rechtes Ziel, aber in dem prickelnden Gefühl, Outlaws, auf der Flucht zu sein. Und schließlich waren sie am südlichen Ende Europas angelangt, in Sizilien, in einem Camp für Erdbebenopfer, die von der Regierung in Rom vergessen worden waren.

Nach ein paar öden Tagen an der Südküste Siziliens waren Gudrun Ensslin und Andreas Baader wieder nach Rom gefahren. Dort hatten sie Horst Mahler getroffen, den Berliner Anwalt, der sich entschlossen hatte, die Seiten zu wechseln und der Gesellschaft den Krieg zu erklären. Mahler wollte eine militante Gruppe aufbauen und die beiden Flüchtlinge sollten dabei mitmachen. Baader und Ensslin waren aufgeschlossen. Sie hatten erfahren, dass ein Gnadengesuch gegen ihre Verurteilung Anfang Februar abgelehnt worden war. Viel zu verlieren, so glaubten sie, hatten sie nun sowieso nicht mehr. Und ewig herumreisen konnten sie auch nicht. Also waren sie Horst Mahler gefolgt, zurück nach Berlin.

Die Wohnung in der Kufsteiner Straße war nun ein Versteck für polizeilich gesuchte Leute. Den Kindern, Regine und Bettina, schärfte man ein, die Gäste nicht Andreas und Gudrun zu nennen, sondern Hans und Grete. Und man erklärte ihnen in geheimnisvollem Ton, dass Hans und Grete von der Polizei verfolgt würden und sie in der Schule und im Kinderladen ja keinem etwas von Hans und Grete sagen dürften. Die achtjährigen Schwestern erzählten dann ihren Freunden im Kinderladen, dass bei ihnen zu Hause zwei Leute wohnten, von denen niemand etwas wissen dürfe. Natürlich wollten die anderen Kinder diese geheimnisumwitterten Besucher unbedingt sehen. Sie mussten versprechen, nichts den

Eltern weiterzusagen, dann nahmen Bettina und Regine sie mit nach Hause und zeigten auf den Mann und die Frau. »Andreas Baader«, so erinnert sich Bettina Röhl, »floh vor der neugierigen Kinderschar ins Badezimmer und bekam dort einen Wutanfall. Meine Mutter konnte ihn nur mit Mühe beruhigen.«[1]

In die Wohnung kamen von nun an nur noch eingeweihte Leute wie Horst Mahler und seine Genossen. Auch Astrid Proll war wieder zu der Gruppe gestoßen. Mahler drängte darauf, mit seinen Plänen nun Ernst zu machen. Er dachte daran, Molotow-Cocktails in die Büros jener Leute zu werfen, die er für die unmenschlichen Zustände zum Beispiel im Märkischen Viertel verantwortlich hielt. Solche Aktionen waren in der linken Szene nichts Neues mehr. Die Studentenbewegung war in zahllose kommunistische, maoistische, leninistische und trotzkistische Gruppen zerfallen. Und vor allem aus dem Umkreis der Kommunen waren anarchistische Zirkel entstanden, die Bewegung des so genannten »Blues« oder die »Haschrebellen«, die den von Rudi Dutschke geforderten »langen Marsch durch die Institutionen« abkürzen wollten durch – wie sie es ausdrückten – »Feuer unterm Arsch«. Seit Ende 1969 hatte es in Berlin immer wieder Anschläge mit Molotow-Cocktails gegeben, bei denen der Unterschied zwischen Gewalt gegen Sachen und Gewalt gegen Personen keine große Rolle mehr spielte.

Ulrike Meinhof nahm an den Gesprächen der Mahler-Truppe teil, blieb aber Zaungast. Schließlich lebte sie nicht im Untergrund. Sie war eine unbescholtene Person und bekannte Journalistin. Hans Magnus Enzensberger hatte sie in seinem *Kursbuch* zu den wenigen Vorbildern gezählt, die diese Zeit noch vorzuweisen habe.[2] Für das Wintersemester hatte sie einen Lehrauftrag an der Freien Universität Berlin und bot Veranstaltungen an über die Möglichkeiten von Aufklärung durch kritischen Journalismus. Außerdem liefen gerade die Dreharbeiten für *Bambule*, der Film sollte Ende Mai im Fernsehen gezeigt werden.

Fast jeden Tag fuhr sie zu den Drehorten wie dem Mädchenheim Eichenhof in Tegel. Regisseur Eberhard Itzenplitz war darüber nicht gerade erfreut. Sie hatte immer wieder etwas auszusetzen, und einmal war Itzenplitz nahe daran, sie rauszuschmeißen. Je weiter die Dreharbeiten voranschritten, desto mehr zweifelte sie am Sinn dieses Films. Sie hatte den Eindruck, dass man die Mädchen im Heim und ihre Probleme »verschaukelt« und dass, wie sie in einem Brief schrieb, praktische Hilfe und ein Aufstand im Heim »tausendmal mehr wert sind als zig Filme«. »Ich habe keine Lust mehr, ein Autor zu sein«, meinte sie, »der die Probleme der Basis, z. B. der proletarischen Jugendlichen in den Heimen, in den Überbau hievt, womit sie nur zur Schau gestellt werden, dass sich andere daran ergötzen, zu meinem Ruhm. Ich finde den Film scheiße. Das ist wirklich mein Problem.«[3]

Ulrike Meinhof wollte für die Heimmädchen politische Schulungen in einer Kneipe abhalten. Und sie war ratlos und sehr enttäuscht, als niemand kam. Nur eines der Mädchen, Irene Goergens, hing an ihr und ließ sich von ihren Ideen begeistern. Ulrike Meinhof wollte sie aus dem Heim holen und nahm sie zeitweise auch zu sich.

Gudrun Ensslin und Andreas Baader war die Wohnung in

der Kufsteiner Straße zu unsicher geworden. Sie zogen in eine andere ganz in der Nähe, die Horst Mahler für sie besorgt hatte. Die Aktion im Märkischen Viertel hatte man durchgeführt. Außer ein paar angekokelten Möbeln war kein großer Schaden entstanden. Später, Anfang Mai, war Ulrike Meinhof dabei, als man zusammen mit Bewohnern des Märkischen Viertels eine leer stehende Fabrikhalle besetzte, um ein Freizeitheim für Jugendliche daraus zu machen. Die Polizei räumte die Halle, Ulrike Meinhof und Peter Homann wurden vorübergehend festgenommen.

Baader drängte nun auf radikalere Maßnahmen, und man beschloss, sich Waffen zu besorgen. Nächtelang saß man beieinander und führte endlose Diskussionen über die Strategie einer militanten Gruppe, rauchte viele Packungen filterloser Zigaretten und ließ Joints kreisen. Ulrike Meinhof rauchte viel, von Drogen aber ließ sie die Finger. Es war die Erinnerung an die schrecklichen Schmerzen nach der Gehirnoperation, die sie von solchen Experimenten abhielt. Doch eines Abends ließ sie sich wohl doch überreden, LSD zu nehmen.[4] In der euphorischen Stimmung schwelgte sie mit Gudrun Ensslin in Ideen vom Sprung in ein ganz anderes Leben. Gudrun Ensslin erzählte von ihrer Erziehung im schwäbischen Pfarrhaus, von ihrer Verlobung und ihrem Studium und dass sie unter all das einen dicken Schlussstrich gezogen habe. Wenn man sich für die Revolution entscheide, genüge es nicht, aus dem bürgerlichen Leben auszusteigen, man müsse sich auch von den verinnerlichten bürgerlichen Normen befreien. Wer das schafft, für den gelten andere Maßstäbe. Alles kann sich ins Gegenteil verkehren.

Aus dem christlichen Gebot »Du sollst nicht töten« kann dann das revolutionäre Gebot werden »Du musst töten«. Deswegen habe sie, Gudrun Ensslin, auch ihren Sohn Felix verlassen, um sich ganz dem Kampf für eine bessere Welt widmen zu können. Das schlechte Gewissen, das man von ihr erwarte, das sei wieder nur eine Fessel der bürgerlichen Moral.

Auf seiner Suche nach Waffen wandte sich Horst Mahler ausgerechnet an Peter Urbach, den Spitzel, der für die Demonstration vor dem Springer-Haus die Molotow-Cocktails organisiert hatte. Urbach spielte wieder sein doppeltes Spiel. Er informierte den Verfassungsschutz und erzählte Mahler von Waffen, die angeblich auf einem Friedhof im Stadtteil Rudow, nahe der Stadtgrenze, vergraben seien. Noch in der gleichen Nacht zum 3. April 1970 fuhren Baader, Mahler, Homann und Urbach zu diesem Friedhof und buddelten nach den Waffen. Weil sie nichts fanden, kamen sie in der folgenden Nacht wieder. Erneut war die Suche vergeblich, obwohl inzwischen der Verfassungsschutz alte, verrostete Schusswaffen dort vergraben hatte.

Auf der Fahrt zurück in die Innenstadt, um drei Uhr morgens, wurden die zwei Autos der Gruppe plötzlich von einem Streifenwagen verfolgt. Die Polizisten stoppten gezielt den Mercedes, in dem Andreas Baader saß. Der Wagen war schon einen Tag vorher registriert worden, weil er zu schnell gefahren war. Sie verlangten Führerschein und Pass, die beide auf Peter Chotjewitz ausgestellt waren, ein Schriftsteller, den Baader in Rom getroffen hatte. Als die Polizisten den angeblichen Herrn Chotjewitz nach den im Pass eingetragenen Geburtsdaten seiner Kinder fragten, konnte Baader nicht antworten und wurde festgenommen.[5]

Die Nachricht von der Verhaftung Baaders war für Gudrun Ensslin ein Schock, und für sie stand sofort fest, dass man ihn da irgendwie rausholen musste. Befreiung war für Ulrike Meinhof ein magisches Wort. Hatte sie nicht auch die Mädchen aus den Heimen befreien wollen? Bei den Dreharbeiten hatte sie sogar Drahtscheren in die Heime geschmuggelt. Herausgekommen war aber nur ein Film. Nun ging es nicht mehr um einen Film, jetzt war die Gelegenheit da, wirklich zu handeln.

Sie besuchte Baader mehrmals im Gefängnis. Und auch Gudrun Ensslin, die ja selber gesucht wurde, war so dreist, unter falschem Namen in die Strafvollzugsanstalt Tegel zu spazieren, um ihr »Baby«, wie sie Baader nannte, zu sehen. Ein Plan war bald ausgeheckt: Ein Vertrag mit einem Verlag sollte bestätigen, dass Baader gemeinsam mit Ulrike Meinhof ein Buch schreiben wollte über die Erfahrungen aus der Kampagne mit den jugendlichen Heimzöglingen in Frankfurt. Für dieses geplante Buch musste man natürlich recherchieren, und dazu war es unumgänglich, Baader in eine Bibliothek zu bringen. Bei dieser Gelegenheit wollte man zuschlagen.

Ulrike Meinhof überredete Klaus Wagenbach, den Gründer und Leiter des Wagenbach-Verlags, für sie und Baader einen Buchvertrag auszustellen. Unter Vorlage dieses Vertrages beantragte man bei der Gefängnisverwaltung einen Freigang für den Häftling Andreas Baader. Und nach einigem Zögern wurde genehmigt, Baader am 14. Mai in das Deutsche Zentralinstitut für soziale Fragen in Dahlem zu bringen.

Es ergab sich, dass nur Frauen bei der Befreiungsaktion mitmachen sollten. Offenbar trauten sie es sich nicht zu, bei dem Coup entschlossen und kaltblütig genug aufzutreten. Sie suchten nach einem Mann, der dafür geeignet war. Und sie fanden einen. Der hatte angeblich schon »harte Sachen« gemacht und im Knast gesessen. Diesem Profi konnte man natürlich nicht nur eine Gaspistole in die Hand drücken. Schließlich war klar, dass Baader von bewaffneten Polizisten begleitet und bewacht werden würde. Also hörte man sich um – und wurde in rechtsradikalen Kreisen weiterverwiesen an einen Mann, der ihnen zwei Pistolen verkaufte, Marke *Beretta* und *Reck*, samt Schalldämpfer.

Es war wahrscheinlich um diese Zeit, als Ulrike Meinhofs Tochter Regine zufällig in das Schlafzimmer ihrer Mutter kam, die sich gerade einen dunkelblauen Rollkragenpulli überzog. In ihrem Hosenbund steckten zwei Pistolen, was die kleine Regine, wie sie sich später erinnerte, »maximal erschreckte«.[6]

Am 14. Mai 1970, es war ein Donnerstag, kam Ulrike Meinhof schon frühmorgens, kurz nach acht, zum Gebäude des Deutschen Zentralinstituts für soziale Fragen in der Miquelstraße. Die Angestellten des Instituts kannten die Journalistin. Sie hatte schon oft hier gearbeitet und für ihre Hörfunk- und Fernsehbeiträge recherchiert. Sie ging in den Hauptlesesaal der Bibliothek. Der Raum hatte drei hohe Sprossenfenster, die fast vom Boden bis zur Decke reichten und auf eine Rasenfläche hinausgingen. Ulrike Meinhof rückte einen Tisch und zwei Stühle ans Fenster und ließ sich Bücher kommen.

Gegen halb zehn hielt ein Gefängniswagen vor dem Institut. Zwei Justizbeamte führten Andreas Baader in Handschellen in den Lesesaal. Die Handschellen wurden ihm abgenommen und er setzte sich neben Ulrike Meinhof. Beide steckten sich eine Zigarette an und begannen in Karteikarten zu blättern.

Kurz darauf klingelte es an der Eingangstür. Der Bibliotheksangestellte Georg Linke öffnete. Es waren zwei junge Frauen, eine von ihnen war Irene Goergens, Ulrike Meinhofs Zögling aus dem Heim. Die Frauen wollten in den Lesesaal. Aber der war an diesem Vormittag für normale Besucher gesperrt. Sie mussten mit einem Platz in der Eingangshalle vorlieb nehmen.

Wieder läutete es, und dieses Mal waren es die zwei jungen Frauen, die öffneten. Herein stürmte ein Mann mit einer Wollmütze mit Sehschlitzen über dem Kopf, in der einen Hand eine Gaspistole, in der anderen eine scharfe *Beretta*. Hinter ihm eine ebenfalls vermummte Frau, Gudrun Ensslin, mit einem Kleinkalibergewehr im Anschlag. Die jungen Frauen rannten voraus Richtung Lesesaal. Der Bibliotheksangestellte Georg Linke stellte sich ihnen in den Weg. Der Mann mit der Mütze wollte mit der Gaspistole auf ihn schießen. In der Aufregung feuerte er aber die *Beretta* auf ihn ab. Getroffen flüchtete Linke in sein Büro und verschanzte sich darin.

Im Lesesaal schossen die beiden Frauen mit Tränengas-

Pistolen und schrien: »Überfall!« Einer der beiden Justizbeamten wollte sich auf Gudrun Ensslin stürzen. Sie bedroh-
te ihn mit der Waffe. Es gab ein Handgemenge und er riss
ihr die rote Perücke vom Kopf. Der zweite Beamte schlug
dem Mann mit der Mütze die *Beretta* aus der Hand. Doch
bevor er selbst zur Dienstpistole greifen konnte, schoss ihm
der Mann eine Ladung Tränengas ins Gesicht.

In dem allgemeinen Durcheinander öffnete Andreas Baader eines der Fenster und sprang hinaus. Und was machte
Ulrike Meinhof? Was ging in ihrem Kopf vor?

Es lässt sich nicht sagen, ob sie sich vorher Gedanken gemacht hatte, wie sie sich in einer solchen Situation verhalten
würde. Klaus Wagenbach hatte sie anvertraut, dass sie in
den Untergrund gehen wolle, und er hatte sie vergebens davon abzubringen versucht. Andererseits soll geplant gewesen sein, dass Ulrike Meinhof nach der Aktion nicht mit den
anderen fliehen, sondern ihnen nur »verstört hinterher-
blicken« sollte.[7] Niemand hätte ihr nachweisen können, dass
sie eine Rolle bei dem Coup gespielt hatte, und sie wäre in
ihr normales Leben zurückgekehrt.

Vielleicht wusste sie selbst nicht, was sie machen würde.
Nicht selten führen Menschen Situationen herbei, in denen
sie zu einer Entscheidung gezwungen sind, die sie ohne diesen Druck nicht fällen können, nicht fällen wollen.

Während um sie herum geschossen wurde und Baader
schon geflüchtet war, entschied sich Ulrike Meinhof: Sie
sprang auch aus dem Fenster. Die anderen folgten ihr. Draußen, auf der Straße, stürzten sie in zwei wartende Autos, die
mit quietschenden Reifen davonjagten.

Im Institut blieb der schwer verletzte Georg Linke zurück, mit einem Steckschuss in der Leber. Im Lesesaal stand auch noch Ulrike Meinhofs Tasche. In ihr fand die Polizei eine Pistole. Schon am nächsten Tag hingen überall rot umrandete Fahndungsplakate mit einem Foto von Ulrike Meinhof und genauer Personenbeschreibung, darüber in Großbuchstaben: MORDVERSUCH. 10 000 DM BELOHNUNG. Gesucht wurde die Journalistin Ulrike Meinhof, geschiedene Röhl, wegen des dringenden Verdachts, an der Entführung Andreas Baaders beteiligt gewesen zu sein, bei der der Institutsangestellte Georg Linke durch Schüsse lebensgefährlich verletzt worden war.

Nach der Befreiung Baaders versteckten sich die Akteure in einer Wohnung ganz in der Nähe des Tatorts, die einer Freundin von Ulrike Meinhof gehörte. Ulrike Meinhof selbst lag auf dem Bett mit weit aufgerissenen Augen. Nach kurzer Zeit fuhr sie weg und blieb die nächsten Tage verschwunden. Vielleicht war ihr schockartig bewusst geworden, dass es nun kein Zurück mehr gab, und sie musste doch irgendwie regeln, was weiter mit ihren Kindern geschah. Auf keinen Fall sollte Klaus Rainer Röhl sie bekommen. Der Rest der Gruppe blieb in der Wohnung und man stieß auf die gelungene Befreiung mit Sekt an.

Zur gleichen Zeit knallten auch in der *konkret*-Redaktion in Hamburg die Sektkorken. Man feierte das fünfzehnjährige Bestehen der Zeitschrift. Alle waren geladen, die irgendwann einmal für das Blatt gearbeitet hatten. Auch Ulrike Meinhof wurde erwartet. Klaus Rainer Röhl hielt eine kurze Ansprache. Als er geendet hatte, trat seine kreidebleiche Sekretärin auf ihn zu und sagte, dass das Radio gerade eine Meldung gebracht habe über die Befreiung Baaders. Seine Frau, Ulrike Meinhof, habe auch mitgemacht und sei jetzt auf der Flucht. Röhl stürzte sofort zum Telefon, um herauszufinden, wo die Kinder waren. Aber keiner von den Bekannten und Freunden wusste etwas. Am nächsten Tag flog er nach Berlin, um sich das Sorgerecht übertragen zu lassen und weiter nach den Kindern zu suchen. Sie blieben spurlos verschwunden.

Was Röhl nicht wusste und was ihm auch keiner sagte: Bettina und Regine waren bei der Familie des Schriftstellers Jürgen Holtkamp in Bremen versteckt worden. Vor den Nachforschungen ihres Vaters schienen sie dort aber nicht sicher. Eines frühen Morgens wurden sie geweckt, man brachte sie nach Berlin und übergab sie drei Frauen. Zwei von ihnen kannten die Mädchen, es waren Freundinnen ihrer Mutter, Monika Berberich und Marianne Herzog. Die dritte Frau, man nannte sie Hanna, sahen sie zum ersten Mal.

Die drei Frauen brachten die Zwillinge illegal über die französische Grenze, zu Fuß durch einen Wald. Am Abend darauf überquerten sie mit dem Auto einen verschneiten Bergpass und fuhren bergab nach Italien, immer weiter bis nach Sizilien, zu dem Barackenlager, in dem ein halbes Jahr vorher schon Andreas Baader und Gudrun Ensslin auf ihrer Flucht Station gemacht hatten.

Monika Berberich und Marianne Herzog fuhren gleich wieder zurück nach Deutschland. Hanna sollte bleiben und auf die Kinder aufpassen. Man wies ihnen eine Baracke zu. Eine schäbige Hütte ohne Fensterscheiben, ohne Kochstelle, mit einer Wassertonne und mit styroporverkleideten Wänden. Bei dem Gedanken, mit den Kindern die nächsten Wochen, vielleicht Monate in diesem Dreckloch festzusitzen, wurde Hanna von Verzweiflung gepackt. Sie warf sich auf ein Bett und heulte. Bettina und Regine standen daneben und kamen sich ziemlich verloren vor.[8]

Ulrike Meinhofs Zwillinge waren nicht die einzigen Kinder in dieser Zeit, die die Welt nicht mehr verstanden. Es gab viele Mütter und Väter, die sich vor die Wahl gestellt sahen zwischen Kind und Revolte. Und meistens fiel diese Entscheidung nicht zugunsten der Kinder aus. Auch Gudrun Ensslin hatte ihren Sohn Felix verlassen. Und Felix musste diese Erfahrung gleich ein zweites Mal machen. Sein Vater Bernward Vesper konnte die Trennung von seiner Verlobten so wenig überwinden wie seine Kindheit als Sohn des Nazi-Dichters Will Vesper. Er versank in Drogen und weltumstürzlerischen Phantasien und nahm sich schließlich 1971 das Leben. In den erschütternden Aufzeichnungen, die er hinterlassen hat, beteuert er immer wieder, wie viel ihm sein Sohn Felix bedeute und wie sehr er ihn liebe. Doch dann heißt es: »Felix. Ich bin diesem Thema viel zu lange ausgewichen. Felix ist nicht mehr bei mir. Er lebt auf der Schwäbischen Alb. Ich habe ihn selbst dorthin gebracht. [...] Es war Mittag, er schlief. Ich stahl mich aus dem Haus, ins Auto und fort.« Gegen das schlechte Gewissen, das ihn plagt, weil er Felix weggegeben hat, sucht er eine Rechtfertigung: »Sollen wir unsere Gefühle vernachlässigen? Ist es nicht meine Pflicht, die ›subjektiven Bindungen‹ an mein Kind abzulegen, um uns der Veränderung eines Systems zuzuwenden, das uns zu solchen Wandlungen zwingt?«[9]

Einem anderen Jungen namens Felix ging es ganz ähnlich. Eigentlich hieß er Till-Felix und war der Sohn des »Haschrebellen« und späteren Terroristen Till Meyer. Meyer wollte nach der Befreiung von Andreas Baader in den Untergrund und war wie Bernward Vesper hin- und hergerissen zwischen seiner Vaterliebe und seiner Pflicht zum politischen Kampf. In seinen Erinnerungen schreibt er dazu: »Was aber sollte jetzt mit Till-Felix geschehen? Ich quälte mich noch ein paar Monate und entschied dann schweren Herzens, ihn doch zu Christa zu geben. Ich war besessen von der Idee meines politischen Kampfes und brannte darauf, endlich gegen die Schweine richtig losschlagen zu können.«[10] Es vergingen fünfzehn Jahre, viele davon verbrachte er im Gefängnis, bis Till Meyer seinen Sohn wiedersah.

Meyer wie Vesper fiel ihre Entscheidung immerhin nicht leicht. Sie steckten in einem Konflikt, dem Konflikt zwischen der Hoffnung auf eine menschlichere Gesellschaft und der Treue zu dem, was ihnen gegenwärtig wichtig und wertvoll war. Also auch ein Konflikt zwischen Zukunft und Gegenwart. Meyer und Vesper entschieden sich für die Zukunft, auch wenn es momentan bedeutete, mit allen Mitteln gegen das »Schweinesystem« zu kämpfen.

Auch Ulrike Meinhof kannte diesen Konflikt, und für sie war er beispielhaft in einem Stück von Bertolt Brecht gelöst, aus dem sie oft zitierte. In diesem Lehrstück mit dem Titel

Die Maßnahme ist es ein junger Genosse, der durch sein unkluges und kurzsichtiges Handeln die Sache der Revolution immer wieder in Gefahr bringt. Als er von Soldaten erkannt wird und fliehen muss, beschließen kommunistische Agitatoren, ihn zu erschießen und in die Kalkgrube zu werfen. Ein »Kontrollchor« kündigt eine neue, revolutionäre Moral an: »Welche Niedrigkeit begingest du nicht, um / Die Niedrigkeit auszutilgen? / Könntest du die Welt endlich verändern, wofür / Wärest du dir zu gut?« Und die Agitatoren begründen ihre Tat: »Da doch nur mit Gewalt diese tötende / Welt zu ändern ist, wie / Jeder Lebende weiß. / Noch ist es uns, sagten wir / Nicht vergönnt, nicht zu töten [...].«[11]

In Brechts Stück ist es das Ziel einer zukünftigen menschlicheren Gesellschaft, das auch unmenschliche Entscheidungen rechtfertigt und entschuldigt. Albert Camus, der französische Schriftsteller und Philosoph, hat diese revolutionäre Moral in Frage gestellt. Camus unterscheidet zwischen einer »wahren« Revolte und einer, die ihren ursprünglichen, utopischen Sinn verloren hat, weil sie nicht mehr »wertschöpferisch« ist, sondern nur noch Kampf und Zerstörung kennt. So weit kann es kommen, wenn nahezu religiöse Vorstellungen von einer heilen Welt zu politischen Programmen werden, die in einer mehr oder weniger fernen Zukunft verwirklicht werden sollen. Im Vergleich zu einer Zukunft, die so verheißungsvoll ist und so viel verspricht, erscheint jede Gegenwart bestenfalls als fader Vorgeschmack und schlimmstenfalls, wie bei Adorno, als »schlechtes Ganzes«, das wert ist, dass es zugrunde geht. Doch sind die Werte, die man mit dieser Hoffnung verbindet, immer nur zukünftige Werte, das heißt, sie sind noch nicht gelebt, sie haben sich noch nicht bewährt, sind noch nicht unter Beweis gestellt. Sie sind formal, und so kann es sein, dass die Liebe zu den Prinzipien stärker ist als die Wahrnehmung der Wirklichkeit. Ein Wert aber, der sich später verwirklicht, ist für Albert Camus ein Unding, ein »Widerspruch in sich«, denn er ist leer, er kann keine lebendige Orientierung mehr geben und auch nicht mehr abhalten von hemmungsloser Vernichtung. »Wer einen Menschen liebt«, schreibt Camus, »der liebt ihn in der Gegenwart. Die Revolution will dagegen den Menschen lieben, der noch nicht da ist.«[12]

Ganz ähnlich wie Camus hat der Philosoph Hans Jonas vor einem utopischen Denken gewarnt, das den Blick für den Wert des Bestehenden verliert. Der Drang, die Welt immer wieder zu verbessern, ist für Jonas natürlich und sinnvoll. Allerdings nur, solange dabei bewusst bleibt, dass unser Wissen von zukünftigen Dingen sehr begrenzt ist und es daher fahrlässig wäre, alles auf diese unsichere Karte der Hoffnung zu setzen. Der Blick in die Zukunft braucht als Gegengewicht die Fähigkeit zur Pflege des Naheliegenden, zur Verantwortung. Bemerkenswert ist, dass wir nach Hans Jonas diese Verantwortung am elementarsten erfahren in unserem Verhältnis zu Kindern. Hier zeigt sich für ihn in unmittelbarer »Wucht« eine Pflicht zur Sorge, die sich nicht begründen lässt. Und hier zeigt sich auch, dass man nicht die Menschheit, ein Volk oder eine Gruppe lieben kann, sondern immer nur einen einzelnen Menschen.[13]

Viele, die Ende der 60er und 70er Jahre in den Sog des Terrorismus geraten sind, haben diesen Zwiespalt, der in jeder Revolte steckt, verspürt. Und einige haben sich auch geweigert, sich die revolutionäre Moral zu Eigen zu machen. Katharina de Fries, mehrfach inhaftiert wegen Mitgliedschaft in einer terroristischen Vereinigung, konnte und mochte die Forderungen der Revolte nicht erfüllen. In ihrer von Ulrike Edschmid erzählten Lebensgeschichte heißt es: »Später konnte sie nicht verstehen, dass Ulrike Meinhof und Gudrun Ensslin ihre Kinder aufgaben und in den Untergrund gingen. Wenn wir nicht in der Lage sind, sagte sie sich, mit unseren Kindern die Welt zu verändern, dann können wir es auch nicht ohne sie. [...] An den Kindern wurde die Utopie konkret.«[14]

Nach zwei Tagen tauchte Ulrike Meinhof wieder bei der Gruppe auf. Sie war immer noch geschockt darüber, dass die polizeiliche Fahndung sich auf sie konzentrierte, und sie verbarg ihre langen braunen Haare nun unter einer blonden Perücke. Man saß unschlüssig herum und diskutierte die nächsten Tage darüber, wie es weitergehen sollte.

Die Aktion in der Dahlemer Bibliothek war auch von linken Gruppen verurteilt worden und man wollte auf diese Kritik antworten und die Befreiung Baaders ideologisch rechtfertigen. Anfang Juni erschien eine Erklärung in der Untergrundzeitschrift *Agit 883* und gleichzeitig nahm man Kontakt auf zu der bekannten französischen Journalistin Michèle Ray. Ray, ein früheres Fotomodell, hatte sich mit Reportagen aus Vietnam und Bolivien den Ruf einer Berichterstatterin von der revolutionären Front erworben. Außerdem kannte Ulrike Meinhof sie flüchtig von früher. Die

Französin kam aus Paris nach Berlin und traf sich in einer Wohnung mit dem Kern der Gruppe. Dazu gehörte natürlich auch Ulrike Meinhof. Sie trug einen Minirock, hatte lange, blonde Haare und sie trat als Sprecherin der Gruppe nach außen auf. Sie übergab der Journalistin handschriftliche Bemerkungen und später ein Tonband, das sie besprochen hatte. Teile dieser Aufnahme wurden später im *Spiegel* abgedruckt.

In dieser Stellungnahme greift Ulrike Meinhof die intellektuellen Linken an. Sie hätten zwar theoretisch begriffen, worauf es ankommt, aber sie könnten nicht tun, wovon sie reden, weil sie »noch sehr viel zu verlieren haben« und an den Privilegien ihrer bürgerlichen Existenz hängen. Mit der Baader-Befreiung habe man den notwendigen Schritt in die Praxis getan, und nun wolle man eine »Rote Armee« aufbauen, um die proletarischen Gruppen in der Gesellschaft zu unterstützen. Ohne eine solche bewaffnete Hilfe, so argumentiert Ulrike Meinhof, würden die Unterdrückten in der Auseinandersetzung mit der Staatsgewalt immer den Kürzeren ziehen und es würde sich nie etwas ändern.

Sie wendet sich auch gegen jene Linken, die nicht radikal genug sind. Für die ein Polizist nur dann ein »Schwein« ist, wenn er Uniform trägt und sozusagen von Berufs wegen auf Demonstranten einprügelt, aber nicht, wenn man ihn als einzelnen, privaten Menschen betrachtet. Diese feine Unterscheidung lässt Ulrike Meinhof – die sich damit weit von ihrem früheren, christlichen Menschenbild entfernt – nicht mehr gelten: »Das ist ein Problem, und wir sagen, natürlich, die Bullen sind Schweine, wir sagen, der Typ in Uniform ist ein Schwein, das ist kein Mensch, und so haben wir uns mit ihm auseinander zu setzen. Das heißt, wir haben nicht mit ihm zu reden, und es ist falsch, überhaupt mit diesen Leuten zu reden, und natürlich kann geschossen werden.«[15]

Bevor Michèle Ray nach Paris zurückflog, erfuhr sie beim Morgenkaffee, was die Gruppe als Nächstes plante. Sie wollten in den Nahen Osten und sich als Guerillakämpfer ausbilden lassen. Die Einladung dazu hatten sie von der palästinensischen Befreiungsorganisation »El Fatah« bekommen. Es war nicht das erste Mal, dass die Palästinenser Kontakt zu militanten Linken in Deutschland aufnahmen. Schon früher hatten sich einige Leute aus der Szene der »Haschrebellen«, auch »Blues« genannt, in einem jordanischen Lager im Schießen und Bombenbauen unterrichten lassen. Aus dieser Gruppe entstand später die »Bewegung 2. Juni«, so benannt nach dem Todestag des Studenten Benno Ohnesorg.

Bevor die Entscheidung gefällt wurde, nach Jordanien zu gehen, scheint Ulrike Meinhof ihre alten Kontakte in der DDR aktiviert zu haben. Sie wollte ausloten, ob man sich in das andere Deutschland absetzen könnte. Die Genossen im Osten waren wohl nur bereit, sie allein aufzunehmen, nicht aber die anderen. Aus Solidarität mit der Gruppe hat sie das anscheinend abgelehnt.

Am Montag, den 8. Juni 1970, flog die erste Gruppe um Horst Mahler mit der DDR-Luftfahrtgesellschaft »Interflug« vom Flughafen Berlin-Schönefeld aus nach Beirut. Nach erheblichen Schwierigkeiten mit den libanesischen Behörden wurden sie über die Grenze nach Syrien gebracht und von dort nach Jordanien in ein Ausbildungslager nahe der Stadt Amman. Die zweite Gruppe, zu der auch Gudrun Ensslin, Andreas Baader und Ulrike Meinhof gehörten, folgte ihnen am 21. Juni.

Das Ausbildungslager der »El Fatah« lag auf einer Hochebene mitten in der Wüste. Der Kommandant des Lagers, ein Algerier namens Achmed, der schon im Koreakrieg dabei gewesen war, hatte es nun zu tun mit fast zwanzig Bürgerkindern aus Deutschland, die meisten davon Frauen. Natürlich war für die deutschen Gäste keine Sonderbehandlung vorgesehen. Sie mussten wie alle anderen im Gelände über Hindernisse klettern, unter Stacheldraht hindurchrobben, Nahkampf trainieren, Schießübungen machen und ihnen wurde der Umgang mit verschiedenen Waffen wie Pistole, Maschinengewehr oder Handgranate beigebracht.

Die meisten in der Berliner Gruppe waren völlig unsportlich und hatten noch nie eine Waffe in der Hand gehabt. Bei Ulrike Meinhof kam hinzu, dass sie seit jeher eine fast panische Angst vor allen Waffen hatte. Aber um eine Guerillakämpferin zu werden, musste sie auch diese Angst überwinden. Eine geübte Schützin ist sie wohl nie geworden. Bei der Ausbildung mit Handgranaten soll es einmal zu einem typischen Zwischenfall gekommen sein. Ulrike Meinhof zog den Sicherungsring der Granate und fragte dann ratlos: »Was soll ich jetzt machen?« Während alle anderen schon in Deckung gegangen waren, schleuderte sie im letzten Moment die Granate weg, die dann nur wenige Meter entfernt explodierte.[16]

Nicht nur mit dem oft ungeschickten Verhalten der deutschen Guerillaschüler hatten die Ausbilder ihre Probleme. Für den Lagerkommandanten wurden die Deutschen bald zu einem ständigen Ärgernis. Vor allem von den Wortführern Andreas Baader und Gudrun Ensslin kamen dauernd Beschwerden: über das spartanische Essen, das frühe Aufstehen, den häufigen Nachtalarm und die Unterkunft. Fast zu einem Aufstand kam es, als Männer und Frauen voneinander getrennt werden sollten. Auf keinen Fall wollten die deutschen Revolutionäre sich dieser Anordnung fügen. Revolution und sexuelle Befreiung gehörten für sie zusammen. Oder wie Andreas Baader es ausdrückte: »Schießen und Ficken sind ein Ding!«[17]

Die Ausbilder räumten den undisziplinierten Gästen schließlich Sonderrechte ein. Sie durften alle zusammen in einem der wenigen festen Häuser des Lagers wohnen und bekamen auch anderes Essen als die Palästinenser. Nur die Forderung nach einem Cola-Automaten wurde strikt abgelehnt. Manchmal durfte die Gruppe auch nach Amman fahren und sie besuchten dort ein Schwimmbad. Allerdings sorgte Andreas Baader mit seiner modischen Badehose für so viel Aufsehen, dass sie bald nur noch an einem Fluss badeten.[18]

Von Anfang an gab es in der Gruppe heftigen Streit um die Führung, vor allem zwischen Andreas Baader und Horst Mahler. Andreas Baader setzte sich schnell durch. Er war zwar nicht so redegewandt und theoretisch beschlagen wie der Berliner Anwalt, konnte aber auf die Gruppe einen größeren Druck ausüben und sie dadurch zusammenschweißen. Als Brandstifter hatte er einen moralischen Bonus, und er verbreitete die Überzeugung, dass allein das Brechen von bürgerlichen Gesetzen schon politisch und revolutionär sei.

Mit dem Überschreiten von Gesetzen hatten die bürgerlich erzogenen Revolutionäre noch ihre Schwierigkeiten und das bereitete ihnen ein schlechtes Gewissen und bot Angriffspunkte für Vorwürfe. Peter Homann, der auch mit nach Jordanien gereist war, schilderte später, wie geschickt Baader die Schwächen und Schuldgefühle der anderen auszunützen verstand.[19] Wenn einer politische Einwände erhob, dann galt das schon als Versuch, sich vor den harten Forderungen der Illegalität zu drücken und die Revolution zu verraten. Bei jedem erkannte Baader den schwachen Punkt. Und Ulrike Meinhof hatte mehrere schwache Punkte. Einer waren ihre Kinder, an die sie dauernd denken musste. Diesen Teil ihrer Vergangenheit so ohne weiteres auszulöschen, gelang ihr einfach nicht.

In Sizilien hatten Bettina und Regine inzwischen andere Aufpasser bekommen. Eines Tages war ein blauer VW-Bus vor ihrer Baracke vorgefahren mit zwei Hippie-Pärchen, die Hanna ablösten. Für diesen Job wurden die Hippies bezahlt, und sie hatten sich anscheinend darauf eingelassen, um lange Ferien in Sizilien zu machen. Die meiste Zeit des Tages lagen sie in ihrem abgeschlossenen Zimmer und schliefen oder rauchten Haschisch. Wenn eines der Kinder krank war oder Hunger hatte, wollten sie davon nichts wissen und in Ruhe gelassen werden. Oft lief Bettina, wie sie sich später erinnerte, frühmorgens weinend auf die Straße, »weil es wieder kein Frühstück gab und sich niemand um uns kümmerte«.[20] Nur abends wurde es lustig in der Baracke. Dann kamen andere Bewohner aus der Siedlung zu ihnen, es wurde Gitarre gespielt und gesungen. Währenddessen wurden die Kinder europaweit von der Polizei gesucht und Klaus Rainer Röhl hatte zusätzlich ein Detektivbüro auf ihre Fährte gesetzt.

Im Lager bei Amman strapazierten die deutschen Freiheitskämpfer weiter die Geduld ihrer palästinensischen Gastgeber. Sie wollten an den Geländeübungen nicht mehr teilnehmen, weil das für den Guerillakampf in der Stadt überflüssig sei. Stattdessen wollten sie mehr für Banküberfälle trainiert werden. Außerdem hatten sie ihre Lust am Schießen entdeckt. Weil ihnen aber nicht mehr als die zugeteilte Menge Munition zugestanden wurde, rief Andreas Baader zum Streik auf. Peter Homann fand das »blöd«, er wollte nicht mitmachen und zwischen den beiden kam es zu einer handfesten Prügelei. Homann sonderte sich daraufhin ganz von der Gruppe ab. Er galt schon von Anfang an als Unsicherheitsfaktor, als kleinbürgerlicher Abweichler, und in der Gruppe waren einige dafür, ihn zu beseitigen.

Den Verantwortlichen im Lager wurde es nun offenbar zu bunt. Nachdem es wieder Ärger gegeben hatte, ließen sie ihre Gäste entwaffnen und unter Hausarrest stellen. Die Palästinenser legten ihnen nahe, bald wieder nach Deutschland zurückzukehren. Vorher aber wurde noch über das weitere Schicksal von Ulrike Meinhofs Kindern entschieden.

In dem Versteck auf Sizilien konnten sie nicht länger bleiben. Es war eine Frage der Zeit, bis die Polizei oder Röhl sie dort fand. In einem Gespräch mit dem Oberkommandanten der palästinensischen Ausbildungslager, dem einflussreichen Ali Hassan, auch der »rote Prinz« genannt, erkundigten sich Baader, Ensslin, Mahler und Ulrike Meinhof nach der Möglichkeit, die Zwillinge in ein Lager für palästinensische Waisenkinder zu geben. Ali Hassan hielt das für machbar. Das war eine radikale Lösung ganz im Sinne von Gudrun Ensslin. Für Ulrike Meinhof war es eine Bewährungsprobe ihrer Gesinnung. Es war klar, dass sie ihre Kinder dann nie wiedersehen würde.

Die nun notdürftig ausgebildeten Stadtguerillas kehrten Anfang August nach Deutschland zurück. Peter Homann folgte ihnen einige Tage später. Er wurde von der Polizei gesucht, weil man ihn irrtümlich für den Mann hielt, der bei der Baader-Befreiung mitgemacht und geschossen hatte. In Hamburg, wo er untertauchte, erfuhr er, dass der Journalist Stefan Aust sich nach ihm erkundigt hatte. Aust kannte Homann noch aus gemeinsamen Tagen bei *konkret*. Er war gerade dabei, ein Fernsehportrait über Ulrike Meinhof zu machen, und erhoffte sich Informationen von Peter Homann. Die beiden trafen sich, und Homann erzählte nicht nur von Ulrike Meinhof, sondern auch vom Schicksal ihrer Kinder und was die Gruppe für Pläne mit ihnen hatte.

Aust wollte nun unbedingt herausfinden, wo die Kinder versteckt waren, und Homann half ihm dabei. Er kannte Hanna, das Mädchen, das in Sizilien auf die Zwillinge aufgepasst hatte, und machte sie in Berlin ausfindig. Hanna berichtete, dass die Gruppe um Baader und Mahler wieder in Berlin sei und jemanden nach Sizilien schicken wolle, um die Kinder in ein Waisenlager nach Jordanien zu bringen. Hanna kannte auch den Kontaktmann in Sizilien und wusste das Kennwort, mit dem die Kinder ausgelöst werden konnten. Es hieß »Professor Schnase«, das war der Name einer Kinderpuppe.

Stefan Aust war klar, dass nun keine Minute mehr zu verlieren war. Er rief den Kontaktmann an, verabredete ein Treffen auf dem Flughafen Palermo und flog am nächsten Morgen mit der ersten Maschine nach Rom und dann weiter nach Sizilien. Zur ausgemachten Zeit, nachmittags um Viertel nach zwei, stand er auf dem Flughafen Palermo einem jungen Mann in Hippie-Kleidern und einem Italiener gegenüber. Aust nannte das Kennwort. Die beiden schöpften keinen Verdacht und brachten ihn zu einem abgelegenen Strand, wo ein vergammelter VW-Bus stand. In dem Bus saßen Bettina und Regine, braun gebrannt, mit strohblonden Haaren, und sangen italienische Revolutionslieder. Sie wurden Aust überlassen. Er fuhr mit ihnen nach Rom und einige Tage später konnte er sie Klaus Rainer Röhl übergeben, der gerade Urlaub in der Toskana machte.[21]

Nur kurze Zeit nach der Übergabe an Aust meldeten sich die Genossen aus Berlin in Sizilien und erfuhren, dass die Kinder schon weg waren. Als man herausfand, dass Aust dahinter steckte, drohte man ihm mit Rache.

Klaus Rainer Röhl war fest überzeugt, dass Ulrike Meinhof selbst die Informationen über den Verbleib ihrer Kinder hatte durchsickern lassen, um sie vor dem Schicksal in Jordanien zu retten. Bettina Röhl erzählte man später, dass auch ihre Mutter schon auf dem Weg nach Sizilien gewesen und einen Tag zu spät dort angekommen sei. Als sie erfahren habe, dass die Zwillinge schon auf dem Weg zu ihrem Vater sind, soll sie zusammengebrochen sein.[22]

Das Waisenlager der »El Fatah«, in das die Zwillinge gebracht werden sollten, wurde später bei einem Bombenangriff völlig zerstört.

XII. Drachenblut

*»Entweder du bist ein Teil des Problems oder
ein Teil der Lösung. Dazwischen gibt es nichts.«*

Seit ihrem Sprung aus dem Fenster des Dahlemer Instituts
lebte Ulrike Meinhof in der Illegalität, im Untergrund. Sie
verschwand sozusagen von der Bildfläche. Doch wo sie sich
in dieser Zeit überall aufgehalten hat und in welche Ereignisse sie verwickelt war, davon kann man sich im Nachhinein ein recht gutes Bild machen. Es gibt Berichte von
Weggefährten, die ihr Leben im Untergrund geschildert haben. Auch die Ermittlungen von Polizei und Verfassungsschutz kann man heranziehen. Die Ereignisse lassen sich
nachzeichnen, die Bilder zusammenfügen.

Schon viel schwieriger ist es, hinter die Kulissen zu schau-
en und zu sagen, welche Logik die Ereignisse vorangetrieben
hat.

Der Sprung aus dem Fenster bedeutete auch das Ende jeder Verständigung mit dem Gegner. Lange genug hatte Ulrike Meinhof versucht, mit Artikeln, Hörfunksendungen, Fil-
men die Menschen aufzuklären. Für sie stand nun fest, dass
es keinen Sinn hatte, »den falschen Leuten das Richtige zu
erklären«. Denn alles, was sie selbst für richtig und wahr
hielt, galt in der kapitalistischen Konsumgesellschaft als
»durchgeknallt«, verrückt, realitätsfremd. Die Menschen in
dieser Welt glaubten frei zu sein, wo sie doch ausgebeutet
wurden, und sie behaupteten, zufrieden zu sein, wo sie doch

ein entfremdetes Leben führten. Jeder Versuch, sie über die wirklichen Verhältnisse aufzuklären, war – wie sich gezeigt hatte – aussichtslos. Übrig blieb nur noch die totale Verweigerung, die Konfrontation, der Kampf.

Aus der Untergrund-Perspektive schien der Kampf nötig, um in dieser Gesellschaft die Utopie von einem menschlichen Leben zu bewahren und um nicht vernichtet zu werden. Je stärker man sich wehrte, desto brutaler schlugen die Polizisten zurück, desto gnadenloser urteilten die Gerichte. Desto deutlicher gab sich aber auch der unmenschliche, totalitäre Staat hinter der demokratischen Fassade zu erkennen, und das bewies wiederum, wie gerechtfertigt der eigene Widerstand war. Der Kampf geschah aus Notwehr. Er war aber auch notwendig, um den Staat zu zwingen, sich als der faschistische Überwachungsstaat zu zeigen, für den man ihn immer schon hielt. Das führte in einen Teufelskreis, in dem man kämpfen musste, um ständig den Grund dafür zu liefern, warum man kämpfte. Ganz folgerichtig war die Parole, die Ulrike Meinhof später ausgab: »Das Ziel ist der Kampf, der Kampf, der Kampf erzeugt.«[1]

Wo jeder Versuch zur Verständigung aufhört, da übernehmen in den Köpfen Feindbilder die Regie, auf beiden Seiten. Und wenn erst im Denken und Handeln die Feindbilder aufeinander prallen, dann dauert es nicht mehr lange, bis der Kampf blutig wird.

Die nach Deutschland zurückgekehrten Revolutionäre versteckten sich bei Freunden in Westberlin und legten sich Tarnnamen zu. Andreas Baader und Gudrun Ensslin hießen weiter »Hans« und »Grete«, Horst Mahler nannte sich »James«, nach James Bond, und Ulrike Meinhof erhielt den Namen »Anna«. Bald schlossen sich auch neue Leute der Gruppe an. Zum Beispiel Ulrike Meinhofs Freundin Marianne Herzog und deren Freund Jan-Carl Raspe. Oder der stille Holger Meins, ein Absolvent der Berliner Filmhochschule.

Das verschwörerische Verhalten und der Ausflug in den Nahen Osten änderten freilich nichts daran, dass die Gruppe ein zusammengewürfelter Haufen war, ohne Organisation und ohne Ausrüstung. Von einer »Roten Armee«, wie man sie nach der Befreiung von Baader angekündigt hatte, war man weit entfernt.

Vorbild blieben die südamerikanischen Guerilleros, die in Bolivien oder Uruguay gegen Großgrundbesitzer und Militärregime kämpften. Von einem Kenner und Unterstützer dieser Szene, dem Brasilianer Carlos Marighella, gab es ein Handbuch für Stadtguerillas, das nun auch für die deutschen Freiheitskämpfer zur unverzichtbaren Anleitung wurde. Für jene Revolutionäre, die »aus dem Nichts« beginnen und keine Unterstützung bekommen, stellt Marighella die Formel M-G-W-M-S auf. Das bedeutet: Motorisierung, Geld, Waffen, Munition, Sprengstoff.[2]

Die Stadtguerilleros in Berlin hielten sich recht genau an diese Anweisung. Es wurden Autos geklaut und in eine Werkstatt gebracht, wo sie dann umgespritzt und umgebaut wurden. Der Besitzer der Werkstatt, Eric Grusdat, gehörte bald selbst zur Gruppe. Und auch sein Gehilfe Karl-Heinz Ruhland wollte mitmachen. Ruhland verstand nichts von den politischen Reden, mit denen »James« den Diebstahl der Autos rechtfertigte, und er fand »Hans« mit seinem »Omar-Sharif-Blick« und seinem Macho-Gehabe »zum Kotzen«. Aber er hatte Schulden und zu Hause eine kranke Frau, und ihn lockte das viele Geld, das die beiden versprachen.[3]

Wegen seiner fragwürdigen politischen Einstellung galt »Kalle«, wie man Ruhland bald nannte, in der Gruppe nie als »Kader«. Ein »Kader« konnte nur einer sein, dessen politische Gesinnung hundertprozentig war und der, wie Gudrun Ensslin sagte, »mit tiefster Freiwilligkeit« die Entbehrungen eines Lebens im Untergrund auf sich nahm.

Auch bei Ulrike Meinhof zögerte man, sie einen »Kader« zu nennen. Dafür war sie zu wenig entschlossen, zu befangen in ihrer bürgerlichen Herkunft und auch handwerklich zu ungeschickt. »Ulrike Meinhof war mitfühlend«, so charakterisiert sie Ulrike Edschmid, »aber sie war selbst bedürftig. Sie trauerte um ihre Kinder. Sie war ein Mensch, der immer hin und her dachte, ohne dass es Zweifel bedeuten musste. Sie wog ab, während die anderen Entscheidungen fällten, neue Schritte einleiteten und Ziele und Möglichkeiten erkundeten.«[4] Dabei wollte sie immer zeigen, dass sie »es bringt«. Glücklich war sie früher gewesen, wenn sie bis auf die Haut nass gespritzt von einer Demonstration nach Hause kam. Und glücklich war sie jetzt, wenn sie mit loszog, um Autos zu klauen.

Der Diebstahl von Autos und auch die Ausrüstung mit Waffen dienten nur dem wichtigeren Ziel, Geld zu beschaffen. Viel Geld, denn das Leben einer über zwanzigköpfigen

Gruppe in der Illegalität war sehr teuer. Nach Marighellas Handbuch wird die Finanzierung gesichert durch eine »Enteignungsaktion«, oder anders gesagt durch Bankraub.

Was am Dienstag, dem 29. September 1970, in Berlin geschah, hatte die Polizei noch nicht erlebt. Um 9.45 Uhr, fast auf die Minute gleichzeitig, wurden drei verschiedene Banken überfallen. Insgesamt wurden über 200 000 Mark erbeutet. An dem Überfall auf die Sparkasse in der Altonaer Straße war auch »Anna« beteiligt. Ihre Gruppe machte nur eine Beute von rund 8000 Mark. Wie »Kalle« Ruhland später berichtete, soll Ulrike Meinhof in der Bank einen Karton mit fast 100 000 Mark übersehen haben. Deswegen habe man sie aufgezogen und gesagt: »Die paar Mark hätt'ste dir auch mit schmutziger Arbeit verdienen können – bei *konkret*.«

Bei dem Treffen nach dem Raubzug wurde gelacht über die Polizei, die anscheinend nicht gewusst hatte, an welchen Tatort sie zuerst fahren soll. Die Berliner Polizei hatte die Gruppe um Baader und Mahler unter Verdacht. Nur gab es dieses Mal keinen V-Mann, der Informationen hätte liefern können. Einen entscheidenden Hinweis bekamen die Fahnder eine Woche nach dem »Dreierschlag«. Ein anonymer Anrufer meldete sich bei der Abteilung für Staatsschutz und berichtete von zwei konspirativen Wohnungen. Noch am selben Tag wurde die eine Wohnung in der Knesebeckstraße von der Polizei gestürmt. Die gesuchte Ingrid Schubert wurde festgenommen und man fand Waffen, Sprengstoff, Aufzeichnungen über die Banküberfälle und ein Exemplar von Marighellas Guerillahandbuch. Die Polizisten legten sich auf die Lauer, und wer nun die Treppe hochkam, der ging in die Falle: zuerst Horst Mahler, dann die Studentin Brigitte Asdonk, Mahlers frühere juristische Assistentin Monika Berberich und Irene Goergens, Ulrike Meinhofs Zögling aus dem Mädchenheim.

Mit Mahler hatte die Gruppe eine wichtige Figur verloren. Sein Einfluss war einige Zeit immerhin so groß gewesen, dass man in Zeitungen nicht zu Unrecht von der »Baader-Mahler-Gruppe« gesprochen hatte. Nach seiner Verhaftung war nur noch von der »Baader-Meinhof-Gruppe« die Rede. Für die amtliche Sprachregelung empfahl der Bundesinnenminister Hans-Dietrich Genscher die Bezeichnung »Baader-Meinhof-Bande«, weil »Bande« besser den kriminellen Charakter der Vereinigung zum Ausdruck bringe.[5]

Bei der Aktion in der Knesebeckstraße wäre beinahe auch Ulrike Meinhof der Polizei ins Netz gegangen. Kurz bevor das geheime Versteck ausgehoben wurde, war sie zum Flughafen gebracht worden. Die Gruppe plante, ihre Aktivitäten auch auf Westdeutschland auszuweiten, und »Anna« sollte vordringlich Wohnungen organisieren. Niemand wäre besser geeignet gewesen für diese Aufgabe. Ulrike Meinhof hatte in ihrem »alten Leben« viele Leute kennen gelernt und das sollte sich auch jetzt als nützlich erweisen.

Anfang November wurde »Kalle« Ruhland losgeschickt, um »Anna« zu helfen. Das ungleiche Paar, der Aushilfsmechaniker und die frühere Starjournalistin, reiste nun kreuz und quer durch die Republik. Und »Kalle« staunte nicht schlecht, wer ihnen da alles die Türen öffnete und weiterhalf. Ein Rundfunkredakteur überließ ihnen sein Auto, ein Psychologie-Professor verschaffte ihnen Zutritt in ein Wochenendhäuschen, und sogar ein katholischer Priester, der »Anna« duzte, gewährte ihnen Unterschlupf und fungierte als Übermittler von Revolutionsgeld aus Berlin.

Ruhland verstand sich eigentlich gut mit seiner Partnerin, die er »Rana« nannte. Ziemlich überflüssig fühlte er sich nur, wenn »Rana« lange politische Diskussionen mit ihren Gastgebern führte. Dagegen war er in seinem Element, wenn er Schlösser knacken und fremde Autos starten sollte. Er brachte »Rana« einiges bei, und sie hatte es ihm zu verdanken, dass sie zur besten Autoknackerin in der Gruppe wurde. Sie benutzte dazu eine Art Korkenzieher, mit dem sie das Zündschloss herausdrehte, um dann die Zündung kurzzuschließen. Die ganze Prozedur schaffte sie schließlich in weniger als sechs Minuten.

Neben Autos sollte Ulrike Meinhof auch Waffen besorgen. Zu diesem Zweck hatte Ruhland zusammen mit »Ali« Jansen, der seit dem Ausflug nach Jordanien zur Gruppe gehörte, ein Waffendepot der Bundeswehr auskundschaftet. Doch Jansen war ein sehr unzuverlässiger Genosse, auch er kein »Kader«. Er war dauernd betrunken, und als er kurz vor der Aktion einen Autounfall baute, musste die Sache abgeblasen werden. Stattdessen brach das Trio Mitte November in zwei Rathäuser nahe Gießen und Hannover ein und nahm stapelweise Blanko-Personalausweise und Dutzende Stempel mit.

Ein Großteil der Beute ging gleich wieder verloren, weil »Anna« das Paket mit der heißen Ware an die falsche Adresse in Berlin schickte. Die Waffen musste Ulrike Meinhof nun für teures Revolutionsgeld einkaufen. In Frankfurt bekam sie von einem Waffenhändler der »El Fatah« zwanzig Pistolen. Jeder in der Gruppe nahm sich gleich eine »Knarre«. Die Männer trugen sie seitlich links im Hosengürtel. Die Frauen in der Handtasche. Immer durchgeladen und entsichert.

Ulrike Meinhof war ständig unterwegs. Von einem Treffpunkt zum anderen, von einem Unterschlupf zum nächsten. Immer auf der Suche nach neuen Wohnungen und immer im Bewusstsein, jeden Moment von der Polizei gefasst zu werden. Man war ihr auf der Spur. Leute, zu denen sie Kontakt gehabt hatte, wurden verhört. Wohnungen, in denen sie sich aufgehalten hatte, wurden durchsucht. Als ihre Verfolger das Wochenendhaus im Weserbergland ausfindig gemacht hatten, kamen sie wahrscheinlich nur wenig zu spät. Die Elektroheizung lief auf höchster Stufe und im Waschbecken fand man noch schwarze Unterwäsche.

Sogar mit Hilfe des Fernsehens, in der Sendung *Aktenzeichen XY*, wurde Ulrike Meinhof gesucht. Überall kannte man das Foto von der Frau mit den langen dunklen Haaren. Aber inzwischen hatte sie sich die Haare kurz geschnitten und hell gefärbt. Als sie Anfang Dezember in eine Straßenkontrolle geriet, erkannte sie der Polizist nicht und ließ sie weiterfahren. Zwei Wochen später wurde sie wieder von einer Streife angehalten. Dieses Mal verlor sie die Nerven. Sie gab plötzlich Gas und entkam.

»Kalle« Ruhland hatte nicht so viel Glück. Auf der Fahrt zu einem Banküberfall wurde er von einem Polizeiwagen gestoppt. Als die Beamten ihn mit aufs Revier nehmen wollten, verhielt er sich nicht wie ein »Kader«, von dem man in der Gruppe erwartete, dass er die »Knarre« zieht. »Kalle« übergab seine Pistole und ließ sich verhaften.

Seit Mitte Dezember waren auch die Berliner Genossen um Baader und Ensslin in Westdeutschland. »Anna«, die Quartiermacherin, hatte sie zunächst bei einem Schriftsteller in Frankfurt untergebracht. Dann war man in ein altes, leer stehendes Sanatorium in Bad Kissingen gezogen und hatte Pläne geschmiedet, Franz Josef Strauß oder Willy Brandt zu entführen.

An Heiligabend dann bezog die Gruppe eine alte Villa in Stuttgart. Hier kam man kurzzeitig zur Ruhe. Alle waren entspannt und am ersten Weihnachtsfeiertag wurde sogar eine Ente gebraten. Ulrike Meinhof wollte die Gelegenheit nutzen und endlich einmal gründlich darüber reden, wie es weitergehen soll. Ihr erschien die bisherige Strategie eher wie eine »planlose Herumrennerei«, bei der man hier etwas anfängt und, wenn es nicht klappt, dort was anderes versucht. Baader allerdings wollte nicht über ein politisches Programm der Gruppe reden. Wenn etwas danebenlief, dann lag es für ihn an einzelnen Mitgliedern, die einfach nicht die richtige »Härte« bewiesen. Er begann zu toben und schrie die Frauen an: »Ihr Fotzen, eure Emanzipation besteht darin, dass ihr eure Männer anschreit.« – »Baby«, sagte Gudrun Ensslin besänftigend, »das kannst du gar nicht wissen.« Wenn Baader einen seiner Wutanfälle hatte, konnte nur sie ihn beruhigen.

Baader hatte sich mit seiner »Philosophie« wieder durchgesetzt. Auf Entschlossenheit und Aktion kam es für ihn an, alles andere war Ausflucht und Geschwätz. Mit dieser Einstellung erstickte er jedes politische Gespräch. Er schweißte aber die Gruppe auch zusammen. Manche wie Holger Meins bewunderten ihn grenzenlos, andere hatten vor ihm Angst. Aber es stand keiner gegen ihn auf. Auch Ulrike Meinhof nicht. »Der brauchte man nur zu sagen, dass Aktion wichtiger ist als ihr Geschreibsel«, meinte Beate Sturm, »das genügte ihr schon.«[6]

Die junge, erst neunzehnjährige Beate Sturm hatte angefangen Physik zu studieren, als sie eines Tages Holger Meins mit Baader zusammenbrachte. Sie war fasziniert davon gewesen, Bücher und Theorien hinter sich zu lassen und endlich zu handeln. In der Gruppe hatte sie sich gefühlt wie in einem aufregenden »Krimi«. Inzwischen empfand sie den Zusammenhalt wie einen Zwang, und der Gedanke, mit einer Waffe in eine Bank zu stürmen, machte ihr Angst. Und Angst durfte ein richtiger »Kader« nicht haben. Ulrike Meinhof redete stundenlang auf sie ein und appellierte an ihre »politische Motivation«. Doch Beate Sturm ließ sich nicht mehr umstimmen. Sie stieg aus der Gruppe aus und fuhr nach Hause.

In Heidelberg wurde Anfang 1971 die Studentin Margrit Schiller von einem Freund angesprochen. Ob sie bereit sei, für ein paar Tage einige Leute in ihre Wohnung aufzunehmen. Schiller konnte sich denken, dass es sich um Illegale handelte. Sie sagte dennoch zu. Als sie in ihre Kellerwohnung kam, saßen dort Andreas Baader mit superblond gefärbten Haaren, Gudrun Ensslin im Afro-Look, die zierlich wirkende und nervöse Ulrike Meinhof und Jan-Carl Raspe. Der Besuch blieb nicht nur ein paar Tage, sondern kam monatelang regelmäßig in die kleine Kellerwohnung. Und es war kein Zufall, dass man sich bei der Psychologie-Studentin einquartiert hatte. Margrit Schiller war nämlich Mitglied beim Sozialistischen Patientenkollektiv, kurz SPK, und zu diesen Leuten wollte man Kontakt aufnehmen.

Das Sozialistische Patientenkollektiv war im Februar 1970 von dem Arzt Dr. Wolfgang Huber gegründet worden. Huber vertrat einen neuen Ansatz in der Psychiatrie, eine »Anti-Psychiatrie«. Krank ist demnach nicht der einzelne Mensch, sondern die Gesellschaft. Und die Heilung besteht darin, das krank machende System der Gesellschaft zu zerstören. Im ersten *Patienten-Info* hieß es: »Das System hat uns krank gemacht, geben wir dem kranken System den Todesstoß.«[7]

Wegen solcher Parolen wurden Huber und seine Anhänger aus der Universität verbannt. Das verstärkte aber nur ihre Entschlossenheit, in den offenen Kampf überzugehen. In ihren neuen Räumen lief auf einem Plattenspieler immer wieder das Lied *Macht kaputt, was euch kaputtmacht* von der Gruppe »Ton, Steine, Scherben«, und alle sangen, wie sich Margrit Schiller erinnert, »aus Leibeskräften« mit.[8]

In einer Sprechstunde bei Huber erzählte Margrit Schiller vorsichtig von den Leuten in ihrer Wohnung und deren Interesse am SPK. Huber war gleich aufgeschlossen. Die Radikalisierung seiner Gruppe war nicht mehr aufzuhalten und führte sie auf den Weg, den Baader, Ensslin und Meinhof schon eingeschlagen hatten. Wenige Monate später waren Mitglieder des SPK bewaffnet. Sie rissen die Fotos aus ihren Personalausweisen und klebten Bilder von Che Guevara und Ho Tschi Minh hinein. Und in den Hörsälen der Universität riefen sie ihre neue Parole: »Mahler, Meinhof, Baader, das ist unser Kader!«

Kampf und Aktion allein waren für Ulrike Meinhof immer noch zu wenig. Sie wollte auch eine ideologische Rechtfertigung. Eines Tages im April 1971 kam sie allein in Margrit Schillers Kellerwohnung. Sie hatte eine Schreibmaschine dabei, einen Stapel Bücher und jede Menge Papier. Sie setzte sich hin und begann zu tippen, fast Tag und Nacht, rauchte dabei unaufhörlich Zigaretten und trank kannenweise Kaffee. Als sie fertig war, wurde noch lange über den Text diskutiert, bevor man ihn zum Druck brachte. Auf der Vorderseite der großformatigen Schrift prangte dann ein fünfzackiger Stern, quer darüber eine Maschinenpistole Marke *Kalaschnikow* und die Buchstaben RAF. Darunter stand: *Rote Armee Fraktion: Das Konzept Stadtguerilla*. Und über dem Stern waren Worte Mao Tse-Tungs abgedruckt: »Zwischen uns und dem Feind einen klaren Trennungsstrich ziehen!«

Das *Konzept Stadtguerilla* will nicht »noch 'ne Theorie« sein, sondern zeigen, warum die RAF jede Theorie hinter sich gelassen hat und sich zum »Primat der Praxis« bekennt. Die entscheidende Voraussetzung ist die Einsicht, dass alles, was die Menschen »bedrückt, quält, hindert, belastet«, seine Ursache im »kapitalistischen Herrschaftssystem« hat, dieses System aber von innen heraus nicht verändert werden kann. Die Studentenbewegung habe das zwar erkannt, aber die damaligen Revoluzzer hätten es versäumt, daraus die nötigen Konsequenzen zu ziehen. Die »Unverletzbarkeit des Systems« lässt sich nur zerstören, so das Dogma der RAF, wenn man bereit ist, »mit jenen Mitteln zu kämpfen, die das System bereitstellt, um seine Gegner auszuschalten« – also mit Gewalt. Wer das einmal eingesehen hat, für den gibt es keine halben Sachen mehr. Den können die Annehmlichkeiten des bürgerlichen Lebens nicht mehr locken, für den gibt es kein Zurück mehr ins »Reihenhaus«, der geht in die Illegalität, der greift zur Waffe.

Ganz in diesem Sinne steht am Ende von *Konzept Stadtguerilla* ein Satz des amerikanischen Black-Panther-Führers Eldridge Cleaver, der über Revolutionäre gesagt hat: »Entweder sie sind ein Teil des Problems oder sie sind ein Teil der Lösung. Dazwischen gibt es nichts.«[9]

Margrit Schiller und andere aus dem Sozialistischen Patientenkollektiv wollten ein Teil der Lösung sein und schlossen sich der Baader-Meinhof-Gruppe an, die sich jetzt »Rote Armee Fraktion« nannte. Schon nach ihrer ersten richtigen Aktion stand Schiller auf den Fahndungslisten der Polizei. Sie war dabei gewesen, als ein gestohlenes Auto von einer Polizeistreife kontrolliert wurde. Es war ihr gelungen, zu fliehen, aber im Begleitfahrzeug hatte sie ihre Handtasche samt Ausweis und Pistole zurückgelassen. Noch am gleichen Abend konnte sie ihr Passfoto in den Fernsehnachrichten sehen.

Die Fahndung nach dem »Staatsfeind Nr. 1«, der »Baader-Meinhof-Bande«, lief auf Hochtouren. Beim Bundeskriminalamt war eine »Sonderkommission B/M« eingerichtet worden. Jeder, der mit den Gesuchten zu tun gehabt hatte, musste mit einem Besuch der Kriminalpolizei rechnen. Renate Riemeck wurde um sechs Uhr morgens von vier Kriminalbeamten geweckt und verhört. Sogar frühere Mitschülerinnen von Ulrike Meinhof aus der Liebfrauenschule in Oldenburg wurden »amtlich« befragt, wie sie sich denn verhalten würden, wenn Ulrike Meinhof plötzlich vor ihrer Tür stünde. Diese Frage stellten sich auch viele frühere Bekannte und Freunde von Ulrike Meinhof. Die meisten hätten sie wohl aufgenommen, ihr aber gleichzeitig zu verstehen gegeben, dass sie ihre politische Einstellung nicht teilen.

Es gab nicht wenige Menschen in Deutschland, die eine heimliche Sympathie für die RAF hegten, das ergaben Umfragen. Für andere waren diese Leute »Terroristen« oder, wie für den Kanzleramtsminister Horst Ehmke, einfach nur »die gefährlichsten Verbrecher, die es gibt«[10]. In Polizeikreisen galt Ulrike Meinhof als »Killer-Girl«[11] und so überzogen wie diese Bezeichnung war oft auch die Suche nach ihr.

In einem Bremer Hotel wurde eine Frau festgenommen, weil eine Angestellte sie aufgrund eines Zeitungsfotos als Ulrike Meinhof erkannt haben wollte. Erst nach stundenlangem Verhör stellte es sich als Irrtum heraus. Die *Saarbrücker Zeitung* nahm solchen Übereifer mit einer Karikatur aufs Korn. Sie zeigt einen dicklichen Mann im Faschingskostüm und mit erhobenen Händen, der von zwei Polizisten mit Maschinenpistolen im Anschlag gestellt wird. Der eine Polizist zieht ihm die Faschingsmaske vom Gesicht, der andere meint: »… nein, das ist sie auch nicht, die Meinhof!«

Zum Lachen jedoch waren solche Kontrollen meistens nicht. Die Finger saßen sehr locker am Abzug – und das auf beiden Seiten. Wer von den RAF-Leuten in eine brenzlige Situation mit »Pigs« kam und nicht gleich schoss, der musste sich Vorwürfe gefallen lassen. Und unter den Polizisten war die Stimmung verbreitet, »im Krieg« zu sein.

Bei den Straßensperren hatte die Polizei ein besonderes Augenmerk auf Autos der Marke BMW. Man wusste, dass die RAF eine Vorliebe für diese schnellen Autos hatte. »Baader-Meinhof-Wagen« übersetzte man deshalb auch den Markennamen. BMW-Fahrer bekamen das zu spüren. Ein harmloser Hamburger im BMW, der an einer Straßensperre in Panik geriet und die Flucht ergriff, wurde mit Streifenwagen und Hubschrauber so lange gejagt, bis er völlig entnervt in einem Kornfeld aufgab.

Am 15. Juli 1971 fuhr in Hamburg ein hellblauer BMW, in dem tatsächlich zwei Mitglieder der RAF saßen, auf eine Straßensperre zu. Es waren Petra Schelm, »Prinz« genannt, eine ehemalige Friseurin aus Berlin, und Manfred Hoppe, ein Bundeswehr-Deserteur. Als die Polizisten das Auto kontrollieren wollten, gab Hoppe Gas. Nach einer wilden Verfolgungsjagd wurde der BMW gestellt. Die beiden versuchten zu Fuß zu flüchten. Hoppe wurde überwältigt. Petra Schelm eröffnete das Feuer auf ihre Verfolger und wurde von einer Polizeikugel unterhalb des linken Auges getroffen. Sie war sofort tot.

Zuerst dachte man, die Tote sei Ulrike Meinhof. Ihr hatte

die Fahndung gegolten. Sogar die »Deutsche Presse-Agentur« meldete, dass Ulrike Meinhof in Hamburg erschossen worden sei. Ulrike Meinhof war zu dieser Zeit wahrscheinlich wirklich in Hamburg. Sie und die anderen Gruppenmitglieder hielten sich an den Rat Marighellas, ein nach außen hin völlig normales Leben zu führen, weder durch Benehmen noch durch Kleidung aufzufallen.

Sie lebten in einem gutbürgerlichen Hamburger Viertel. Andreas Baader ging oft mit einem Tennisschläger aus dem Haus. Holger Meins kleidete und benahm sich wie ein biederer Handelsvertreter. Ulrike Meinhof war meistens nur nachts unterwegs. Für sie war Hamburg ein besonders gefährliches Pflaster. Hier hatte sie noch viele Bekannte und Freunde. Hier lebten ihr Ex-Mann und ihre Töchter. Ulrike Meinhof soll Mittel und Wege gesucht haben, die Mädchen zu sehen. Aber Klaus Rainer Röhl wachte sorgsam über sie. Polizei stand vor dem Haus und ein ziviler Polizeiwagen begleitete die Zwillinge auf ihrem Schulweg. Röhl hielt seine Töchter möglichst fern von den Selbstbedienungskästen der *Bild-Zeitung* und den reißerischen Schlagzeilen. Alles, was die Zwillinge wussten, war, dass ihre Mutter von der Polizei gesucht wurde, und natürlich bekamen sie auch den öffentlichen Trubel um die »Terroristen« mit. Einmal kam Regine mit Schürfwunden nach Hause und erzählte, dass sie mit anderen Kindern »Baader-Meinhof-Bande« gespielt habe.[12]

Die »Spiele« der RAF gingen nicht so glimpflich ab. Am 21. Oktober 1971 trafen sich einige RAF-Leute in einer Wohnung in einem Wohnblock in Hamburg. Auch Margrit Schiller war dabei. Ihrer Schilderung zufolge[13] musste Ulrike Meinhof die Wohnung noch einmal verlassen, um zu telefonieren. Sie forderte Margrit Schiller und Gerhard Müller, ebenfalls ein früheres SPK-Mitglied, auf, sie zu begleiten. Auf dem Weg zur Telefonzelle wurden sie plötzlich von einem zivilen Streifenwagen gestellt. Ulrike Meinhof und Müller rannten zwischen die Grünanlagen. Der Polizeimeister Norbert Schmid verfolgte sie und bekam Ulrike Meinhof an der Handtasche zu fassen. Sie konnte sich losreißen. Müller drehte sich um und schoss mehrere Male. Der Polizist stürzte zu Boden. Er war tödlich getroffen. Ulrike Meinhof und Gerhard Müller entkamen unerkannt. Margrit Schiller wurde kurz nach dem Vorfall in einer Telefonzelle festgenommen.

Die Fahndung nach den Gesuchten der »Baader-Meinhof-Bande« wurde nun von Woche zu Woche verstärkt. Seit dem 1. September war Horst Herold Präsident des Bundeskriminalamtes (BKA). Er führte die computergestützte Sammlung und Verwertung von Daten ein und entwickelte die so genannte Rasterfahndung. Je engmaschiger das Netz wurde, desto angespannter wurde die Lage. Die Mitglieder der RAF machten weiter in dem Bewusstsein, dass es für sie am Ende nur den Tod oder das Gefängnis geben wird. Und tausende von Polizisten mussten damit rechnen, aus jedem Auto, das sie kontrollierten, beschossen zu werden.

In dieser Situation wollte Klaus Rainer Röhl noch einmal einen Versuch machen, Ulrike Meinhof aus der Gruppe »herauszubrechen«. Er wandte sich an den Menschen, von dem er glaubte, dass er den größten Einfluss auf Ulrike hat, an Renate Riemeck. Im November 1971 erschien in *konkret* ein offener Brief an Ulrike Meinhof von ihrer Pflegemutter mit der Überschrift *Gib auf, Ulrike!*. »Du bist anders, Ulrike«, so beginnt der Brief. »Ganz anders, als die Leute meinen, die dein Bild auf dem Steckbrief gesehen und von dir in Presse, Funk und Fernsehen gehört haben. Wer dich näher kennt, weiß: Du knallst nicht jeden Menschen nieder, der sich dir in den Weg stellt.« Renate Riemeck erinnert ihre Pflegetochter an die lange politische Erfahrung, die sie den anderen, weit jüngeren RAF-Leuten voraushabe und die sie befähigen müsste, die politische Lage realistisch einzuschätzen. Die Bundesrepublik, so Riemeck, sei eben kein Pflaster für eine Stadtguerilla. Die RAF sei dazu verurteilt, die Rolle einer »Geisterbande« zu spielen. Sie erwarte nur »erbitterte Feindschaft« in der Öffentlichkeit und sie diene nur als Alibi für eine »antikommunistische Hexenjagd«.

Zum Schluss schreibt Renate Riemeck: »Ich weiß nicht, wie weit dein Einfluss innerhalb der Gruppe reicht, wie weit deine Freunde rationalen Überlegungen zugänglich sind. Aber du solltest versuchen, die Chancen von bundesrepublikanischen Stadtguerillas einmal an der sozialen Realität dieses Landes zu messen. Du kannst es, Ulrike.«[14]

Ulrike Meinhof konnte es nicht. Sie maß die Chancen einer Stadtguerilla an ihrem Bild von der »Realität dieses Landes«. Dieses Bild glich einem Gefängnis. Und wer immer die Zustände darin verteidigte, der nahm den Standpunkt des Gefängnisdirektors ein.[15] Der war Teil des Systems und damit Teil des Problems.

Einige Wochen nach Renate Riemecks Aufruf in *konkret* wurde in einem Papierkorb in Berlin eine Plastiktüte mit

Munition und Schriftstücken gefunden. Darunter auch die Durchschrift eines Textes, den man als Antwort Ulrike Meinhofs an ihre Pflegemutter verstehen kann. Die Überschrift lautet *Eine Sklavenmutter beschwört ihr Kind* und der Text beginnt mit den Worten:

»Ulrike, du bist anders als dein Steckbrief, ein Sklavenkind – selbst Sklavin.

Wie also solltest du fähig sein, auf deine Unterdrücker zu schießen?

Lass dich nicht verführen von jenen, die keine Sklaven mehr sein wollen. Du kannst sie nicht schützen.

Ich will, dass du Sklavin bleibst – wie ich. Ich und du – wir haben gesehen, wie die Herren den Aufstand der Sklaven zerschlugen, noch ehe er begann.«

Und an späterer Stelle heißt es:

»O Kind, du hast etwas Besseres verdient. Was du alles hättest werden können.

Sicher hättest du es zur Aufseherin gebracht.

Siehst du nicht, wie stark die Herrschaft ist? Alle Sklaven gehorchen ihr. Selbst jene, die sich empört hatten und siegten, werden der Herrschaft ihren Sieg zu Füßen legen, damit sie weiter Sklaven sein dürfen.

Die Sklaven hassen jene, die frei sein wollen. Sie sollen dir auch nicht helfen, damit du endlich begreifst, dass deine Rebellion sinnlos ist.

Dein Mut ist herzlos, denn wie können wir vor ihm noch unsere Feigheit verborgen halten? Wenn du lieber tot bist als für immer eine Sklavin, so hast du doch nicht das Recht, uns zu beunruhigen.«[16]

Auch Renate Riemeck konnte Ulrike Meinhof nicht mehr erreichen. Ihr gut gemeinter Appell erschien dieser wie die Einflüsterungen einer Sklavin, die ihr ungehorsames Kind in die freiwillige Knechtschaft zurücklocken will. Aus Ulrike Meinhofs Worten klingt ein heroischer Trotz, der einen an die Standhaftigkeit großer Freiheitskämpfer oder Heiliger erinnert. Es ist eine Unbeirrbarkeit, die sich um keinen Preis mehr von ihrer gerechten Sache abbringen lässt. Diese Unbeirrbarkeit steht immer in der Gefahr, dass sie zur Unbelehrbarkeit wird. Kein Zweifel, keine Kritik kann sie mehr durchdringen, sie ist zu dicht, zu fugenlos. Wer sich in ihr eingerichtet hat, ist unverletzbar, aber auch unerreichbar. Er ist wie in Drachenblut gebadet.

Peter Brückner, ein Psychologie-Professor, der mit Ulrike Meinhof befreundet war, ist in seiner Aufarbeitung der Ereignisse zu seinem eigenen Schrecken immer wieder auf diese seltsame gespensterhafte Unerreichbarkeit der RAF-Leute gestoßen. Gerade die Person Ulrike Meinhofs verschwindet für ihn allmählich hinter einer kämpferischen Weltsicht, in der es keinen Ort und keine Zeit mehr zu geben scheint. In diesem Zusammenhang zitiert Brückner Friedrich Nietzsche, der meinte: »Heroismus – das ist die Gesinnung eines Menschen, welcher ein Ziel anstrebt, gegen das gerechnet er gar nicht mehr in Betracht kommt. Heroismus ist der gute Wille zum Selbstuntergang.«[17]

Trug dieser »gute Wille zum Selbstuntergang« dazu bei, dass es im Kampf zwischen der RAF und der Gesellschaft immer mehr Opfer gab? Im Dezember 1971 wurde in Berlin der vermeintliche Terrorist Georg von Rauch, Mitglied der

»Bewegung 2. Juni«, durch einen Kopfschuss getötet, als Zivilfahnder ihn festnehmen wollten. Bei einem Banküberfall in Kaiserslautern im Januar darauf erschossen Mitglieder der »Baader-Meinhof-Bande« den Polizeiobermeister Herbert Schoner. Zwei Monate später, am 2. März 1972, wurde in Augsburg auch Rauchs Freund Thomas Weisbecker von einer Polizeikugel tödlich getroffen. Noch am gleichen Tag kam es in einer konspirativen Wohnung in Hamburg zu einer wilden Schießerei. Der gesuchte Manfred Grashof und der Hauptkommissar Hans Eckhardt wurden schwer verletzt. Grashof überlebte. Eckhardt starb nach zwanzig Tagen im Krankenhaus.

Zu dieser Zeit war Ulrike Meinhof völlig aus dem Visier ihrer Verfolger geraten. Es fehlte jede Spur von ihr und einige Zeitungen nährten wieder Gerüchte über ihren Tod. Über eine unheilbare Krankheit wurde da spekuliert und dass sie sich aus Verzweiflung darüber das Leben genommen haben soll.

Doch Ulrike Meinhof lebte. Ab und zu tauchte sie aus der Versenkung auf. Einmal auch bei ihrer alten Freundin Monika Mitscherlich, um sich eine Matratze auszuleihen. »Sag mal, wie hältst du das aus«, fragte sie Ulrike, »immer das Gefühl, die Polizisten sind hinter einem her?« Das sei auch nicht anders als bei den Arbeiterinnen in der Fabrik, antwortete Ulrike Meinhof, die hätten auch immer die Vorarbeiterin oder den Meister im Rücken. Diese Antwort machte Monika Mitscherlich sprachlos. »Da wusste ich«, meinte sie später, »da kann ich gar nichts dazu sagen, die tut sich einfach die Realität zurechtmachen.«[18]

Ebenso ratlos war auch der Verleger Klaus Wagenbach, der Ulrike Meinhof öfter zu Gesicht bekam. Er wollte sie einmal überreden, sich wenigstens für kurze Zeit dem Fahndungsdruck zu entziehen. »Verschwinde doch mal drei Wochen ins Ausland«, schlug er ihr vor. Das kam für Ulrike Meinhof nicht in Frage. »Der Vietkong macht auch keinen Urlaub«, meinte sie nur.

Offenbar hat sie sich dann um die Jahreswende 1971/72 doch für einige Zeit ins Ausland abgesetzt, nach Italien. Als sie im März wieder in Deutschland war, meldete sie sich gleich zu Wort mit einer neuen RAF-Schrift, die den Titel trug: *Dem Volke dienen. Stadtguerilla und Klassenkampf.*

Das Papier geht auf die neuesten politischen und wirtschaftlichen Ereignisse in Deutschland ein, auf die Streiks in der Chemieindustrie, den Besuch von Bundeskanzler Willy Brandt im Iran oder den so genannten Radikalenerlass, mit dem Anhänger extremistischer Parteien von öffentlichen Ämtern fern gehalten werden sollten. Für Ulrike Meinhof sind das klare Anzeichen für eine wachsende Unzufriedenheit in der Bevölkerung einerseits und einen sich weiter entfaltenden Faschismus in der BRD andererseits. Diese Unzufriedenheit zu unterstützen und den Faschismus zu bekämpfen, das ist der Sinn einer Stadtguerilla, die darüber hinaus den Zusammenhang von nationaler und internationaler »Herrschaft« aufzeigen will.

Im Vorwort äußert sich Ulrike Meinhof auch über jene RAF-Leute, die im Kampf um eine bessere Welt ums Leben gekommen sind. »Den Tod im Dienst der Ausbeuter nennen die Leute einen natürlichen Tod. Die Weigerung, im Dienst der Ausbeuter zu sterben, nennen die Leute einen ›unnatürlichen Tod‹. [...] Petra, Georg und Thomas starben im Kampf gegen das Sterben im Dienst der Ausbeuter. Sie wurden ermordet, damit das Kapital ungestört weitermorden kann und damit die Leute weiterhin denken müssen, dass man nichts dagegen machen kann. Aber der Kampf hat erst begonnen.«[19]

Das war keine leere Drohung. Nachdem die Gruppe fast zwei Jahre nur damit beschäftigt gewesen war, ihr Überleben zu sichern und sich zu organisieren, ging man im Mai 1972 in die Offensive. Innerhalb von knapp zwei Wochen, vom 11. bis zum 24. Mai, wurden sechs Bombenanschläge verübt. Auftakt und Ende der Serie bildeten die Anschläge auf Hauptquartiere der amerikanischen Armee in Frankfurt und Heidelberg. Bei der Explosion dreier selbst gebastelter Rohrbomben mit der Sprengkraft von 80 Kilogramm TNT im Casino der Frankfurter Kaserne wurde ein amerikanischer Soldat getötet, dreizehn Personen wurden verletzt. In Heidelberg war die Sprengkraft der zwei Bomben um ein Mehrfaches höher. Drei Soldaten wurden getötet, einer davon buchstäblich zerfetzt. Fünf GIs wurden verletzt. Zwischen diesen schweren Anschlägen explodierten am 12. Mai Sprengkörper in der Polizeidirektion in Augsburg und auf dem Parkplatz des Landeskriminalamtes in München. Drei Tage darauf explodierte das Auto des Bundesrichters Buddenberg, als seine Frau den Wagen starten wollte. Sie kam mit Verletzungen davon. Vier Tage später, am 19. Mai 1972, gab es eine Bombendrohung gegen das Springer-Haus in

Hamburg, die ignoriert wurde. Es gab mehrere Detonationen, bei denen siebzehn Menschen verletzt wurden, zwei davon schwer.

Die Verantwortung für die Anschläge übernahmen verschiedene Kommandogruppen der RAF. In »Erklärungen« rechtfertigten sie die Aktionen mit dem Hinweis auf die »Morde« an RAF-Mitgliedern, mit der antikommunistischen Hetzkampagne der Springer-Presse und mit dem Bombenkrieg der Amerikaner in Vietnam. In der Erklärung zum Anschlag auf die Heidelberger US-Kaserne hieß es: »Die amerikanische Luftwaffe hat in den letzten 7 Wochen mehr Bomben über Vietnam abgeworfen als im 2. Weltkrieg über Deutschland und Japan zusammen. [...] Das ist Genozid, Völkermord, das wäre die ›Endlösung‹, das ist Auschwitz. Die Menschen in der Bundesrepublik unterstützen die Sicherheitskräfte bei der Fahndung nach den Bombenattentätern nicht, weil sie mit den Verbrechen des amerikanischen Imperialismus und ihrer Billigung durch die herrschende Klasse hier nichts zu tun haben wollen. Weil sie Auschwitz, Dresden und Hamburg nicht vergessen haben, weil sie wissen, dass gegen die Massenmörder von Vietnam Bombenanschläge gerechtfertigt sind. Weil sie die Erfahrung gemacht haben, dass Demonstrationen und Worte gegen die Verbrechen des Imperialismus nichts nützen.«[20]

Wenige Tage nach der Bombenserie lief die größte Fahndungsaktion an, die es je in der BRD gegeben hatte. Im Januar hatte der Schriftsteller Heinrich Böll in einem Artikel zu bedenken gegeben, ob man Ulrike Meinhof nicht »Gnade oder freies Geleit« anbieten sollte. Die Reaktionen auf Bölls

Aufruf zur Besinnung hatten nur gezeigt, wie unversöhnlich die Meinungen in der Bevölkerung waren. Auch hier gab es nur ein Dafür oder Dagegen. Den Befürwortern einer harten Linie gegenüber den Terroristen konnte die Jagd auf die »Baader-Meinhof-Bande« nicht gnadenlos genug sein und linksgerichtete Intellektuelle wie Böll wurden als geistige Mittäter gebrandmarkt. Und jetzt, nach den Bombenanschlägen, galt Böll sogar als »ideologischer Helfershelfer des Terrors«. Er traute sich nicht einmal mehr in Cafés und Restaurants. Sein Haus wurde von Polizei umstellt und er klagte verbittert die »Intellektuellenhetze« in der Bundesrepublik an.[21]

Auch Rudolf Augstein, der Herausgeber des *Spiegel*, warnte davor, linke Kritiker und Terroristen in einen Topf zu werfen. Besser sollte man nach den Gründen der fanatischen Weltverbesserer fragen. Das fiel Augstein selbst gerade im Fall Ulrike Meinhof schwer. »Nach wie vor sehen wir«, schrieb er in einem Kommentar, »dass eine Frau kriminell geworden ist, an deren moralischer Integrität zu zweifeln all ihren Bekannten schwer fällt.«[22]

Auch Klaus Rainer Röhl und der Verleger Klaus Wagenbach gehörten zu jenen, die an die moralische Integrität Ulrike Meinhofs glaubten. Sie wollten sie vor sich selbst schützen und das Schlimmste für sie verhindern. Röhl wandte sich an hochrangige Politiker, um seine ehemalige Frau vielleicht in die DDR abzuschieben. Dazu war niemand bereit. Wagenbach kundschaftete über französische Freunde einen Fluchtweg nach Algerien aus. Als er Ulrike von dem Plan erzählte, wollte sie davon nichts wissen. Bei dem Treffen war sie nervös und rollte wie immer ein Papierkügelchen zwischen den Fingern. »Da war wieder dieser Tunnel«, erzählte Wagenbach später, »der geschlossene Raum, der keine Kommunikation mit der Außenwelt hatte.«

Ulrike Meinhof wollte weiter diese Außenwelt erreichen. Und für viele, die am 31. Mai im Hörsaal 6 der Universität Frankfurt saßen, klang es unwirklich und von sehr weit her, als sie der Stimme Ulrike Meinhofs lauschten, die von einem Tonband zu ihnen sprach. Diese Stimme, die zitterte »wie ein verletzter Vogel«[23], verteidigte die Bombenkampagne und forderte die versammelten Genossen auf, endlich ihre zögerliche Haltung aufzugeben und klar Stellung zu beziehen: »Genossen, hört auf, euch hinter den Massen zu verschanzen! [...] Hört auf, eure Angst vor der maßlosen Gewalttätigkeit des Systems als Vermittlungsproblem zu rationalisieren! Hört auf, eure Ratlosigkeit als Belesenheit auszugeben, eure Hilflosigkeit als den großen Durchblick! [...] Habt Mut zu kämpfen, habt Mut zu siegen! Zersplittert und zerschlagt die Kräfte des Imperialismus! Es ist die Pflicht jedes Revolutionärs, die Revolution zu machen!«[24]

Am nächsten Tag war die Revolution für drei führende Revolutionäre der RAF zu Ende. Im Fernsehen wurden im Laufe des Tages immer wieder die Bilder gezeigt von den Ereignissen, die sich am frühen Morgen in einem Frankfurter Hinterhof zugetragen hatten. Ein flacher Garagenbau war da zu sehen, gepanzerte Polizisten, die sich hinter Fahrzeugen verschanzten. Tränengasschwaden, ein Panzerwagen näherte sich einer Garage. Schüsse knallten, dann Schreie und Lautsprecherfetzen: »Kommen Sie einzeln heraus, es passiert Ihnen gar nichts. Sie sind umstellt ... Denken Sie an Ihr Leben. Sie sind jung.« Ein großer, sehr schlanker Mann, nur mit einer Unterhose bekleidet und mit erhobenen Händen, ging über den Garagenvorplatz. Es war Holger Meins. Polizisten ergriffen ihn und drehten ihm die Arme auf den Rücken. Er schrie laut auf. Ein zweiter Mann, mit hellen Haaren und Sonnenbrille, wurde auf einer Trage in einen Krankenwagen geschoben. Es war Andreas Baader.

Die Polizei hatte die Garage, in der Sprengstoff gelagert war, schon seit Tagen observiert. Am 1. Juni, um fünf Uhr morgens, war ein Porsche mit drei Männern vorgefahren. Zwei von ihnen verschwanden in der Garage. Ein dritter, Jan-Carl Raspe, stand Schmiere und wurde von Polizisten sofort festgenommen. Nach einer Schießerei ergab sich Holger Meins. Baader wurde von einem Scharfschützen in den Oberschenkel getroffen. »Ihr Schweine«, sagte er, als man ihn mit dem Krankenwagen abtransportierte.

Sechs Tage später wurde Gudrun Ensslin in einer Hamburger Boutique verhaftet. Sie hatte ihre Lederjacke abgelegt. Die Verkäuferin hatte bemerkt, dass in der Jackentasche eine Pistole steckte, und die Polizei alarmiert. »Ging auch irre schnell«, schrieb Gudrun Ensslin in einer Nachricht an Ulrike Meinhof, die aus dem Gefängnis geschmuggelt wurde, »sonst wäre jetzt eine Verkäuferin tot (Geisel), ich und vielleicht zwei Bullen.«

Als Ulrike Meinhof diesen Brief mit Instruktionen von Gudrun Ensslin bekam, war sie mit Gerhard Müller unterwegs auf Quartiersuche. Sie ließen bei einem Lehrer in Langenhagen bei Hannover anfragen, ob er bereit wäre, zwei Leute aufzunehmen. Der Lehrer sagte zu, doch später plagten ihn Bedenken. Er beriet sich mit Freunden und entschloss sich dazu, die Polizei zu informieren.

Als das Pärchen dann am nächsten Tag die Wohnung bezog, war das Gebäude schon von Polizei umstellt. Müller wurde verhaftet, als er die Wohnung verließ, um zu telefonieren. Dann läuteten die Polizisten an der Wohnung des Lehrers. Es öffnete ihnen eine Frau in einem schwarzen, knielangen Kleid, die abgemagert und krank aussah. Die Polizisten erkannten Ulrike Meinhof nicht, sie hatte keinerlei Ähnlichkeit mit dem Fahndungsfoto. Als sie merkte, was los war, schlug und trat sie um sich und schimpfte auf die »Scheißbullen«. In dem schweren Gepäck des Pärchens wurden eine selbst gefertigte Bombe, zwei Handgranaten, eine Maschinenpistole, zwei Pistolen und jede Menge Munition gefunden.[25]

Ulrike Meinhof wurde in das Polizeigefängnis in Hannover gebracht. Dort saß sie stumm auf einer Pritsche. Sie weigerte sich, eine Tasse Kaffee zu trinken, die man ihr anbot. Sie glaubte, er sei vergiftet. Ein »Bulle« musste erst von dem Kaffee probieren, bevor sie selber trank. Später wurde sie gegen ihren Willen geröntgt. Erst die Röntgenbilder von den Klammern in ihrem Kopf brachten die letzte Gewissheit, dass diese Frau Ulrike Meinhof war.

XIII. Kampf im Knast

» Was ist, wenn das Alte dominant wird –
auch wenn man es nicht will?«

Das Gefängnis in Köln-Ossendorf war ein Neubau. Man
hätte die flachen Gebäude auch für eine Schule halten können, wenn da nicht diese hohe weiße Mauer gewesen wäre.
Es gab einen Trakt für Männer und einen für Frauen. Dazwischen lag ein Pavillon mit zwei Seitenflügeln. In dem einen Flügel waren sechs Zellen, von denen nur eine belegt
wurde. In diese Zelle kam nun Ulrike Meinhof.

Vor ihr war Astrid Proll in dieser isolierten Zelle einge-
sperrt gewesen. Sie war schon im Mai 1971 verhaftet worden. Ein Tankwart hatte ihr Bild auf einem Fahndungsplakat gesehen und sie erkannt. Vier Monate hatte Astrid Proll
im leeren Seitenflügel des Kölner Gefängnisses verbracht.
Schon nach zwei Wochen hatte sie nicht mehr gewusst, wie
sie es noch länger aushalten sollte. Ständig war sie nur von
den weißen Wänden umgeben gewesen, durch die nicht der
kleinste Laut drang. Die Zeit war ihr erschienen wie ein
Meer ohne Horizont, und sie hatte sich gefühlt wie in einem
Vakuum, in dem langsam jede Lebenskraft aus ihr heraus-
floss. Jedes Mal, wenn ihr abends das Essen gebracht worden war, hatte sie verzweifelt versucht zu fliehen. Die Wär-
terinnen hatten sie wieder sanft in die Zelle gedrängt und
ihr ein Beruhigungsmittel gegeben.[1]

Als Astrid Proll erfahren hatte, dass Ulrike Meinhof ihren

Platz einnehmen würde, fühlte sie sich hilflos und wurde von Schuldgefühlen geplagt. Von Ulrike war sie früher immer in Schutz genommen worden. Nun konnte sie nichts für sie tun. Dabei war ihr klar, dass Ulrike viel zu sensibel war für den »Knast« und auch bald gegen die Wände laufen würde.

Anders als Andreas Baader und Gudrun Ensslin war Ulrike Meinhof noch nie im Gefängnis gewesen. Und die erste Zeit war für sie, wie sie später schrieb, »ein Hammer«. Sie musste jetzt Anstaltskleidung tragen, einen blauen Kittel, darunter eine Strickjacke. Morgens durfte sie sich in einem kleinen Hof die Beine vertreten. Anschließend wurde sie zurück in ihre Zelle gebracht, wo sie dann blieb bis zum nächsten Morgen. Das Neonlicht in der Zelle brannte Tag und Nacht. Sie hörte und sah niemanden, nur die Wärter, die das Essen brachten.

Mit dem Mittagessen bekam sie auch die Post. In den ersten Wochen waren zwei Briefe ihrer Töchter dabei. Bettina und Regine hatten in einer Zeitschrift die Fotos von der Festnahme gesehen und konnten diese Bilder nicht mehr zusammenbringen mit ihren Erinnerungen an ihre Mutter. Sie schrieben nun, dass sie bald ins Gefängnis kommen wollten, um sie zu besuchen. Im August bekamen sie einen Brief von ihrer Mutter. Darin schrieb sie: »He Mäuse! Und beißt die Zähne zusammen. Und denkt nicht, dass ihr traurig sein müsst, dass ihr eine Mami habt, die im Gefängnis ist. Es ist überhaupt besser, wütend zu werden, als traurig zu sein. Au warte – ich werd mich freuen, wenn ihr kommt. Verdammt, ja ...«[2]

Bettina und Regine, mittlerweile zehn Jahre alt, besuchten ihre Mutter zum ersten Mal Anfang Oktober 1972. Ihr Vater Klaus Rainer Röhl brachte sie zum Gefängnis und wartete dann in der Eingangshalle. Die Zwillinge folgten einer Beamtin in einen trostlosen Besucherraum. Nach ein paar Minuten wurde Ulrike Meinhof hereingeführt. Bettina Röhl erinnerte sich später, dass ihre Mutter furchtbar aufgeregt war und sich »wie verrückt« freute. »Darf ich euch in den Arm nehmen?«, fragte sie. »Wollt ihr das überhaupt?« Während Regine kaum ein Wort herausbrachte, erzählte Bettina von der Schule und vom Klavierunterricht. Eigentlich hätte sie lieber darüber geredet, wie es in Sizilien war, und insgeheim wünschte sie sich, dass nun alles wieder gut sei und sie gemeinsam nach Hause gehen könnten. Als sie erwähnte, dass sie in der Woche fünfzig Pfennig Taschengeld bekämen, regte sich Ulrike Meinhof darüber auf. Sie sollten von ihrem Vater hundert Mark verlangen, um unabhängiger zu sein.[3]

Nach einer Dreiviertelstunde war die Besuchszeit vorbei. Die Kinder versprachen wiederzukommen und Ulrike Meinhof wurde zurück in ihre Zelle gebracht. Das Fenster in dieser Zelle war mit Betonstreben vergittert. Durch schmale Streifen konnte sie einen kleinen Garten sehen und ein Stück Himmel. An Bettina und Regine schrieb sie: »Neulich, im Oktober, standen bunte Drachen über dem Knast. Also da mussten irgendwo Kinder sein, die sie steigen ließen. Unheimlich hoch, grün und rot. Das war richtig schön. Und dann fliegen hier Möwen rum – vom Rhein rüber. Kennt ihr Drosseln? Das sind Nachmacher. Sie gehören zur Familie der Amseln. Aber sie sind nicht wie Amseln, auch wie Rotschwänze, Scherenschleifer, Zaunkönige. Gibt's so was in eurem Garten? Ich wollt ja mal Vogelforscher werden. Aber die Vogelforscher haben auch 'n bisschen 'n Tick. Trotzdem. Sie haben gute Ohren ... Lasst mal ruhig von euch hören. Ihr zwei.«[4]

Ulrike Meinhof verfolgte aufmerksam alles, was »draußen« vor sich ging, besonders die politischen Ereignisse. Sie konnte Bücher und Zeitungen lesen. Seit dem 26. August 1972 fanden in München die Olympischen Sommerspiele statt. Am Morgen des 5. September war eine Gruppe der palästinensischen Befreiungsbewegung »Schwarzer September« in die Unterkunft der israelischen Delegation eingedrungen und hatte neun israelische Sportler als Geiseln genommen. Sie verlangten die Freilassung von Arabern aus Gefängnissen in Israel. Die Aktion endete in einer Katastrophe. Auf dem Militärflughafen Fürstenfeldbruck versuchten deutsche Scharfschützen die Geiseln zu befreien. Ein Hubschrauber explodierte, alle Geiseln, fünf Terroristen und ein Polizist wurden getötet.

Ulrike Meinhof schrieb eine umfangreiche Erklärung zu diesem Vorfall. Sie verteidigte die Aktion des »Schwarzen September« als vorbildhaft. Die Aktion habe den internationalen Zusammenhang von imperialistischer Unterdrückungspolitik und den Befreiungsbewegungen deutlich gemacht, zu dem auch die brutale Unterdrückung des palästinensischen Volkes durch Israel gehöre. Vor diesem Hintergrund seien auch die Olympischen Spiele als »Aggressionsspiele« in faschistischer Tradition entlarvt worden. Die palästinensischen Freiheitskämpfer hätten »eine Mensch-lichkeit« bewiesen, die »vom Bewusstsein bestimmt ist, ge-gen dasjenige Herrschaftssystem zu kämpfen, das als das historisch letzte System von Klassenherrschaft gleichzeitig das blutrünstigste und abgefeimteste ist, das es je gab: gegen den seinem Wesen und seiner Tendenz nach durch und durch faschistischen Imperialismus«.[5]

Ulrike Meinhof betrachtete sich als eine Gefangene dieses gnadenlosen Systems. Schon früher hatte sie die gesellschaft-liche Wirklichkeit als Gefängnis beschrieben. Nun saß sie ganz konkret hinter Gefängnismauern, und es stand für sie fest, dass man es darauf abgesehen hatte, sie zu vernichten. In Köln-Ossendorf, so schrieb sie, würden ihre »Au-schwitzphantasien« Wirklichkeit. Der Trakt, in dem sie sich befand, war für sie keine »stille Abteilung«, wie es offiziell hieß, sondern ein »Toter Trakt«. Und die Behandlung, der sie ausgesetzt war, war für sie keine »strenge Einzelhaft«, sondern Folter. Keine Folter mit Daumenschrauben und Elektroschocks, sondern eine subtile Folter in der lautlosen, eintönigen Zelle, in der sie langsam körperlich und geistig zermürbt werden sollte. In einem Brief, in dem sie ihre Er-fahrungen in der isolierten Zelle schilderte, schrieb sie:

»das Gefühl, es explodiert einem der Kopf (das Gefühl, die Schädeldecke müsste eigentlich zerreißen, abplatzen) – das Gefühl, es würde einem das Rückenmark ins Gehirn gepresst, […]
das Gefühl, man pisste sich die Seele aus dem Leib, als wenn man das Wasser nicht halten kann –
das Gefühl, die Zelle fährt. Man wacht auf, macht die

Augen auf: die Zelle fährt; nachmittags, wenn die Sonne reinscheint, bleibt sie plötzlich stehen. Man kann das Gefühl des Fahrens nicht absetzen. [...]
Rasende Aggressivität, für die es kein Ventil gibt. Das ist das Schlimmste. Klares Bewusstsein, dass man keine Überlebenschancen hat; [...]«[6]

Diese drastische Schilderung hat viele Leute dazu veranlasst, gegen die Haftbedingungen der RAF-Gefangenen zu protestieren. Für manche wie zum Beispiel Birgit Hogefeld gab unter anderem dieser Text den Anstoß, selbst den bewaffneten Kampf gegen die Gesellschaft aufzunehmen. Birgit Hogefeld landete später selbst im Gefängnis und machte ihre eigenen Erfahrungen mit »Isolationshaft«. Auch für sie war das »eine Form von Folter«, doch sie blieb fähig zu selbstkritischen Gedanken. Gerade für Leute aus politischen Gruppen wie der RAF, so Hogefeld, seien die verschärften Haftbedingungen die »hundertprozentige Bestätigung« ihres »reduzierten Weltbildes« gewesen. Während man »draußen«, in der Illegalität, noch viel theoretische Anstrengung hat leisten müssen, um die Realität als unmenschliches Unterdrückungssystem zu entlarven, war das im Gefängnis einfach, weil augenfällig: Hier präsentierte sich die Wirklichkeit so, wie man sie sich schon immer gedacht hatte. Im Knast, so Birgit Hogefeld, sei das Freund-Feind-Schema eine »permanente Erfahrung«.[7]

Auch für Ulrike Meinhof in Köln-Ossendorf zeigte nun der Staat sein wahres Gesicht. Hier trat ihr der Feind ohne die Masken von Demokratie und Toleranz gegenüber. Mit Waffen konnte man ihn nicht mehr bekämpfen, aber immerhin noch mit Händen und Füßen und mit offenem Hass. Das bekam im Gefängnisalltag in erster Linie das Wachpersonal zu spüren. Ulrike Meinhof gingen die derben Schimpfwörter nicht so leicht über die Lippen wie anderen Genossen. Dafür hielt sie den Wärtern kurze Vorträge. Und mit einem gewissen Stolz berichtete sie, dass sie sich gegen Durchsuchungen handgreiflich gewehrt habe und einmal sogar einer Vollzugsbeamtin die Klobürste über den Kopf geschlagen habe.[8]

Diese totale Verweigerung hielt sie nicht immer durch. Vor Weihnachten 1972 bekam sie wieder Besuch von ihren Töchtern. Bettina und Regine brachten ihrer Mutter einen Adventskranz mit, den eine Beamtin in der Zelle aufstellen wollte. Ihre Mutter war über dieses Geschenk gar nicht erfreut. Ihrer Meinung nach passte ein Adventskranz nicht in ein Gefängnis. Sie behielt ihn dann aber doch. An die Zwillinge schrieb sie: »Als ihr hier wart, war ich ziemlich sauer über den Adventskranz. Ich dachte, das dient nur dazu, euch zu täuschen, dass das Gefängnis in Wirklichkeit alles andere als freundlich ist. Aber die Wärterin, die ihn aufgestellt hat, hat es – glaube ich – wirklich gut gemeint – das habe ich inzwischen eingesehen. Sie wollte euch wohl wirklich was Schönes machen. Dagegen kann man nix sagen.«[9]

Andere aus der RAF hätten sehr viel dagegen zu sagen gewusst. Für Holger Meins zum Beispiel, der in Wittlich einsaß, war jedes persönliche Wort zu einem Wärter, jede menschliche Geste Verrat, Kollaboration. Und er gab für die Gruppe die Losung aus: »kein wort zu den pigs, in welcher verkleidung sie auch immer ankommen.«[10]

Die führenden Leute der RAF waren auf verschiedene Haftanstalten verteilt und erfuhren in den ersten Monaten nichts voneinander. Einige sahen sich wieder, als sie kurzzeitig nach Berlin gebracht wurden, wo der Prozess gegen Horst Mahler stattfand. An einem Verhandlungstag verkündete Andreas Baader, dass er aus Protest gegen die Haftbedingungen nichts mehr »fressen« wolle. Diesem Hungerstreik schlossen sich fast vierzig Gefangene an. Auch Ulrike Meinhof. Und tatsächlich wurde sie Anfang Februar 1973 aus ihrer isolierten Zelle in den Männertrakt verlegt.

Dieser Hungerstreik, der fast viereinhalb Wochen dauerte, war die erste gemeinsame Aktion der gefangenen RAF-Leute. Man war wieder als Gruppe aufgetreten, und die Verbindung untereinander sollte nun weiter ausgebaut werden durch den Austausch von Informationen, die über die Post der Anwälte in die verschiedenen Zellen gelangten. Diese »Infos«, wie sie genannt wurden, sollten der Vorbereitung auf den bevorstehenden Prozess dienen. Aber ihre noch wichtigere Funktion war, den Zusammenhalt der Gruppe zu sichern, um den gemeinsamen Kampf auch in den Gefängnissen weiterzuführen.

Ein Teil dieser »Infos« war für die Genossen draußen bestimmt. Ihnen wurde ziemlich deutlich mitgeteilt, was die Inhaftierten von ihnen erwarteten. Sie sollten viele regionale Komitees bilden, um dann mit Demonstrationen, Schriften, Aufrufen und auch militanten Aktionen die »Folter« in den Gefängnissen anzuprangern. »Setzt die Schweine von außen unter Druck«, forderte Ulrike Meinhof, »und wir von innen.«[11]

Die stärkste Waffe, um »von innen« Druck auszuüben, war der Hungerstreik. Am 8. Mai begannen die Häftlinge wieder, jede Nahrung zu verweigern. In einer Erklärung forderten sie die Gleichstellung mit allen anderen Gefangenen und freie politische Information. »Nicht mehr – nicht weniger. Jetzt.«

Auch Ulrike Meinhof hungerte in ihrer Zelle in Köln-Ossendorf. An ihre Töchter schrieb sie: »Haltet die Daumen, dass wir mit unserem Hungerstreik was erreichen. Mehr als Daumen halten könnt ihr ja wohl noch nicht tun. Lasst wieder von euch hören. Tschüs Mami. Mal zusammen Fußball spielen? Hätt ich natürlich Lust.«[12]

Bettina und Regine kamen weiterhin zu Besuch ins Gefängnis, auch während des Hungerstreiks. Doch die Besuche wurden für sie immer bedrückender. Die leblosen Gänge und der nüchtern kahle Besucherraum schreckten sie ab. Sie spürten, wie gequält und bemüht ihre Mutter ihnen gegenüber war, und es verwirrte sie, dass Ulrike Meinhof dauernd über politischen Kampf redete, »während draußen«, wie Bettina Röhl sich erinnerte, »die Sonne schien«.[13] Einmal erzählten Bettina und Regine von einem Mädchen aus ihrer Klasse, das sehr strenge Eltern hatte. Daraufhin forderte Ulrike Meinhof sie auf, mit anderen Kindern einen Aufstand gegen diese Eltern zu organisieren. Die beiden konnten ihrer Mutter nicht sagen, dass sie das nie tun würden und ihrer Mitschülerin das auch gar nicht recht wäre.[14]

Der Hungerstreik wurde am 29. Juni abgebrochen. Die Haftbedingungen hatten sich nicht geändert, aber man hatte das Ziel erreicht, den Druck von der Straße zu erhöhen. Die inzwischen entstandenen Komitees mobilisierten die Öffentlichkeit und bekannte Persönlichkeiten setzten sich für die Inhaftierten ein. Der Vorwurf der Folter erhielt neue Nahrung, als bekannt wurde, dass an Ulrike Meinhof eine medizinische Untersuchung vorgenommen werden sollte, um festzustellen, ob sie durch ihre frühere Gehirnerkrankung vielleicht nur bedingt zurechnungsfähig war. Dieses Vorhaben gehörte für viele Sympathisanten der RAF-Gefangenen ebenso zu einer Strategie der »Vernichtungshaft« wie die Zwangsernährung, die während des Hungerstreiks an Andreas Baader durchgeführt worden war. Dazu hatte man ihm einen dünnen Schlauch durch die Nase in die Speiseröhre eingeführt und dann Nährflüssigkeit in den Magen gepumpt.

Baader saß im Gefängnis im hessischen Schwalmstadt. Auch er bekam später Besuch von seiner zwölfjährigen Tochter. Das Wiedersehen muss ziemlich schrecklich gewesen sein. Die beiden waren sich völlig fremd und hatten sich nichts zu sagen. Gudrun Ensslin machte erst gar keinen Versuch, ihren Sohn Felix wiederzusehen. Von diesem Teil ihrer Vergangenheit hatte sie sich bewusst frei gemacht. Nicht verhindern konnte sie allerdings, dass ihre Schwester Christiane sie besuchte. Die beiden gerieten so heftig in Streit, dass der irritierte Beamte schließlich dazwischentreten musste. Familiäre Bande hatten für Gudrun Ensslin keine Bedeutung mehr. Ihre Eltern ließ sie wissen, dass sie die von Polizisten erschossenen Petra Schelm und Thomas Weisbecker als ihre Schwester und ihren Bruder betrachte.[15]

Ulrike Meinhof sagte sich nicht so radikal von ihrer Vergangenheit und ihrer Familie los. Ihre Schwester Wienke kam zu ihr ins Gefängnis, und vor allem war es ihr anscheinend wichtig, weiterhin den Kontakt zu ihren Kindern zu halten. Im November schrieb sie ihnen: »Also ich mach mir jetzt ziemlich viele Gedanken über euch. Oma soll mal schreiben, wie's läuft. Sagt ihr das. Und besucht mich! Und schreibt – los! Oder malt mir was, ja? Ich finde, ich brauche mal wieder ein neues Bild. Die ich hab, kenn ich jetzt schon auswendig. Meine Idee, dass ihr mal sagen sollt, wie ich denn nun bei euch heiße, war, glaube ich, eine Schnapsidee. Ich bin eben die Mami, eure, fertig.«[16]

Ulrike Meinhof machte es ihren Töchtern schwer, ihre »Mami« zu verstehen. Bettina und Regine schrieben und malten, aber ihre Mutter antwortete plötzlich nicht mehr. Vor Weihnachten schickten sie ihr einen selbst gebastelten Adventskalender. Er wurde nicht angenommen und wieder zurückgeschickt. Sie wollte auch keine Besuche von ihren Kindern mehr. Wollte sie sich wie Gudrun Ensslin endgültig von ihren alten Bindungen frei machen?

Gudrun Ensslin wurde Anfang Februar 1974 nach Köln-Ossendorf verlegt, in die Zelle neben Ulrike Meinhof. Sie konnten gemeinsam ihren Hofgang machen und bis zu zwei Stunden täglich zusammen in einer Zelle verbringen. Am 28. April kamen beide Frauen nach Stuttgart-Stammheim. Im dortigen Gefängnis war ein Hochsicherheitstrakt eingerichtet worden. Ulrike Meinhof und Gudrun Ensslin bewohnten zwei nebeneinander liegende Zellen im siebten Stock der Anstalt, die von außen wie eine Festung wirkte.

Auf einem Acker neben dem Gebäude wurde eine »Mehrzweckhalle« gebaut, darin sollte der Prozess gegen den Kern der Baader-Meinhof-Gruppe stattfinden.

Dieser Kern war inzwischen Mittelpunkt eines weit verzweigten Informationsnetzes. Das »Info«-System war perfektioniert worden. Im Hamburger Haus des Anwalts Kurt Groenewold war eine Zentrale eingerichtet worden, wo die Kassiber aus den Zellen gesammelt, vervielfältigt und weitergeleitet wurden. Wer welches Material bekam, hing davon ab, wie nah oder fern jemand dem Führungskreis der Gruppe stand. Und die Entscheidung darüber trafen letztlich Andreas Baader und Gudrun Ensslin. Sie waren es auch, die den Kurs bestimmten, »die line«, wie sie selber sagten. In erster Linie ging es darum, die Isolationshaft zu bekämpfen. Dabei durfte man nicht nur, wie Gudrun Ensslin erläuterte, an die Zustände im Gefängnis denken. Kampf gegen die Isolation bedeutete »mittelfristig« auch, die Gefängnisse oder Erziehungsanstalten im »Kapitalsystem« abzuschaffen, und »langfristig«, der revolutionären Linken zum Sieg zu verhelfen.[17] Diese letztlich globale Perspektive musste immer im Auge behalten werden.

Hier und jetzt im Gefängnis, wo ein bewaffneter Kampf nicht möglich war, ging es aber zuallererst darum, trotz »Gehirnwäsche« und »weißer Folter« den Willen zum Widerstand aufrechtzuerhalten, und das, wie Andreas Baader forderte, »24 Stunden am Tag«. Der Kampf gegen das »Schweinesystem« war in der Haft ein Kampf gegen den inneren Schweinehund, gegen alles, was einen daran hinderte, totalen Widerstand zu leisten. Wer zweifelte, seinen persönlichen Vorteil suchte oder es einfach nicht »brachte«, der verriet nicht nur das »Kollektiv«, der verriet sich selber. Der eigene Wille und der Wille des Kollektivs sollten verschmelzen. Zwischen dem persönlichen Anliegen und dem Ziel der Gruppe sollte kein Unterschied mehr sein. Wer das erreicht hatte, der empfand die Anforderungen der Gruppe nicht mehr als Zwang, sondern er handelte aus »tiefster Freiwilligkeit«. Das Kollektiv müsse »in jedem Kopf« sein, verlangte Baader.[18] Wer sich überwinden musste oder von der »line« abwich, bei dem stimmte etwas nicht, und es musste ganz in seinem Interesse sein, wenn er von der Gruppe kritisiert wurde oder er selbst mit sich ins Gericht ging. In diesem Sinne forderte Jan-Carl Raspe von allen eine »unerbittliche Offenheit gegenüber sich selbst und dem Kollektiv«.[19]

Diese »Offenheit« führte im »Info«-System zu scharfen Attacken. »Na – du musst das mal begreifen« oder »Du musst das mal ticken«, so hieß es in den »Infos«, wenn Baader oder Gudrun Ensslin die Gesinnung eines Genossen aufs Korn nahmen. Margrit Schiller erwartete die »Info«-Briefe wie die Urteile der »Inquisition«. Mit »zitternden Fingern« suchte sie nach Kritik an ihr. Alles andere, wie die Diskussion darüber, dass Willy Brandt im Mai 1974 zurückgetreten war und der neue Bundeskanzler Helmut Schmidt hieß, interessierte sie nicht.[20] Wenn sie in einem Halbsatz einen Vorwurf entdeckt zu haben glaubte, brachte sie das völlig aus der Fassung und sie las die Stelle immer und immer wieder. Margrit Schiller konnte den politischen Diskussionen im »Info« manchmal nicht folgen und schon gar nicht konnte sie dazu Stellung beziehen. Schließlich wurde sie aus dem

»Info« »geflippt«, das heißt, sie wurde aus dem Verteilersystem ausgeschlossen.

Noch stärker traf der Bannstrahl der Gruppe Horst Mahler. Ihm warf man vor, mit seinen Äußerungen die RAF zu spalten, außerdem hielt er die Hungerstreiks für unsinnig, ja sogar für eine »Propagandalüge«. Daraufhin erklärte man Mahler, den »schleimscheißer«, den »marxausbeuter«, den »wilhelminischen wanst«, zum Verräter und schloss ihn offiziell aus der RAF aus.[21]

Mahler war auch nicht bereit gewesen, Kritik an sich selbst zu üben, wie das andere taten. »Ali« Jansen zum Beispiel, Ulrike Meinhofs meist betrunkener Begleiter in den ersten Monaten der Illegalität, klagte sich an, zu stumpf und unsensibel gewesen zu sein, so dass er die richtige Fähigkeit zum Kampf nicht entwickeln konnte. Und Irmgard Möller bekannte in der für das »Info« typischen abgehackten Sprache und Kleinschreibung: »in *allem*, was ihr jetzt ausgerottet habt, hab ich mich erkannt und immer noch versucht zu fliehn, abzuwehren, die fresse gehalten oder gesagt: ›ich hab gepennt‹ oder ›ich bin so langsam‹. aber das ist nicht wahr, war tarnung und löchrig genug. […] aber es geht nicht um fehler, es geht ums ganze. und das hat ne lange geschichte, weil ich bis heute, wie ich erst jetzt voll ticke, nicht *wirklich* fest entschlossen war. so sah auch die praxis aus: unentschlossen, ungenau, faul, lässig, undiszipliniert, blöde – die ganze latte.«[22]

Von jeder Kritik ausgenommen war eigentlich nur Andreas Baader. Ihm sah man es auch nach, dass er während des Hungerstreiks heimlich Hühnchenfleisch gegessen hatte.

Baader war einfach der Maßstab für ein revolutionäres Bewusstsein. Vor allem Gudrun Ensslin tat alles, um ihn als den »neuen menschen« darzustellen, der unbeugbar und unversöhnlich zum Äußersten entschlossen war. Ulrike Meinhof galt als »Stimme der RAF«. Darin lag sicher Bewunderung, aber auch ein Makel. Wie schon als *konkret*-Kolumnistin lag ihre Stärke eben im Schreiben. Man schätzte ihre scharf formulierten Erklärungen und ausführlichen politischen Analysen. Aber was in der RAF wirklich zählte, das war die existenzielle Entschlossenheit, mit dem alten Leben zu brechen. Und war Ulrike Meinhof nicht rückfällig geworden, als sie ihren Kindern Briefe geschickt hatte und sie hatte wiedersehen wollen?

Gudrun Ensslin nannte Ulrike Meinhof »Theres«, wahrscheinlich in Anspielung auf die Heilige Therese von Avila. Das war eine Aufforderung zur Selbstkritik, die Ulrike Meinhof bereitwillig annahm. Reuig bezeichnete sie sich als »Nonne«, weil sie ihre religiöse Erziehung und ihre Rolle als »Schoßkind« der herrschenden Klasse nicht habe restlos abtöten können. Und in selbstquälerischer Anklage fügte sie hinzu, sie sei eine »scheinheilige Sau der herrschenden Klasse, das ist einfach Selbsterkenntnis«.[23]

Am 10. September 1974 begann in Berlin der Prozess wegen der Befreiung von Andreas Baader im Mai 1972. Mitangeklagt war auch Ulrike Meinhof. Am dritten Tag gab sie bekannt, dass die Gefangenen der RAF aus Protest gegen die »Vernichtungshaft« in den Hungerstreik treten werden. Andreas Baader hatte schon vorher angekündigt, dass man diesmal länger aushalten wolle und er damit rechne, dass

270

»typen dabei kaputtgehen«. In den »Infos« erklärte er den Hungerstreik zur »heiligsten Waffe«, und jemand, der sich so zur Waffe seiner Politik mache, bewege sich »wie ein Projektil« auf seinen Tod zu.²⁴ Über die »Infos« wurden die Häftlinge auf dem Laufenden gehalten und Baader ließ sich genau über den Gewichtsverlust einzelner Genossen unterrichten. Manchmal war es auch nötig, an die Moral einiger Gefangener zu appellieren, deren Wille zu schwach war, um die Aktion durchzustehen. Als Irene Goergens, die ihrem Vorbild Ulrike Meinhof aus dem Berliner Mädchenheim in die RAF gefolgt war, wegen akuter gesundheitlicher Probleme den Hungerstreik abbrechen wollte, schrieb ihr Ulrike Meinhof: »denk an prinz – verflucht. wenn deine identität kampf ist, wenn du begriffen hast, dass es nur einen ausweg aus der äußersten defensive, in der wir sind, gibt, nur einen weg zum sieg – nämlich jetzt dieser hs – und auch nur einen für dich – wieso ›kannst‹ du dann nicht? Was ist das denn ›können‹? – wenn nicht die notwendigkeit einsehen und danach handeln, und du hast immer mehr kräfte, als du denkst. [...] wenn du sagst, du kannst den hs nicht, hast du praktisch schon aufgehört.«²⁵

Solche Appelle an die revolutionäre Moral hatte Holger Meins im Gefängnis in Wittlich nicht nötig. Er hielt seinen Hungerstreik eisern durch und konnte melden, dass es mit seinem Gewicht, trotz Zwangsernährung, rapide abwärts ging. Trotz seines schlechten Zustands war er noch stark genug, seinen Genossen Manfred Grashof mit Vorwürfen zu überhäufen, weil der kurzzeitig aufgehört hatte zu hungern. Am 1. November schrieb Meins im »Info«: »na ja. es stirbt allerdings ein jeder. frage ist nur wie und wie du gelebt hast und die sache ist ja ganz klar: KÄMPFEND GEGEN DIE SCHWEINE als MENSCH FÜR DIE BEFREIUNG DES MENSCHEN: revolutionär, im kampf – bei aller liebe zum leben: den tod verachtend. das ist für mich: dem volke dienen – raf.«[26]

Acht Tage später, am 9. November 1974, war Holger Meins tot. Er wog bei einer Körpergröße von 1,83 Meter noch 39 Kilogramm. Schon ein halbes Jahr vorher hatte er seinem Anwalt Klaus Croissant schriftlich erklärt, dass es im Fall seines Todes Mord gewesen sein werde, »gleich, was die Schweine behaupten werden«.

In der Zeitschrift *Stern* erschien ein zweiseitiges Foto vom toten Holger Meins, mit bärtigem, eingefallenem Gesicht und einem bis zum Skelett abgemagerten Körper. Dieses Foto war für viele ein Schock, wie schon früher das Bild von dem nackten, schreienden Mädchen in Vietnam. Vielen erging es auch wie Birgit Hogefeld, die beim Anblick des toten Holger Meins sofort an die KZ-Häftlinge und die Toten von Auschwitz denken musste. Und für sie gab es auch keinen Zweifel daran, dass Meins in der Haft systematisch ermordet worden war. Birgit Hogefeld stand damals kurz vor dem Abitur und sie wollte eigentlich Musik studieren. Doch das Foto vom toten Holger Meins änderte ihr Leben. Sie arbeitete mit in den »Komitees gegen Folter« oder in der »Roten Hilfe« und besuchte selbst die Häftlinge in den Gefängnissen. Die Radikalität der RAF-Leute entsprach ihrem eigenen Lebensgefühl. Sie wollte kein Leben führen, in dem sich alles um »Geld, Konsum, Karriere und Konkurrenz« drehte, und gleichzeitig stellte sie resigniert fest, dass in dem Land, in dem sie lebte, kein Platz war für andere Vorstellungen und »Utopien«.[27]

Die Konsequenz, die Birgit Hogefeld an den RAF-Leuten bewunderte, wurde nun auch von ihr verlangt. Die Gefangenen machten unmissverständlich klar, dass sie von ihren Anhängern mehr erwarteten als Solidarität, Besuche und die Versorgung mit Zeitschriften. Sie wollten aus den Gefängnissen befreit werden und drängten die Leute draußen, endlich geeignete Aktionen zu starten. Von der RAF war nach der Verhaftung der Gründungsmitglieder nicht mehr viel übrig. Erst allmählich formierte sich eine neue Generation. Sie hatte wenig Erfahrung mit dem Leben im Untergrund und war schlecht organisiert. Was sie einte, war das Ziel, die Gefangenen herauszuholen. Ohne Andreas, Ulrike, Gudrun und Jan glaubte man das »Konzept Stadtguerilla« nicht weiterführen zu können. Der aussichtsreichste Plan war, zusammen mit palästinensischen Freiheitskämpfern ein israelisches Flugzeug zu entführen und die Freilassung der Gefangenen in Stammheim zu erpressen. Mit den Vorbereitungen war man schon fast fertig, als die Aktion abgeblasen wurde.

Auch viele Mitglieder der militanten Vereinigung »Bewegung 2. Juni« saßen inzwischen im Gefängnis. In dieser Gruppe, die sich selbst als »ungeliebte, verwilderte Verwandte der RAF« verstand, hatten sich Leute zusammengefunden, die mit der verbissenen Radikalität der RAF-Kämpfer nichts anfangen konnten. Inge Viett etwa fühlte sich von den »Info«-Papieren eingeschüchtert und mochte es nicht, wie sich die Genossen von der RAF gegenseitig unter Druck setzten.[28] Über diese Differenzen hinweg hatte man jedoch trotzdem gemeinsame politische Ziele, und der Tod von Holger Meins, so schien es, ging alle etwas an.

Einen Tag nach Holger Meins' Tod wurde in Berlin der Kammergerichtspräsident Günter von Drenkmann in seiner Wohnung erschossen. Der Täter war als *Fleurop*-Bote ins Haus gelangt. Er gehörte zur »Bewegung 2. Juni«. Einige Wochen später feierten Mitglieder der Gruppe eine ausgelassene Silvesterparty und beratschlagten dabei, welchen prominenten Politiker sie entführen könnten. Die Wahl fiel auf den Berliner CDU-Vorsitzenden Peter Lorenz.

Am frühen Morgen des 27. Februar 1975 wurde der schwarze Dienst-Mercedes des Politikers von einem LKW gestoppt. Der Fahrer wurde niedergeschlagen und Lorenz in einen Kellerraum, »Volksgefängnis« genannt, gebracht. Die Entführer forderten die Freilassung von fünf Genossen aus den Gefängnissen, alle aus dem Umfeld des »2. Juni«. Horst Mahler, der Abtrünnige, hatte auch auf der Liste gestanden, aber er wollte nicht befreit werden. Der Pfarrer Heinrich Albertz, früherer Bürgermeister von Berlin, sollte die Freigelassenen im Flugzeug in den Jemen begleiten. Alle Forderungen wurden erfüllt. Der Abflug der Häftlinge und des Pastors wurden im Fernsehen live übertragen. Als Albertz aus dem Jemen zurückkam, wurde Peter Lorenz auf freien Fuß gesetzt.

Die Entführung des CDU-Politikers war für den »2. Juni« ein voller Erfolg gewesen, und offenbar fühlte sich jetzt auch die RAF ermuntert, endlich zur Tat zu schreiten. Eine sechsköpfige Gruppe, die sich als »Kommando Holger Meins« bezeichnete, stürmte am 24. April, kurz vor Mittag, die deutsche Botschaft in Stockholm. Die Botschaftsangehörigen wurden als Geiseln genommen. Von der deutschen Regierung forderte man, sechsundzwanzig politische Gefangene freizulassen und mit dem Flugzeug außer Landes zu bringen. Ganz oben auf der Liste standen Andreas Baader, Gudrun Ensslin, Ulrike Meinhof und Jan-Carl Raspe. Nach Ablauf des Ultimatums, so drohte man, werde man stündlich eine Geisel töten. Als die Polizei sich nicht weit genug zurückzog, erschossen die Geiselnehmer einen Botschaftsmitarbeiter. Gegen neun Uhr abends erhielten sie die Nachricht, dass der deutsche Krisenstab um Bundeskanzler Helmut Schmidt auf die Forderung nicht eingehen wolle. Daraufhin wurde der Wirtschaftsattaché Heinz Hillegaart am offenen Fenster von den Terroristen durch Kopfschuss getötet. Kurz vor Mitternacht kam es im Botschaftsgebäude zu einer riesigen Explosion. Wahrscheinlich waren die angebrachten Sprengladungen irrtümlich gezündet worden. Aus dem zerstörten und brennenden Gebäude retteten sich Opfer und Täter. Einer der Geiselnehmer, Ulrich Wessel, war bei dem Inferno ums Leben gekommen. Ein weiterer, Siegfried Hausner, starb später in der Intensivstation in Stammheim an seinen schweren Verletzungen.

Die Gefangenen der RAF hatten ihren Hungerstreik am 2. Februar beendet. Nach 145 Tagen Essensverweigerung und Zwangsernährung waren sie stark abgemagert. Baader und Raspe wogen nur mehr um die 50, Gudrun Ensslin und Ulrike Meinhof um die 40 Kilo. Mitte Dezember, kurz nach dem Tod von Holger Meins, waren Baader und Raspe nach Stammheim verlegt worden. Der Kern der Gruppe war nun im Hochsicherheitstrakt, im siebten Stock des Gebäudes. Von den normalen Gefangenen waren sie strikt getrennt. Für Horst Mahler war das eine Situation, die nur zur Eskalation beitrug und die auch die Staatsmacht unbedingt hätte verhindern sollen. Denn im Hochsicherheitstrakt, so meinte er, wäre die Gruppe wieder nur unter sich und jeder sei von früh bis spät dem Gruppendruck und den zermürbenden Analysen ausgesetzt.[29]

Der Hungerstreik hatte großen öffentlichen Wirbel verursacht. Ulrike Meinhof hatte dem weltberühmten französischen Philosophen Jean-Paul Sartre einen Brief geschrieben und der war auf Vermittlung des Rechtsanwalts Klaus Croissant nach Stammheim gekommen und hatte mit Andreas Baader gesprochen. In der anschließenden Pressekonferenz hatte Sartre Baader als einen Menschen geschildert, der ausgehungert und gefoltert aussehe und der aufrichtig versuche, seine Prinzipien in Taten umzusetzen, um eine neue Gesellschaft herbeizuführen. Baader selbst hatte das Treffen mit dem fast siebzigjährigen Philosophen als »völlig irre« erlebt. Nach dem Gespräch, das ohne Dolmetscher geführt worden war, konnte er nicht sagen, was Sartre überhaupt verstanden hatte. Auf ihn hatte Sartre einfach nur alt gewirkt.[30]

Bald nach dem Besuch des Philosophen hatte Ulrike Meinhof einen Brief vom Bundespräsidenten Gustav Heinemann erhalten, der sie zur Aufgabe des Hungerstreiks überreden wollte. Diese Vorstellung sei »zynisch und ausgeschlossen«, hatte sie in einem Schreiben geantwortet. Ulrike Meinhof hatte schon früher den bekennenden Christen Heinemann verächtlich als »Aufsichtsratsvorsitzenden des Jüngsten Gerichts« bezeichnet.[31]

Nach dem Ende des Hungerstreiks konnten sich die vier Stammheimer Häftlinge täglich für mehrere Stunden in eine Zelle zusammenschließen lassen. Gemeinsam mit ihren Anwälten, zu denen auch Otto Schily und Hans Christian Ströbele gehörten, bereiteten sie sich auf den bevorstehenden Prozess vor. Die Aufgabe, die den Anwälten dabei zukam, war eigentlich nicht zu erfüllen. Einerseits waren sie Vertreter des Rechts, andererseits wollten ihre Mandanten nichts vom »Jurscheiß« wissen und verlangten völlige Identifikation mit ihren politischen Überzeugungen. Manche Anwälte bekundeten auch mehr oder weniger offen ihre Sympathie mit der RAF, und ihre Solidarität ging so weit, dass sie die ein oder andere »Bestellung« ihrer Mandanten in die Haftanstalt schmuggelten. Wer zu solchen Beweisen seiner revolutionären Gesinnung nicht bereit war, galt eben als »liberaler Hosenscheißer« oder als »korrupte Ratte«, der die RAF an den Staatsapparat verkaufen wollte. Nach der Logik des Entweder-Oder gab es keine Vermittlung. Und wer die Weltsicht der RAF nicht teilte und dennoch ihre politischen Motive mitverhandeln wollte, der geriet seitens der Staatsschützer schnell in den Verdacht, ein »Sympathisant« zu sein. Die zwiespältige und zwielichtige Position der Anwälte hatte eine Verschärfung der Gesetze zur Folge. So wurden Klaus Croissant, Kurt Groenewold und Hans Christian Ströbele nicht mehr als Pflichtverteidiger von Andreas Baader zum Stammheimer Prozess zugelassen, weil man ihnen vorwarf, die kriminelle Vereinigung RAF unterstützt zu haben.

Am Mittwoch, dem 21. Mai 1975, begann das Verfahren gegen die führenden Köpfe der RAF. In den Zeitungen sprach man vom »Prozess des Jahrhunderts«. Jedenfalls waren die Sicherheitsvorkehrungen beispiellos. Das Gelände war von einem 2,50 Meter hohen Zaun umgeben, dahinter eine fast ebenso hohe Betonmauer. Überall patrouillierte berittene Polizei, eine Hundertschaft des Bundesgrenzschutzes war im Einsatz, auf den Dächern waren Soldaten zu sehen und Helikopter flogen über den Gebäuden. Auf dem Dach war ein Stahlnetz gespannt, um eventuelle Angriffe aus der Luft abzuwehren.

Wer das Prozessgebäude, die »Mehrzweckhalle«, betreten wollte, musste sich strengen Kontrollen unterziehen und mehrere Schleusen passieren. Alle bewegliche Habe wie Zigarettenschachteln und Diktiergeräte musste abgegeben werden, auch Kugelschreiber, nur ein Bleistift und ein Notizblock waren erlaubt. Ein englischer Journalist musste sogar seinen Beinverband entfernen.

Der Gerichtssaal war ein fast fensterloser Raum, mit Neonlicht beleuchtet. An der Decke konnte man die Heizungsrohre sehen. Nicht sehen konnte man dagegen die bewaffneten Polizisten auf einer Empore über dem Eingang. Das Publikum und die Journalisten saßen auf gelben Plastikstühlen. Vorne, an der Stirnseite des Saales, war das Podium für die Richter und die Vertreter der Bundesanwaltschaft. Links davon hatten die Pflichtverteidiger ihre Plätze. Ihnen gegenüber, auf der rechten Seite, saßen die Wahlverteidiger und darüber standen die schwarzen Lederstühle für die Angeklagten.

Kurz nach neun Uhr wurden die vier Angeklagten in den Saal geführt. Jeder mit Handschellen an einen Wachtmeister gekettet. Ulrike Meinhof hatte Jeans an und einen grauen Pullover. Ihre inzwischen wieder langen Haare hatte sie zu Zöpfen geflochten. Das wirkte jugendlich, aber ihr Gesicht verriet, dass sie nicht mehr jung war. Sie war im vergangenen Oktober vierzig Jahre alt geworden. Im November war sie wegen der Teilnahme an der Baader-Befreiung zu acht Jahren Gefängnis verurteilt worden. Im Stammheimer Prozess wurden ihr unter anderem Mitgliedschaft in einer »kriminellen Vereinigung«, mehrfacher Mord und versuchter Totschlag vorgeworfen.[32]

Bereits am ersten Prozesstag wurde klar, dass dies keine normale Verhandlung werden würde. Zwischen den Klägern und den Angeklagten gab es nicht die geringste gemeinsame Basis. Das Gericht unter dem Vorsitz des Richters Theodor Prinzing wollte die Taten der Gruppe als normale Verbrechen und Straftaten behandeln. Die Angeklagten wollten dagegen die politischen Gründe ihres Handelns verteidigen. Sie gaben lange Erklärungen ab, die aber für die Richter nichts mit der Sache zu tun hatten. Andererseits war für die Angeklagten die Sache der RAF nicht »justiziabel«. Die RAF sei ein »Stachel« im Polizeistaat BRD, so erklärten sie, darum sei es »total sinnlos«, ihre Politik vor diesem Gericht begründen zu wollen.[33]

Die Positionen schlossen sich gegenseitig aus und so kam es zu Szenen wie in einem absurden Theaterstück. Die Angeklagten wollten an der Verhandlung oft nicht mehr weiter teilnehmen, weil sie alles für eine Farce hielten oder weil sie glaubten, aufgrund der Isolationsfolter nur zeitweise verhandlungsfähig zu sein. Die Richter konnten das aus formalen Gründen nicht zulassen, und so beschimpften Andreas Baader und Gudrun Ensslin den Vorsitzenden Richter Prinzing so lange, bis der sie wirklich wegen Beleidigung des Gerichts von der Verhandlung ausschloss. Als man im August 1975 endlich mit der Vernehmung zur Person beginnen konnte, mussten die kurz vorher wieder einmal ausgeschlossenen Angeklagten von Justizbeamten in den Gerichtssaal getragen werden. Auch Ulrike Meinhof wurde von vier Beamten an Händen und Füßen hereingetragen.

»Frau Meinhof, bitte nehmen Sie Platz«, sagte der Vorsitzende.

»Ich denke nicht daran.«

»Sie denken nicht daran«, wiederholte der Vorsitzende. »Würden Sie wenigstens das Mikrofon benutzen, damit wir verstehen, was Sie zu sagen haben?«

»Ich will das gar nicht hören. Ich bin nicht in der Lage, mich zu verteidigen, und kann natürlich auch nicht verteidigt werden.«

»Wollen Sie sich zur Person äußern?«

»Unter diesen Umständen äußere ich mich nicht zur Person«, sagte sie. Sie wollte sich aus der Anklagebank drängen, wurde aber vom Wachpersonal zurückgehalten.

»Ich will gehen«, sagte sie.

»Sie haben die Pflicht, als Angeklagte hier zu bleiben.«

»Ich lass mich doch nicht zwingen, du Arschloch!«

»Frau Meinhof, ich stelle fest, dass Sie mich eben mit ›Arschloch‹, mit ›du Arschloch‹ angesprochen haben.«

»Nimmst du das vielleicht mal zur Kenntnis …«

Nachdem er sich mit seinen Kollegen beraten hatte, erklärte Richter Prinzing: »Die Angeklagte wird für den heutigen Verhandlungstag ausgeschlossen, weil sie den Vorsitzenden ›du Arschloch‹ genannt hat.«[34]

Nach Ulrike Meinhof wurden Andreas Baader und dann Gudrun Ensslin in den Saal gebracht. Auch sie mussten nicht lange bleiben, nachdem sie den Vorsitzenden als »faschistisches Arschloch« und als »altes Schwein« beschimpft hatten.

Im September kam ein unabhängiges Gutachten tatsächlich zu dem Schluss, dass die Angeklagten nur bedingt verhandlungsfähig seien. Daraufhin beschloss das Oberlandesgericht Stuttgart eine Auslegung des betreffenden Paragraphen, die es erlaubte, die Angeklagten für »verhandlungsunfähig« zu erklären und den Prozess ohne sie fortzuführen. Als der Vorsitzende Richter Prinzing diesen Beschluss verkündete, brach im Saal ein Tumult aus. Ulrike Meinhof nannte ihn ein »imperialistisches Staatsschwein«, und Gudrun Ensslins Verteidiger Otto Schily meinte empört: »Da haben Sie den Rechtsstaat wirklich ruiniert.«[35]

Es war den Gefangenen nun freigestellt, ob sie an den Verhandlungen teilnehmen wollten oder nicht. Meistens verzichteten sie darauf und blieben lieber in ihren Zellen. Dort hatten sie viele Bücher und Zeitungen, Fernseher, Schallplattenspieler und Radio. Baaders Zelle war immer in einem chaotischen Zustand. Er dachte nicht daran, aufzuräumen, und ließ überall seine Essensreste liegen. Ulrike Meinhofs Zelle glich mehr einem Redaktionsbüro. Auf dem Tisch stand eine Schreibmaschine und drumherum lagen Stapel von betipptem Papier.

Vor Weihnachten 1975 schrieben ihre Töchter noch einmal einen Brief an sie: »Liebe Mami! Nun sind wir 13, und es ist wieder Weihnachten ... Wir haben dir kein Weihnachtsgeschenk gemacht, weil wir ja gar nicht wissen, was dein Geschmack ist. Ob du es überhaupt annehmen und ob du es überhaupt bekommen würdest ... Wenn du etwas gerne von uns hättest, schreibe uns ... deine Bettina und deine Regine.«[36]

Ulrike Meinhof antwortete nicht auf diesen Brief. Nur für das »Info« schrieb sie, was sie sich wünschte, nämlich endlich »vom falschen, dem mist« befreit zu werden, um »cool« zu werden, nämlich »beziehungslos zu der scheiße«. Gehörten zu dieser »scheiße« nicht auch die Schuldgefühle, die sie befielen, wenn sie an ihre Töchter dachte? Es seien die »qual und die schuldgefühle der bürgerlichen«, die einem immer wieder in die Quere kommen und einen daran hindern, wirklich zu kämpfen, so hatte sie es im »Info« beschrieben. Vor allem war es die Angst, die Angst vor »verrat, bürgerlichkeit, kompromiss«. Darum musste man die Angst bekämpfen, denn sie sei es, so hatte sie beschwörend an die Adresse von Monika Berberich geschrieben, die alles verderbe. Erst wenn die Angst überwunden war, war Platz für die neue revolutionäre Moral, die nach Ulrike Meinhof nichts anderes kennt als »knarre, bewusstsein, kollektiv«. Und es sei leichter, im Kampf zu sterben, so hatte Andreas Baader gesagt, als diese Moral Stunde um Stunde, Tag um Tag zu beweisen.[37]

Ulrike Meinhof musste oft an eine Bemerkung von Gudrun Ensslin denken. Damals hatten sie in einem Winkel des Flurs auf dem Boden gesessen, wie sie es oft taten, wenn sie nicht von den Wärtern belauscht werden wollten. »Besitz loszuwerden ist schwer«, hatte sie gesagt, und sie hatte damit alles gemeint, was früher für sie wichtig gewesen war. Ulrike Meinhof fiel es wirklich schwer, ihren »Besitz« loszuwerden. »was ist, wenn das alte dominant wird – auch wenn man es nicht will«, hatte sie im »Info« wie nebenbei geschrieben.[38] Kein Fragezeichen hatte sie an das Ende des Satzes gesetzt, als traute sie sich nicht, so eine Frage überhaupt zu stellen.

Ihr »Besitz«, das waren die Gedanken an ihre Kinder und es war auch ihr journalistisches Talent, mit dem sie früher so viel Erfolg und Anerkennung geerntet hatte. Als »Stimme der RAF« wollte sie diese Anerkennung auch wieder in der Gruppe finden. Doch Gudrun Ensslin und Andreas Baader konnte sie mit diesen Fähigkeiten nicht imponieren. Sie beneidete die beiden, weil sie so unzertrennbar waren, weil es schien, als sei bei ihnen Liebe und Revolution eins. Sie selbst dagegen sah sich als »Drohne«, als Arbeitsbiene der RAF, die lange Erklärungen verfasste, einen »liebevollen Umgang« in der Gruppe forderte, aber letztendlich am Rande stand.

Dieser Neid war auch mit Wut verbunden. Wut auf die anderen, aber vor allem auf sich selbst. Ulrike Meinhof klagte sich an, dass sie versucht hatte, auf so bürgerliche Weise Anerkennung zu finden. Sie sei vor Andreas rumgekrochen, schrieb sie, »weil er 'n typ ist, demgegenüber ich keine konkurrenzkiste andrehen konnte – weil ihm gegenüber mein grips, auf den ich mir so viel einbildete, (als ›waisenkind‹, geschenkte klamotten, usw. – der dünkel) 'ne schablone mit nichts drauf ist.«[39] Noch stärker machte ihr zu schaffen, dass auch zwischen den Frauen, zwischen Gudrun Ensslin und ihr, diese Konkurrenz entstanden war und jede mit ihren Waffen kämpfte. »und so ist die wahrheit«, meinte sie, »dass mein ganzes unglück hier daraus bestand, dass ich g nicht kippen konnte – dass sie das nicht mit sich machen ließ.«[40]

Es gehörte zu der geforderten »Offenheit« in der Gruppe, dass man Probleme, die man miteinander hatte, rücksichtslos ansprach. Das sollte nie nur persönlich gemeint sein, sondern helfen, eigene, egoistische Motive zu durchschauen und sich selbst frei zu machen für die Ziele des Kollektivs. Aber offenbar konnte der Vorsatz, offen zu sein, nicht immer verhindern, dass man sich auch persönlich verletzt fühlte oder andere bewusst verletzte.

Besonders zwischen Gudrun Ensslin und Ulrike Meinhof scheint sich ein gnadenloser Kleinkrieg entwickelt zu haben, in dem sich beide bis aufs Blut reizten. Einmal tippte Gudrun Ensslin einen Brief von Ulrike Meinhof an einen Anwalt einfach neu und schrieb ihn teilweise um, ohne Ulrike vorher gefragt zu haben und ohne ihr die Änderungen zu zeigen. Anschließend schickte sie den Brief weg und ging zu Ulrike in die Zelle, um ihr von dieser Eigenmächtigkeit zu erzählen. Gudrun Ensslin gab auch zu, dass sie das nur getan habe, um Ulrike zu quälen, um ihr deren Quälereien heimzuzahlen. Gudrun Ensslin hielt Ulrike Meinhof für »elitär«, und sie konnte es nicht ausstehen, wenn sie das Gefühl hatte, von Ulrike von oben herab behandelt zu werden. Dann kochte sie vor Wut und wusste genau, mit welchen Gemeinheiten sie Ulrike besonders verletzen konnte. Ulrike Meinhof schrieb daraufhin: »das ist nicht mystisch, wenn ich sage, ich halte das nicht mehr aus. was ich nicht mehr aushalte, ist, dass ich mich nicht wehren kann. also es laufen n haufen sachen durch, ich sage nichts, aber ich knalle an die decke, über ihre gemeinheit und hinterhältigkeit. und es kommt mir so vor, als wäre das längst ein deal, den ich aber nicht mitmache. g weiss, dass ich nichts sage, wenn sie lügt. es bleibt auch dabei. aber – ich halte es nicht aus. wie soll ich ja zu mir kommen, wenn ich gleichzeitig gezwungen bin, mit dem schweinebild, das sie von mir im kopf hat, zu koexistieren.« An den Rand dieses Briefs schrieb Gudrun Ensslin mit der Hand: »wo, wann?« und »projektion paranoia schwein«.[41]

Die Gruppe trat nur noch selten geschlossen im Prozess auf. Am 13. Januar 1976 hatten sie eine 200 Seiten lange Erklärung abgegeben. Danach saßen sie erst am 4. Mai wieder vollzählig auf der Anklagebank. Allerdings nur kurz. Ulrike Meinhof blieb nur eine Viertelstunde und ließ sich dann wieder in ihre Zelle bringen. An diesem 106. Tag des Prozesses übernahmen die anderen Mitglieder der Gruppe die Verantwortung für die Sprengstoffanschläge auf die amerikanischen Kasernen in Frankfurt und Heidelberg. Von dem Anschlag auf das Springer-Hochhaus in Berlin distanzierten sie sich. Den Bekennerbrief zu dieser Aktion hatte Ulrike Meinhof verfasst. Eine Zeitung nannte dieses Verhalten von Baader, Ensslin und Raspe später einen »beispiellosen Akt der Entsolidarisierung«.[42]

Ulrike Meinhof arbeitete in ihrer Zelle weiter an ihren Schriften. Sie befasste sich mit der russischen Oktoberrevolution, mit der Geschichte der BRD und der SPD. Am Donnerstag, dem 6. Mai, erhielt sie Besuch vom italienischen Anwalt Giovanni Capelli, mit dem sie ein lebhaftes Gespräch hatte über die Roten Brigaden in Italien und über die Situation der Linken in Deutschland. Am nächsten Tag tippte sie einen Bericht über dieses Gespräch.

Am Samstag, dem 8. Mai 1976, war es sommerlich warm. Es war ein besonderer Tag, der Jahrestag des Kriegsendes. Vor einunddreißig Jahren war Deutschland vom Hitler-Faschismus befreit worden. Damals war Ulrike zehn Jahre alt gewesen und die letzten Bombenangriffe auf Jena lagen erst wenige Wochen zurück.

Am Nachmittag traf sich Ulrike Meinhof mit Andreas Baader, Gudrun Ensslin und Jan-Carl Raspe in der Sitzecke im Stockwerksflur. Beim späteren Hofgang war sie nicht dabei, angeblich sei es ihr zu heiß gewesen. Um 22 Uhr sammelte die Dienst habende Vollzugsbeamtin wie jeden Abend die Glühlampen aus den Zellen ein, das gehörte zu den

Sicherheitsmaßnahmen. Von ihrem Dienstzimmer aus hörte die Beamtin noch eine halbe Stunde lang das Geklapper der Schreibmaschine aus Ulrike Meinhofs Zelle. Dann war es ruhig.

Der folgende Sonntag war Muttertag. Als um 7.43 Uhr morgens zwei Beamte die Zelle 719 öffneten, fanden sie Ulrike Meinhof erhängt am Gitter des Zellenfensters. Der Gefängnisarzt konnte nur noch feststellen, dass sie schon längere Zeit tot war. Der Körper war schon ausgekühlt und starr.

Mittags wurde die amtliche Obduktion durchgeführt. Die Untersuchungen ergaben, dass Ulrike Meinhof »Selbstmord durch Erhängen« begangen habe. Eine Fremdeinwirkung schloss man aus. Eine erneute Obduktion zwei Tage später kam zu dem gleichen Ergebnis. Danach soll sich in der Nacht vom 8. auf den 9. Mai in der Zelle 719 Folgendes abgespielt haben: Ulrike Meinhof hatte ihr Bett von der Wand weggezogen und die Matratze unter das Zellenfenster gelegt, darauf hatte sie einen Stuhl gestellt. Dann hatte sie ein Handtuch in Streifen gerissen, daraus einen Strick gemacht und ihn sich eng um den Hals geknotet. Dann war sie auf den Stuhl gestiegen und hatte das andere Ende des Handtuchstricks am Zellenfenster befestigt.

Diese Darstellung wurde von vielen angezweifelt. Als der Prozess gegen die Baader-Meinhof-Gruppe am Dienstag, dem 11. Mai, fortgeführt wurde, meldete sich Jan-Carl Raspe zu Wort und sagte: »Wir glauben, dass Ulrike hingerichtet worden ist. Wir wissen nicht, wie, aber wir wissen, von wem, und wir können das Kalkül der Methode bestimmen.«

Die Zweifel an einem Selbstmord von Ulrike Meinhof führten im August 1976 zur Gründung einer »Internationalen Untersuchungskommission«, an der zahlreiche Wissenschaftler mitwirkten. In ihren Berichten wiesen sie auf Widersprüche und Ungereimtheiten in den medizinischen und kriminalistischen Untersuchungen zum Tod von Ulrike Meinhof hin. Und sie kamen zu dem Schluss, dass es keinen zweifelsfreien Beweis für einen Selbstmord gebe, dagegen aber sehr viele Hinweise darauf, dass Ulrike Meinhof bereits tot gewesen sei, als sie aufgehängt wurde. Es wurde sogar die Möglichkeit erwogen, dass in der fraglichen Nacht ein Spezialtrupp durch eine Geheimtür in den Gefängnistrakt gelangt war und sich Zugang zu ihrer Zelle verschafft hatte. Gegen einen Selbstmord sprach für die Kommission auch, dass nichts in Ulrike Meinhofs Verhalten vorher auf eine solche Tat hingedeutet und sie auch keinen Abschiedsbrief hinterlassen hatte.[43]

Als Ulrike Meinhofs Tod bekannt wurde, kam es an vielen Orten zu Demonstrationen. In Berlin zogen fast 400 Leute durch die Straßen und trugen Transparente, auf denen sie den angeblichen »Mord im Knast« anprangerten. In den darauf folgenden Tagen kam es in anderen europäischen Städten zu Anschlägen. Das Goethe-Institut in Toulouse brannte aus. In der nordfranzösischen Stadt Lille wurden auf den Ausstellungsraum des Autokonzerns VW Parolen geschmiert wie »Ulrike wird gerächt«. In Rom flogen Brandbomben in die Villa Massimo, den Sitz der Deutschen Akademie.

Die schwersten Ausschreitungen gab es in Frankfurt. Etwa 600 Demonstranten lieferten sich eine Straßenschlacht mit der Polizei. Straßenbarrikaden wurden errichtet und Molotow-Cocktails flogen gegen Polizeiautos. Dabei erlitt ein Polizist lebensgefährliche Verbrennungen.

Am 7. April 1977 erschoss ein »Kommando Ulrike Meinhof« den Generalbundesanwalt Siegfried Buback.

Am 28. April 1977 wurde im Stammheimer Prozess das Urteil verlesen. Die Angeklagten Andreas Baader, Gudrun Ensslin und Jan-Carl Raspe wurden in allen Punkten für schuldig erklärt und zu lebenslangen Freiheitsstrafen verurteilt.

Die Vorbereitungen für eine Befreiung der »Stammheimer« liefen zu dieser Zeit auf Hochtouren. Ein Prominenter sollte entführt werden, um die Gefangenen freizupressen. Der Versuch der RAF, den Bankier Jürgen Ponto in ihre Gewalt zu bringen, scheiterte. Bei dem Handgemenge in seinem Haus wurde Ponto erschossen.

Einen Monat später, am 5. September 1977, enführte ein Kommando der RAF in Köln den Präsidenten des Bundesverbandes der Deutschen Industrie und der Bundesvereinigung der Deutschen Arbeitgeberverbände Hanns Martin Schleyer. Sein Fahrer und drei Bewacher wurden dabei erschossen. Die Entführer verlangten die Freilassung der Gefangenen der RAF, darunter Baader, Ensslin und Raspe. Um diesen Forderungen noch mehr Nachdruck zu verleihen, wurde am 13. Oktober die Lufthansa-Boeing 737 »Landshut« mit 86 Passagieren an Bord von einem palästinensischen Kommando entführt. Nach Zwischenlandungen in Rom, Zypern, Bahrein und Dubai landete die Maschine am 17. Oktober in Mogadischu, der Hauptstadt Somalias. Noch vor Ablauf des letzten Ultimatums wurde die Maschine kurz nach Mitternacht von einer Spezialeinheit des deutschen Bundesgrenzschutzes, der GSG 9, gestürmt. Bis auf eine Frau, die schwer verletzt überlebte, wurden alle Mitglieder des palästinensischen Kommandos getötet, die Geiseln wurden befreit.

Am Morgen nach dieser Aktion wurden in Stammheim Andreas Baader, Gudrun Ensslin und Jan-Carl Raspe tot in ihren Zellen gefunden. Bei Baader und Raspe waren Pistolenschüsse in den Kopf die Todesursache. Die Waffen lagen neben ihnen. Gudrun Ensslin hing in einer Schlinge aus einem Radiokabel am Gitter des Zellenfensters. Die offiziellen Untersuchungen ergaben, dass die Gefangenen offenbar vom Ausgang der Geiselnahme in Mogadischu erfahren und sich daraufhin zum kollektiven Selbstmord entschlossen hatten.

Wie es ihnen möglich gewesen war, trotz Kontaktsperre eine Kommunikationsanlage zwischen den Zellen einzurichten, und wie die Pistolen in den Hochsicherheitstrakt gelangt waren, das konnte nie ganz geklärt werden. Wie schon beim Tod von Ulrike Meinhof wurde bei Genossen und Sympathisanten der Verdacht laut, dass die Gefangenen ermordet worden seien. Die Frage, ob Mord oder Selbstmord, wurde zur Glaubensfrage.

Einen Tag nach dem Tod der Stammheimer Häftlinge wurde die Leiche von Hanns Martin Schleyer im Kofferraum eines Autos gefunden. Seine Entführer hatten ihn mit drei Schüssen in den Kopf hingerichtet.

Der so genannte »Deutsche Herbst« 1977 war der Höhepunkt der Konfrontation zwischen der RAF und der Bundesrepublik Deutschland. Die Nachfolger von Baader, Meinhof, Ensslin, Meins und Raspe hatten mit äußerster Skrupellosigkeit versucht zu zeigen, dass der Staat doch verwundbar und erpressbar ist. Der Staat antwortete mit einer Reihe von Anti-Terror-Gesetzen, die grundsätzliche Rechte erheblich einschränkten und die teilweise bis heute noch wirksam sind.

Der Kampf zwischen RAF und der bundesdeutschen Gesellschaft ging weiter und forderte auf beiden Seiten Opfer. Bis Anfang der 90er Jahre ermordete die RAF führende Repräsentanten aus Politik und Wirtschaft, unter anderem den Siemens-Manager Karl-Heinz Beckurts, den Ministerialdirektor Gerold von Braunmühl, den Sprecher der Deutschen Bank Alfred Herrhausen und den Chef der Treuhand-Gesellschaft Detlev Carsten Rohwedder.

Horst Herold, von 1971 bis 1981 Präsident des Bundeskriminalamtes, zog im Mai 2000 folgende Bilanz der Auseinandersetzung: 67 Tote und 230 zum Teil schwer verletzte Menschen auf beiden Seiten; 500 Millionen Mark Sachschaden; viele Milliarden Mark Kosten zur Bekämpfung der RAF; 31 Banküberfälle mit einer Beute von insgesamt sieben Millionen Mark; 104 von der Polizei entdeckte konspirative Wohnungen; 180 gestohlene Pkw, dazu über eine Million sichergestellte Beweismittel wie Geld, Waffen, Sprengstoff, Ausweise; elf Millionen Blatt Ermittlungsakten; 517 Personen verurteilt wegen Mitgliedschaft in einer terroristischen Vereinigung, 914 verurteilt wegen deren Unterstützung.[44]

Neben diesen zählbaren Fakten sind die Folgen für die politische Kultur und das Rechtssystem in Deutschland viel schwerer einzuschätzen.

Im März 1998 erklärte die RAF oder das, was von ihr noch übrig geblieben war, ihre Auflösung. In dem Schreiben heißt es: »Wir stehen zu unserer Geschichte. Die RAF war der revolutionäre Versuch einer Minderheit, entgegen der Tendenz dieser Gesellschaft, zur Umwälzung der kapitalistischen Verhältnisse beizutragen [...]. Das Ende dieses Projekts zeigt, dass wir auf diesem Weg nicht durchkommen konnten. Aber es spricht nicht gegen die Notwendigkeit und Legitimation der Revolte. Die RAF ist unsere Entscheidung gewesen, uns auf die Seite derer zu stellen, die überall auf der Welt gegen Herrschaft und für die Befreiung kämpfen. Für uns ist diese Entscheidung richtig gewesen.«[45]

Am Schluss der Erklärung gedenken die Verfasser jener Genossinnen und Genossen, die sich entschieden haben, »im bewaffneten Kampf alles zu geben, und in ihm gestorben sind«. Darunter auch der Name von Ulrike Meinhof.

Epilog

[...]
»Erklär mir, Liebe, was ich nicht erklären kann:
sollt ich die kurze schauerliche Zeit
nur mit Gedanken Umgang haben und allein
nichts Liebes kennen und nichts Liebes tun?
Muß einer denken? Wird er nicht vermißt?

Du sagst: es zählt ein andrer Geist auf ihn ...
Erklär mir nichts. Ich seh den Salamander
durch jedes Feuer gehen.
Kein Schauer jagt ihn, und es schmerzt ihn nichts.«

Ingeborg Bachmann, *Erklär mir, Liebe*

Der Friedhof der Dreifaltigkeitskirche liegt im Berliner
Stadtteil Alt-Mariendorf, in der Eisenacher Straße. Die Straße ist beidseitig gesäumt von großen Kastanienbäumen, die
nun, Mitte Mai, weiße und rosa Blütenkerzen tragen. Auf
den Dächern der zwischen den Bäumen geparkten Autos liegen Blütenblätter.

Der Gehweg, ein unebenes Kopfsteinpflaster, führt zuerst
am Heilig-Kreuz-Friedhof vorbei. Gleich daran schließt sich
der Friedhof der Dreifaltigkeitsgemeinde an. Er gleicht einem Park mit altem Baumbestand: Kastanienbäume, Lin-
den, Kiefern, Buchen, Platanen.

Ich habe einen Plan bei mir und halte mich nach dem Eingangstor gleich links. Schon von weitem sehe ich die große Birke, die auch auf meinem Plan eingezeichnet ist. Die Gräber rund um den alten, knorrigen Baum stehen dicht an dicht, nur ein Grab liegt isoliert. Links und rechts davon ist ein breiter Streifen frisch gemähter Wiese. Es sieht aus, als ob die anderen Toten nicht zu nahe kommen wollten. Es ist das Grab Nummer 3A-012-019, auf einer schrägen Steinplatte steht mit Kleinbuchstaben »ulrike marie meinhof«, darunter das Geburts- und das Todesdatum: 7.10.1934 – 9.5.1976.

Die Grabstätte ist erst kürzlich neu gestaltet worden. Früher war sie eingefasst von einer dichten, kniehohen Hecke wie von einer Mauer. Jetzt ist die Hecke ersetzt durch lange Steinplatten, die das Grab ebenerdig einrahmen. Am Fußende liegt eine ungeformte, ungeschliffene Steinplatte wie die Türschwelle zu einem Haus. Das Ganze wirkt nun offener, als gäbe es nichts mehr zu verbergen.

Narzissen, Stiefmütterchen, violettes Heidekraut und weißer Steinbrech sind auf dem Grab eingepflanzt. Im Eck steht eine kleine Trauerweide, deren Zweige sich nach unten biegen wie das Wasser eines Springbrunnens. Jemand hat ein kleines Glas in die Erde gedrückt, darin steckt ein Fliederzweig. Neben der Namenstafel eine schmale Plastikvase mit einer roten Rose darin. Und auf der Tafel liegt ein kleiner verblühter Strauß Vergissmeinnicht.

Auf den Tag genau vor sechsundzwanzig Jahren ist Ulrike Meinhof hier begraben worden, am 15. Mai 1976, einem Samstag. Kein anderer Friedhof in Berlin wollte sie aufnehmen. Nur die Dreifaltigkeitsgemeinde war dazu bereit, gegen den vehementen Protest vieler Gemeindemitglieder. Wie stark bei vielen Bürgern der Hass auf diese Frau war, zeigt eine »Todesanzeige«, die ein Steuerberater »im Namen gleichgesinnter Steuerzahler« in der *Oberhessischen Presse* aufgab: »Wir danken Ulrike Meinhof für ihren Entschluss, aus dem Leben zu scheiden.« Und in der gleichen Zeitung wurde die Zuschrift einer Leserin abgedruckt, die erklärte: »Ein Mitgefühl ist bei dieser Person nicht aufzubringen.«

Für die fast 5000 Menschen, die sich an jenem Samstag auf und um den Mariendorfer Friedhof versammelt hatten, war Ulrike Meinhof eine Märtyrerin, ein Vorbild. Viele unter ihnen waren vermummt oder hatten ihre Gesichter kalkweiß geschminkt, mit einem schwarzen Kreuz auf der Stirn. Über Lautsprecher erschollen Kampflieder, »Venceremos«-Gesänge und Lieder von Wolf Biermann. Fäuste wurden in die Luft gereckt, schwarze und rote Fahnen geschwenkt und Transparente entrollt. »Wir tragen Trauer und Wut, die wir nicht verlieren«, hieß es auf einem.[1]

Die Trauergäste saßen und standen auf den Grabsteinen, manche waren auf die Bäume geklettert. Einige Presseleute waren mit ihren Kameras auf Grabsteine gestiegen, um einen besseren Blick zu haben. Ein älterer Mann trat an das noch leere Grab, hob seinen Spazierstock und rief: »Es lebe die Weltrevolution. Ulrike, dein Tod wird gerächt.«

Der mit einem Fliederstrauß geschmückte Sarg wurde von der Friedhofshalle zum Grab gefahren, begleitet von Ulrike Meinhofs Schwester Wienke und einigen Rechtsanwälten. Bettina und Regine Röhl waren nicht gekommen. Ihr Vater, Klaus Rainer Röhl, hatte das nicht gewollt.

Am offenen Grab wurden Reden gehalten. Für den Anwalt Klaus Croissant war Ulrike Meinhof ein Opfer des
»Vernichtungskrieges« des Staates gegen die Rote Armee
Fraktion. Versöhnlicher sprach Croissants Kollege Otto
Schily, der meinte, der Tod und das Leiden von Ulrike Meinhof mögen ein »Zeichen für die Hoffnung der Menschheit«
sein. Dann trat Klaus Wagenbach nach vorne. Er zeichnete
den politischen Lebensweg der Verstorbenen nach, ihr Engagement in der Atomtod-Kampagne, ihren Protest gegen die
Große Koalition, gegen den Vietnam-Krieg, gegen die »phy-
sischen Kosten des Kapitalismus«. »Was Ulrike Meinhof
umgebracht hat«, so Wagenbach, »waren die deutschen Verhältnisse.« Und er zitierte die Zeilen von Bert Brecht: »Ach,
wir / Die wir den Boden bereiten wollten für Freundlichkeit
/ Konnten selber nicht freundlich sein.«[2]

Der greise Theologe Helmut Gollwitzer war der einzige
Geistliche, der am Grab von Ulrike Meinhof sprechen durfte. Doch was er zu sagen hatte, wollten die meisten nicht hören. Seine Worte wurden von Pfiffen, Gelächter und Zwi-
schenrufen begleitet. Gollwitzer nannte Ulrike Meinhof ein
»Kind Gottes«, und er beschrieb sie als einen Menschen, der
sich das Leben dadurch schwer gemacht hat, dass er das
Elend anderer Menschen sich so nahe gehen ließ. Als Gollwitzer sagte, die Verstorbene sei mit ihrem Tod in die Liebe
Gottes eingegangen, schrien einige »Aufhören!« oder
»Schluss! Stecker raus!«. Gollwitzer warnte eindringlich davor, Ulrike Meinhofs Tod zu verdinglichen, ihre »Selbstauf-
gabe« in Rache und neue Gewalt zu verkehren.

Die Aufmerksamkeit wurde bald vom Grab weggelenkt

zu einem Lautsprecherwagen, der auf der Eisenacher Straße stand. Weithin hörbar verbreiteten zuerst kommunistische Gruppen ihre politische Propaganda und dann wurden Reden und Solidaritätstelegramme verlesen. Als Letztes hallte die Beileidsadresse des Dichters Erich Fried über den Friedhof. Er nannte Ulrike Meinhof die »größte deutsche Frau nach Rosa Luxemburg«.

Nach eineinhalb Stunden war die Beerdigung zu Ende und die Menge formierte sich zu einem Protestmarsch in die Innenstadt. Zurück blieben auf dem Friedhof der Dreifaltigkeitsgemeinde tausende von Zigarettenkippen, viele Flugblätter – und ein frisches Grab.

Sechsundzwanzig Jahre später ist es auf dem Dreifaltigkeitsfriedhof ruhig und friedlich. Ich scheine der einzige Besucher zu sein. Nur Vögel sind zu hören und das Wummern der Bässe aus einem Auto, das auf der Eisenacher Straße vorbeifährt. Es ist seltsam, an einem Grab zu stehen. Man denkt, man müsse besinnliche Gedanken haben oder ein Gebet sprechen. Aber das gelingt mir nicht. Mir geht nur immer ein Satz durch den Kopf, der nach Ulrike Meinhofs Tod in einem Kommentar der Londoner *Times* gestanden hatte: »The end of a wasted life is always sad.« – Das Ende eines vergeudeten Lebens ist immer traurig.[3]

Mir fällt der Blumenladen ein, den ich am Eingang zum benachbarten Heilig-Kreuz-Friedhof gesehen habe. Ich laufe los, ich fürchte, dass er schon geschlossen hat. Der Besitzer des Ladens ist gerade dabei, seine Blumenkübel und die Topfpflanzen in das kleine Geschäft zu räumen. Er ist mürrisch, verkauft mir aber noch zwei Rosen, eine gelbe und eine rosafarbene. Am Grab stecke ich sie zu der roten Rose neben der Namenstafel. Ursprünglich sollte auf dem Grabstein ein Spruch eingraviert werden: »Freiheit ist nur im Kampf um Befreiung möglich.« Die Friedhofsverwaltung hat das aber nicht erlaubt. Einige Wochen nach der Beerdigung klebten dann Sympathisanten diesen Satz mit roten Buchstaben auf die Namenstafel.[4]

Die roten Klebebuchstaben sind längst wieder abgefallen. Und zur Wallfahrtsstätte ist Ulrikes Grab nicht geworden. Sehr selten hat man Besucher gesehen. Vergessen wurde Ulrike Meinhof aber nicht. Im Gegenteil, sie wurde zu einer »Ikone der radikalen Linken«, die sie als Vordenkerin des »bewaffneten Kampfes«, als Märtyrerin »ohne Fehl und Tadel« verehrten.[5] Zu ihrem zwanzigsten Todestag fand am 3. Mai 1996 im Auditorium Maximum der Technischen Universität Berlin eine Veranstaltung statt. Ehemalige Weggefährten wollten, jenseits aller Klischees, an eine Ulrike Meinhof erinnern, wie sie wirklich war. Die Erinnerungen blieben aber merkwürdig blass und kamen selbst nicht über Klischees hinaus. Sie sei eine Frau gewesen, hieß es, die sensibler als andere auf die politische Entwicklung reagiert hat und andere faszinierte, weil sie sich entschlossen hatte, mehr zu tun, als nur zu reden und zu schreiben. Monika Berberich gab immerhin zu bedenken, dass der Tod von Ulrike eine notwendige Kritik am Konzept der RAF erschwert habe. Und diese Kritik hätte auch bedeutet, eine Niederlage einzuräumen.

Viele Linke betrachteten Ulrike Meinhof als Teil ihrer politischen Geschichte und fühlten sich vorrangig berechtigt, das Gedächtnis an sie wach zu halten und ihr politisches Erbe zu verwalten. Entsprechend groß war die Skepsis, als auch Kunst und Literatur sich mit Ulrike Meinhof zu beschäftigen begannen. Ihr Schicksal und ihre Person wurden Vorlage für Theaterstücke und 1989 wurde im belgischen Gent eine Oper uraufgeführt mit den Titel *Ulrike, eine antike Tragödie.*

Ein ganz eigenes Bild von Ulrike Meinhof hatte ein Jahr zuvor der Maler Gerhard Richter gezeigt. Er hatte Pressefotos von RAF-Mitgliedern zur Vorlage genommen für eine Serie von Gemälden, die unter anderem die tote Ulrike Meinhof abbildeten: mit dem Hinterkopf auf dem Boden liegend, die Male der Strangulation am Hals. Die Bilder wirken realistisch wie Fotos, zugleich sind sie verfremdet, und je mehr man versucht, Genaueres zu erkennen, umso unwirklicher und unfassbarer werden die dargestellten Personen. Diese Bilder waren ein Schock und lösten heftige Kritik aus. Richter wurde vorgeworfen, er verharmlose den Schrecken und er entpolitisiere die historischen Motive. Richter wollte nach seinen eigenen Worten versuchen, anders mit dieser Geschichte umzugehen, »angemessener«. Ihn interessierte die »ungeheure Kraft, die erschreckende Macht, die eine Idee hat, die bis zum Tode geht«. Diese Radikalität kenne auch die Kunst, nur sei sie dort eben nicht tatsächlich, sondern künstlich. Und zu dem Vorwurf, er sei ein zynischer Könner, der kein Recht habe, solch ein Thema anzupacken, meinte Richter: »Das ist doch absurd. Das ist, als hätte ich kein Recht zu leiden.«[6]

Neben dem Brunnen am Friedhofsausgang stehen drei grüne Plastikgießkannen. Zwei sind mit Vorhängeschlössern an einer Eisenstange festgemacht. Ich nehme die freie und hole Wasser für die schmale Vase mit den Rosen darin. Mit dem restlichen Wasser gieße ich das Grab. In den nächsten Tagen soll es sonnig werden, und wer weiß, wann wieder jemand zum Gießen vorbeikommt.

Mein Blick bleibt wieder hängen an der Namenstafel mit den Kleinbuchstaben: ulrike marie meinhof. Ich wäre ihr gern noch näher gekommen, hätte sie gern besser verstanden. Aber irgendwann hatte ich das Gefühl, als ob sie immer undeutlicher wird. Ich dachte, es liegt daran, dass ich zu wenig über sie weiß und mehr Material, mehr Informationen zusammentragen muss. Also sammelte ich noch mehr Material, las noch mehr, wechselte noch mehr Briefe. Aber dann merkte ich, dass das alles keine Frage der lückenlosen Recherche ist. Noch so viele Bücher, Artikel, Briefe, Gespräche hätten mir nicht weitergeholfen. Es war einfach so, dass sie allmählich verschwunden ist. Und zurück blieb ein Netz von Gedanken, so eng und fest, dass ich sie dahinter kaum mehr sehen konnte. Nur manchmal ist sie wieder sichtbar geworden und jedes Mal kam es mir dann vor wie ein Kampf zwischen ihr und diesen Gedanken. Die Gedanken haben gewonnen.

Zeittafel

1934   Am 7. Oktober wird Ulrike Marie Meinhof in Oldenburg geboren. Sie ist nach ihrer Schwester Wienke das zweite Kind des Kunsthistorikers Dr. Werner Meinhof und seiner Frau Ingeborg, geb. Guthardt.

1936–1939 Im Frühjahr 1936 zieht die Familie nach Jena, wo Werner Meinhof die Stelle des Direktors des Stadtmuseums antritt. Am 7. Februar 1940 stirbt Werner Meinhof an einer Krebserkrankung. Ingeborg Meinhof beginnt ein Studium, um später als Lehrerin die Familie ernähren zu können.

1940–1945 An der Universität in Jena lernt Ingeborg Meinhof die junge Studentin Renate Riemeck kennen, die später in das Haus der Meinhofs zieht. Im Frühjahr 1944 machen beide Frauen ihr Staatsexamen. Kurz darauf wird Jena nach schweren Bombardements von amerikanischen Truppen eingenommen und dann der sowjetischen Militärregierung übergeben. Die Familie Meinhof und Renate Riemeck flüchten in den Westen, in das bayerische Bad Berneck.

1946–1952 Ingeborg Meinhof und Renate Riemeck unterrichten kurzzeitig an der Volksschule von Bad Berneck und ziehen dann weiter nach Oldenburg, wo sie ihr zweites Staatsexamen ablegen. Ulrike besucht die katholische Liebfrauenschule in Oldenburg, die von den Schwestern »Unserer Lieben Frau« geleitet wird.
Am 2. März 1949 stirbt Ingeborg Meinhof nach einer Krebserkrankung und Renate Riemeck übernimmt die Vormundschaft für Wienke und Ulrike. Um sich besser

um ihre Pflegekinder kümmern zu können, nimmt sie im Herbst 1952 eine Professur am Pädagogischen Institut im hessischen Weilburg an. Ulrike kommt an das dortige Gymnasium, das Philippinum.

1952–1955 Während Renate Riemeck die politische Entwicklung in der BRD aufmerksam verfolgt, lebt Ulrike in ihrem »Elfenbeinturm literarisch-wissenschaftlicher Interessen« und hat erste Affären mit Männern. Im Frühjahr 1955 macht sie ihr Abitur und schreibt sich an der Universität in Marburg für die Fächer Psychologie, Pädagogik, Soziologie und Germanistik ein. Ihr Ziel ist, Lehrerin zu werden.

1955–1961 In den ersten Semestern widmet sich Ulrike ganz ihrem Studium und plant eine Doktorarbeit. Sie verlobt sich mit dem Physikstudenten Lothar Wallek. Die Diskussion um die Ausrüstung der Bundeswehr mit Atomwaffen weckt ihr politisches Interesse. Sie wechselt zum Wintersemester 1957/58 an die Universität Münster und wird Sprecherin eines Anti-Atom-Ausschusses. Am 20. Mai 1958 ist sie Rednerin auf einer Kundgebung gegen Atomwaffen. Durch ihr politisches Engagement lernt sie den Herausgeber der Studentenzeitschrift *konkret*, Klaus Rainer Röhl, kennen. Ulrike Meinhof wird Mitarbeiterin bei *konkret* und ist ab Januar 1960 Chefredakteurin der Zeitschrift. Ende Dezember 1961 heiratet sie Klaus Rainer Röhl.

1962–1968 Bei der schwangeren Ulrike Meinhof treten Sehstörungen auf. Es besteht Verdacht auf einen Gehirntumor. Im September 1962 wird sie per Kaiserschnitt von Zwillingen entbunden. Danach unterzieht sie sich einer Gehirnoperation. Der befürchtete Tumor stellt sich als Kavernom, als harmlose Geschwulst, heraus.

Ulrike Meinhof erholt sich nur sehr langsam. Sie zieht sich aus der redaktionellen Arbeit bei *konkret* zurück, schreibt aber weiterhin ihre Kolumnen: gegen ehemalige Nazis, die in der BRD Karriere machen, gegen die von der Adenauer-Regierung geplanten Notstandsgesetze, gegen den Verteidigungsminister Franz Josef Strauß.

Im Juni 1964 wird die Finanzierung von *konkret* aus dem Osten abrupt eingestellt. Klaus Rainer Röhl kann die Zeitschrift retten, indem er aus ihr ein politisches Sex-Magazin macht. Ulrike Meinhof bleibt Kolumnistin, schreibt aber nun auch erfolgreich für Rundfunk und Fernsehen. Sie wird zum gefeierten Star in der linken Hamburger Schickeria. Als Klaus Rainer Röhl eine Affäre mit einer anderen Frau hat, verlässt sie ihn und zieht mit den beiden Kindern Anfang 1968 nach Berlin.

1968–1970 Ulrike Meinhof sucht Kontakt zur APO, der außerparlamentarischen Opposition. Mit ihren Artikeln unterstützt sie die Gesellschaftskritik der rebellierenden Studenten. Darüber hinaus schildert sie in ihren Hörfunkfeatures und Dokumentarfilmen die Situation gesellschaftlicher Außenseiter wie Heimkinder und Mädchen in Fürsorgeheimen.

Nach dem Attentat auf Rudi Dutschke am 11. April 1968 nimmt sie an den Demonstrationen gegen den Springer-Verlag teil. Sie lernt Andreas Baader und Gudrun Ensslin kennen, die am 2. April 1968 in einem Frankfurter Kaufhaus einen Brandsatz gelegt haben und dafür zu drei Jahren Gefängnis verurteilt werden. Baader und Ensslin setzen sich ins Ausland ab und finden nach ihrer Rückkehr im Februar 1970 kurzzeitig Unterschlupf in Ulrike Meinhofs Berliner Wohnung. Sie wollen zusammen mit dem Anwalt Horst Mahler eine bewaffnete Gruppe aufbauen. Als Andreas Baader verhaftet wird, will Ulrike Meinhof bei seiner Befreiung mitwirken. Bei der Befreiungsaktion am 14. Mai 1970 in einer Bibliothek wird ein Angestellter verletzt und Ulrike Meinhof flieht mit den anderen. Sie wird steckbrieflich gesucht und lässt ihre Kinder bei Freunden verstecken. Später werden die Mädchen heimlich nach Sizilien gebracht.

1970–1972 Die Mitglieder der so genannten »Baader-Meinhof-

Gruppe« setzen sich im Juni 1970 nach Jordanien ab und lassen sich in einem Lager der »El Fatah« zu Stadtguerillas ausbilden. Nach ihrer Rückkehr im Herbst begehen sie mehrere Banküberfälle und weiten ihre Aktivitäten auf Westdeutschland aus. Ulrike Meinhofs vorrangige Aufgabe ist es, Unterkünfte zu finden. Nur knapp entgeht sie dem immer enger werdenden Fahndungsnetz. Im April 1971 erscheint ein Strategiepapier der Gruppe, das *Konzept Stadtguerilla*. Darin nennt sie sich nun »Rote Armee Fraktion« (RAF). Maßgebliche Verfasserin ist Ulrike Meinhof.

Im Mai 1972 verübt die RAF in der BRD mehrere Sprengstoffanschläge, für die sie in Erklärungen die Verantwortung übernimmt. Nach Großfahndungen wird im Juni der harte Kern der RAF festgenommen. Ulrike Meinhof wird am 15. Juni 1972 nahe Hannover in der Wohnung eines Lehrers verhaftet.

1972–1976 Die ersten Monate ihrer Haft verbringt sie im Gefängnis Köln-Ossendorf, in einer isolierten Zelle. Gegen die Haftbedingungen protestieren die RAF-Häftlinge mit Hungerstreiks. Es gelingt ihnen auch, ein Informationssystem aufzubauen.

Ulrike Meinhof wechselt zunächst Briefe mit ihren Kindern. Die Zwillinge besuchen sie öfters in der Haftanstalt. Im Herbst 1973 bricht sie den Kontakt zu ihren Töchtern unvermittelt ab. Ende April 1974 wird sie in die Strafvollzugsanstalt Stammheim verlegt, wo auch Gudrun Ensslin, Andreas Baader und Jan-Carl Raspe einsitzen.

Am 21. Mai 1975 beginnt der Prozess gegen die führenden Köpfe der RAF in Stammheim. In einem separaten Verfahren wurde Ulrike Meinhof schon zuvor wegen ihrer Beteiligung an der Baader-Entführung zu acht Jahren Freiheitsstrafe verurteilt.

Gegen die Absicht der Richter, den Fall rein strafrechtlich zu behandeln, wollen die Gefangenen und ihre Anwälte ihre Taten politisch rechtfertigen. Ulrike Meinhof gilt dabei als »Stimme der RAF«. Die geforderte Offenheit in der Gruppe führt auch zu internen Auseinandersetzungen.

Am 9. Mai 1976 wird Ulrike Meinhof erhängt in ihrer Zelle aufgefunden.

Bibliographie (Auswahl)

Texte von Ulrike Meinhof

Ulrike Marie Meinhof, Deutschland, Deutschland unter anderem. Aufsätze und Polemiken, Berlin: Wagenbach 1995
Ulrike Marie Meinhof, Die Würde des Menschen ist antastbar. Aufsätze und Polemiken, Berlin: Wagenbach 1995
Ulrike Meinhof, Dokumente einer Rebellion. 10 Jahre *konkret*-Kolumnen (hrsg. von Klaus Rainer Röhl, Hajo Leib), Hamburg: konkret-Verlag 1972
Ulrike Meinhof/Jürgen Seifert, Unruhe in der Studentenschaft, in: *Blätter für deutsche und internationale Politik*, Heft 7/1958
Ulrike Marie Meinhof, Heimkinder in der Bundesrepublik / Aufgehoben oder abgeschoben? In: *Frankfurter Hefte*. Zeitschrift für Kultur und Politik, Nr. 9/1966
Ulrike Marie Meinhof: Falsches Bewußtsein, in: Christa Rotzoll (Hrsg.), Emanzipation und Ehe, München: Delp 1968
Ulrike Marie Meinhof, Revolutionsgerede, in: Hans Dollinger (Hrsg.), Revolution gegen den Staat? Die außerparlamentarische Opposition – die neue Linke, Bern, München: Rütten + Loening 1968
Ulrike Marie Meinhof, Bambule, Fürsorge – Sorge für wen?, Berlin: Wagenbach 1994 (mit einem Nachwort von Klaus Wagenbach und einem Bericht von Eberhard Itzenplitz über die Filmarbeit mit Ulrike Meinhof)
Letzte Texte von Ulrike, herausgegeben vom Komitee zur Verteidigung politischer Gefangener in Westeuropa, Eigendruck im Selbstverlag, Juni 1976
Ulrike Meinhof, Zerstörte Fighter. Letzte Aufzeichnungen aus der Zelle, in: *Neues Forum*, Nr. 23/1976, Heft 271/272, S. 4–14

Zu Ulrike Meinhof

Bauer, Markus, »Zwischen den Kriegen«. Ulrike Meinhof, in: ders.: Passage Marburg. Ausschnitte aus vierundzwanzig Lebenswegen, Marburg: Jonas 1994, S. 241–251

Brückner, Peter, Ulrike Marie Meinhof und die deutschen Verhältnisse, Berlin: Wagenbach 1995

Der Tod Ulrike Meinhofs. Bericht der Internationalen Untersuchungskommission, Münster: Unrast 1996

Dericum, Christa, Ulrike Meinhof, 1934–1976, in: *Freibeuter*, Nr. 67/1996, S. 3–8

Koulmasis, Timon, Was bleibt? Hinterbliebenes zu meinem Film »Ulrike Marie Meinhof«, in: *Freibeuter*, Nr. 67/1966, S. 9–26

Krebs, Mario, Ulrike Meinhof. Ein Leben im Widerspruch, Reinbek bei Hamburg: Rowohlt 1988

Müller, Helmut-Gerhard, Die Christin und Pädagogik-Studentin Ulrike Marie Meinhof in Marburg, in: Frauen in Marburg, hrsg. vom DGB Kreis Mittelhessen - Büro Marburg in Zusammenarbeit mit der Frauenbeauftragten der Stadt Marburg, Marburg: BdWi-Verlag 1996, S. 109–119

Riemeck, Renate, »Von den Verächtlichen getötet zu werden ist das Schlimmste«, in: *Freitag*, Nr. 19, 3. Mai 1996, S. 3

Riemeck, Renate, Wahres über Ulrike, in: Ulrike Meinhof. Dokumente einer Rebellion, hrsg. von Klaus Rainer Röhl und Hajo Leib, Hamburg: konkret-Verlag 1972, S. 103–107

Röhl, Bettina, Mythos Ulrike Meinhof. Ein persönlicher Nachruf von ihrer Tochter, in: *Stern* Nr. 29/1976, S. 18 f.

Röhl, Bettina, Unsere Mutter – »Staatsfeind Nr. 1«, in: *Der Spiegel*, Nr. 29/1995

Rotzoll, Christa, Politische Frauen: die Boveri, die Meinhof, in: Christa Rotzoll, Frauen und Zeiten, München: dtv 1991

Sanders-Brahms, Helma, Ulrike, in: Chr. Landgrebe/Jörg Plath (Hrsg.), '68 und die Folgen. Ein unvollständiges Lexikon, Berlin: Argon 1998

Wunderlich, Dieter, Ulrike Meinhof (1934–1976), Moral und Terror, in: Dieter Wunderlich, EigenSinnige Frauen: zehn Portraits, Regensburg: Pustet 1999

Gespräch über Christentum und Sympathie. [Gespräch über Reinhild Traitlers Aufsatz »Liebe Ulrike Meinhof« sowie ihr Gedicht »Epitaph für Ulrike Meinhof«, beide erschienen in *Neue Wege* 9/1986], in: *Einspruch*, 1/1987, S. 42–46

68er Bewegung, Terrorismus, RAF

Adorno, Theodor W., Minima Moralia, Frankfurt am Main: Suhrkamp 1983

Aust, Stefan, Der Baader Meinhof Komplex, München: Goldmann 1998

Backes, Uwe, Bleierne Jahre. Baader-Meinhof und danach, Erlangen, Bonn, Wien: Straube 1991

Bakker Schut, Pieter H., Stammheim. Der Prozeß gegen die Rote Armee Fraktion, Kiel: Neuer Malik Verlag 1989

Bartsch, Günter, Anarchismus in Deutschland, Bd. II/III, Hannover: Fackelträger 1973

Becker, Bärbel (Hrsg.), Wild Woman. Furien, Flittchen, Flintenweiber. Berlin: Elefanten Press 1992

Becker, Jillian, Hitlers Kinder?, Frankfurt am Main: Fischer 1978

Blanke, Bernhard, Die Linke im Rechtsstaat, Bd. 2: Bedingungen und Perspektiven sozialistischer Politik von 1965 bis heute, Berlin: Rotbuch 1979

Botzat, Tatjana/Kidorlen, Elisabeth/Wolff, Frank, Ein deutscher Herbst, Zustände, Dokumente, Berichte, Kommentare, Frankfurt am Main: Neue Kritik 1978

Breloer, Heinrich, Todesspiel. Von der Schleyer-Entführung bis Mogadischu, Köln: Kiepenheuer & Witsch 1997

Brosch, Peter, Fürsorgeerziehung, Heimterror und Gegenwehr, Frankfurt am Main: Fischer 1971

Butz, Peters, Terrorismus in Deutschland, Stuttgart: Deutsche Verlags-Anstalt 1991

Die Ära Adenauer. Einsichten und Ausblicke, Frankfurt: Fischer 1964

Dietz, Gabriele/Schmidt, Maruta/Honkomb, Anne/Schmiel, Elvira,

Klamm, Heimlich & Freunde. Die siebziger Jahre, Berlin: Elefanten Press 1987

Dollinger, Hans, Revolution gegen den Staat? Die außerparlamentarische Opposition – die neue Linke, Bern, München, Wien: Rütten + Loening 1998

Dutschke/Bergmann/Lefèvre/Rabehl, Rebellion der Studenten oder Die neue Opposition, Reinbek bei Hamburg: Rowohlt 1968

Elias, Norbert, Studien über die Deutschen, Frankfurt am Main: Suhrkamp 1989

Fichter, Tilman/Lönnendonker, Siegward, Macht und Ohnmacht der Studenten. Kleine Geschichte des SDS, Hamburg: Rotbuch 1998

Glaser, Hermann, Kulturgeschichte der Bundesrepublik Deutschland. Band 3: Zwischen Protest und Anpassung, 1968–1989, München: Hanser 1989

Habermas, Jürgen, Protestbewegung und Hochschulreform. Frankfurt am Main: Suhrkamp 1969

Hauser, Dorothea, Baader und Herold. Beschreibung eines Kampfes, Berlin: Alexander Fest 1997

Hogefeld, Birgit, Ein ganz normales Verfahren … Prozeßerklärungen, Briefe und Texte zur Geschichte der RAF, Berlin: ID Archiv 1996

Jäger, Herbert/Schmidtchen, Gerhard/Süllwold, Lieselotte, Lebenslaufanalysen (Analysen zum Terrorismus, hrsg. vom Bundesministerium des Innern, Band 2), Opladen: Westdeutscher Verlag 1981

Jeschke, Axel/Malanowski, Wolfgang, Der Minister und der Terrorist. Gespräche zwischen Gerhart Baum und Horst Mahler, Hamburg: Spiegel-Verlag 1980

Knorr, Lorenz, Geschichte der Friedensbewegung in der Bundesrepublik, Köln: Pahl-Rugenstein 1984

Koenen, Gerd, Das rote Jahrzehnt. Unsere kleine deutsche Kulturrevolution 1967–1977, Köln: Kiepenheuer & Witsch 2001

Kraushaar, Wolfgang (Hrsg.), Frankfurter Schule und Studentenbewegung. Von der Flaschenpost zum Molotowcocktail, 1946–1955. Drei Bände. Hamburg: Rogner und Bernhard bei Zweitausendeins 1998

Kraushaar, Wolfgang, 1968. Das Jahr, das alles verändert hat. München: Piper 1998

Landgrebe, Christiane/Plath, Jörg (Hrsg.), '68 und die Folgen. Ein unvollständiges Lexikon, Berlin: Argon 1998

Lauritzen, Peter, »Unruhige Jugend«. Politisches Engagement von der APO bis zur »Friedensbewegung«. In: Heinrich Pleticha (Hrsg.), Deutsche Geschichte. Band 12: Geteiltes Deutschland nach 1945. Gütersloh: Lexikothek-Verlag 1987

Lübbe, Hermann, Endstation Terror, Stuttgart: Seewald 1978

Marcuse, Herbert, Der eindimensionale Mensch, Darmstadt und Neuwied: Luchterhand 1967

Marcuse, Herbert, Versuch über die Befreiung, Frankfurt am Main: Suhrkamp 1969

Meyer, Thomas, Am Ende der Gewalt? Der deutsche Terrorismus – Protokoll eines Jahrzehnts, Frankfurt am Main, Berlin, Wien: Ullstein 1980

Mosler, Peter, Was wir wollten, was wir wurden. Zeugnisse der Studentenrevolte, Reinbek bei Hamburg: Rowohlt 1988

Negt, Oskar, Achtundsechzig. Politische Intellektuelle und die Macht, Göttingen: Steidl 1995

Otto, Karl A., Vom Ostermarsch zur APO, Geschichte der außerparlamentarischen Opposition in der Bundesrepublik 1960–70, Frankfurt/New York: Campus 1977

Porth, Wolfgang (Hrsg.), Die alte Straßenverkehrsordnung, Dokumente der RAF, Berlin: Edition Tiamat 1987

Prinz, Alois, Der poetische Mensch im Schatten der Utopie. Zur politisch-weltanschaulichen Idee der 68er Studentenbewegung und deren Auswirkungen auf die Literatur, Würzburg: Königshausen & Neumann 1990

Proll, Astrid, Hans und Grete. Die RAF 1967–1977, Göttingen: Steidl 1998

Röhl, Klaus Rainer, Linke Lebenslügen. Eine überfällige Abrechnung, Frankfurt am Main, Berlin, Wien: Ullstein 1995

Roth, Karl Heinz/Teufel, Fritz, Klaut sie! (Selbst-) Kritische Beiträge zur Krise der Linken und der Guerilla, Tübingen: Polke 1979

Rupp, Hans Karl, Außerparlamentarische Opposition in der Ära Adenauer, Köln: Pahl-Rugenstein 1980

Rutschky, Michael, Erfahrungshunger. Ein Essay über die siebziger Jahre, Frankfurt am Main: Fischer 1982

Siepmann, Eckhard u. a. (Red.), Heiß und Kalt. Die Jahre 1945–69, Berlin: Elefanten Press 1993

Theweleit, Klaus, Ghosts. Drei leicht inkorrekte Vorträge, Frankfurt am Main, Basel: Stroemfeld 1998

Uesseler, Rolf, Die 68er: »Macht kaputt, was Euch kaputtmacht«, APO, Marx und die freie Liebe, München: Heyne 1998

Versuch, die Geschichte der RAF zu verstehen. Das Beispiel Birgit Hogefeld, Gießen: edition psychosozial 1997

Wolff, R. P./Moore, B./Marcuse, H., Kritik der reinen Toleranz, Frankfurt am Main: Suhrkamp 1967

Erinnerungen, Lebensläufe

Baumann, Bommi, Wie alles anfing, Frankfurt am Main: Anabas 1977 und Berlin: Rotbuch 1991

Chaussy, Ulrich, Die drei Leben des Rudi Dutschke, Zürich, München: Pendo 1999

Conradt, Gerd, Starbuck Holger Meins. Ein Porträt als Zeitbild, Berlin: Espresso 2001

Dutschke, Gretchen, Rudi Dutschke. Wir hatten ein barbarisches, schönes Leben. Eine Biographie, Köln: Kiepenheuer & Witsch 1996

Edschmid, Ulrike, Frau mit Waffe. Zwei Geschichten aus terroristischen Zeiten, Berlin: Rowohlt 1996

Feltrinelli, Carlo, Senior Service. Das Leben meines Vaters, München, Wien: Hanser 2001

Klein, Hans-Joachim, Rückkehr in die Menschlichkeit. Appell eines ausgestiegenen Terroristen, Reinbek bei Hamburg: Rowohlt 1979

Kunzelmann, Dieter, Leisten Sie keinen Widerstand! Bilder aus meinem Leben, Berlin: Transit 1998

Meyer, Till, Staatsfeind. Erinnerungen, Hamburg: Spiegel-Buchverlag 1996

Riemeck, Renate, Ich bin ein Mensch für mich. Aus einem unbequemen Leben, Stuttgart: Urachhaus 1994

Riemeck, Renate, Historikerin, in: Alice Schwarzer, Warum gerade Sie? Weibliche Rebellen. 15 Begegnungen mit berühmten Frauen, Frankfurt am Main: Luchterhand 1989, S. 255–268

Röhl, Klaus Rainer, Fünf Finger sind keine Faust, Köln: Kiepenheuer & Witsch 1974

Rühmkorf, Peter, Die Jahre, die ihr kennt. Anfälle und Erinnerungen, Reinbek bei Hamburg: Rowohlt 1972

Schiller, Margrit, Es war ein harter Kampf um meine Erinnerung. Hamburg: konkret-Verlag 1999

Tolmein, Oliver, »RAF – Das war für uns Befreiung«, ein Gespräch mit Irmgard Möller über bewaffneten Kampf, Knast und die Linke. Hamburg: konkret-Verlag 1997

Viett, Inge, Einsprüche. Briefe aus dem Gefängnis, Hamburg: Edition Nautilus 1996

Viett, Inge, Nie war ich furchtloser. Autobiographie. Hamburg: Edition Nautilus 1997

Dokumentsammlungen

Bakker Schut, Pieter H. (Hrsg.), das info, Briefe der Gefangenen aus der RAF 1973–1977, Kiel: Neuer Malik-Verlag 1987

Der Baader-Meinhof-Report. Dokumente – Analysen – Zusammenhänge. Aus den Akten des Bundeskriminalamtes, der »Sonderkommission, Bonn« und dem Bundesamt für Verfassungsschutz, Mainz: v. Hase & Koehler 1972

Der Tod Ulrike Meinhofs. Bericht der Internationalen Untersuchungskommission, Münster: Unrast 1996

Hoffmann, Martin, Rote Armee Fraktion. Texte und Materialien zur Geschichte der RAF, Berlin: ID-Verlag 1997

Otto, Karl A., APO. Die außerparlamentarische Opposition in Quellen und Dokumenten (1960–1970), Köln: Pahl-Rugenstein 1989

Rauball, Reinhard (Zusammenstellung), Die Baader-Meinhof-Gruppe, Berlin, New York: de Gruyter 1973

Schneider, Christiane, Bundesrepublik Deutschland (BRD) – Rote Armee Fraktion (RAF). Hrsg. von der Gesellschaft für Nachrichtenerfassung und Nachrichtenverbreitung, Köln: GNN Verlags-Gesellschaft Pol. Berichte 1987

Stuberger, Ulf G. (Hrsg.), »In der Strafsache gegen Andreas Baader, Ulrike Meinhof, Jan-Carl Raspe, Gudrun Ensslin wegen Mordes u. a.« Dokumente aus dem Prozeß, Frankfurt am Main: Syndikat 1977

»wir haben mehr fragen als antworten«. RAF – Diskussionen 1992–1994, Berlin: ID-Archiv 1995

Literarische Zeugnisse

Boock, Peter-Jürgen, Abgang, Reinbek bei Hamburg: Rowohlt 1990

Born, Nicolas, Die erdabgewandte Seite der Geschichte, Reinbek bei Hamburg: Rowohlt 1979

Briegleb, Klaus, 1968 – Literatur in der antiautoritären Bewegung, Frankfurt am Main: Suhrkamp 1993

Protest! Literatur um 1968. Ausstellung des Deutschen Literaturarchivs Marbach. Hrsg. von Ulrich Ott und Friedrich Pfäfflin (Marbacher Kataloge 51), Marbach am Neckar: Deutsche Schillergesellschaft 2000

Röhl, Klaus Rainer, Die Genossin, Wien, München: Molden 1975

Scholz, Leander, Rosenfest, München, Wien: Hanser 2001

Timm, Uwe, Heißer Sommer, Köln: Kiepenheuer & Witsch 1985

Vaterland, Muttersprache. Deutsche Schriftsteller und ihr Staat seit 1945, Berlin: Wagenbach 1994 (zusammengestellt von Klaus Wagenbach, Winfried Stephan, Michael Krüger und Susanne Schüssler)

Vesper, Bernward, Die Reise, Jossa: März bei Zweitausendeins 1977

Wildenhain, Michael, Erste Liebe Deutscher Herbst, Frankfurt am Main: Fischer 1997

Filme

Aust, Stefan, Baader-Meinhof, Wege in den Untergrund, NDR 1986

Aust, Stefan/Mahlerwein, Lutz, Tod in Stammheim, NDR 1976

Böhmann, Marc, »Dieser Traum ist mir entschwunden«. Politik und Pädagogik im Leben von Ulrike Meinhof und Heinrich Pestalozzi, Audio-Visuelles Zentrum der Pädagogischen Hochschule Heidelberg 1992

Im Fadenkreuz. Deutschland und die RAF. Teil 1: Die Täter, Teil 2: Der Staat, Teil 3: Die Familien, Teil 4: Fluchtpunkt DDR, Dokumentarreihe von NDR u. a. 1997

Koulmasis, Timon, Ulrike Marie Meinhof, Lettre à sa fille, 1995

Reinhard Hauff (Regie): Stammheim. Baader-Meinhof vor Gericht, BRD 1985

Quellenverzeichnis

I. Vom Widerstand

[1] Albert Camus, Der Mensch in der Revolte, Reinbek bei Hamburg: Rowohlt, 1997, S. 18 u. 194

[2] Ulrike Meinhof (im Folgenden abgekürzt als »U. M.«), Zum 20. Juli, in: *konkret*, Nr. 7/8, August 1964, abgedruckt in: U. M., Die Würde des Menschen ist antastbar, Berlin: Wagenbach 1980, S. 49–51, S. 51

[3] Hermann Lenz, Andere Tage, Frankfurt am Main: Suhrkamp 1978; ders., Neue Zeiten, Frankfurt am Main: Suhrkamp 1978

[4] laut Personalbogen, der sich im Stadtarchiv in Jena befindet

[5] Max Hammer, Die Begegnung mit Herrn Dr. Werner Meinhof (handschriftliches Manuskript), aus: Archiv Hans-Georg Meinhof

[6] Volker Wahl, Ricarda Huch in Jena. Schriftenreihe des Stadtmuseums Jena Nr. 31, Jena: »Magnus Poser« 1982, S. 8

[7] ebenda, S. 13

[8] »Von den Verächtlichen getötet zu werden ist das Schlimmste«, Interview von Maria Aschenbach mit Renate Riemeck, in: *Freitag*, Nr. 19, 3. Mai 1996, S. 3

[9] Christa Rotzoll, Politische Frauen: die Boveri, die Meinhof, in: dies., Frauen und Zeiten, München: dtv 1991, S. 91 f.; siehe auch: Klaus Rainer Röhl, Fünf Finger sind keine Faust, Köln: Kiepenheuer & Witsch 1974, S. 118 f.

II. Kinder des Kriegs

[1] Renate Riemeck, Ich bin ein Mensch für mich, Stuttgart: Urachhaus 1994, S. 67 ff.

[2] Renate Riemeck, Historikerin, in: Alice Schwarzer, Warum gerade Sie? Weibliche Rebellen. 15 Begegnungen mit berühmten Frauen, Frankfurt am Main: Luchterhand 1989, S. 255–268, S. 258

[3] »Von den Verächtlichen getötet zu werden ...«, S. 3

[4] Riemeck, Ich bin ein Mensch für mich, S. 73 f.

[5] Schwarzer, Warum gerade Sie?, S. 259

[6] Riemeck, Ich bin ein Mensch für mich, S. 40

[7] Schwarzer, Warum gerade Sie?, S. 259

[8] ebenda

[9] Jena, Eine Stadt und ihre Geschichte, Jena: Neomedia Verlag 1997

[10] Riemeck, Ich bin ein Mensch für mich, S. 83 f.

[11] Ricarda Huch, Tag in Jena 1945, in: Volker Wahl, Ricarda Huch in Jena. Schriftenreihe des Stadtmuseums Jena Nr. 31, Jena: »Magnus Poser« 1982, S. 83–85

[12] Riemeck, Ich bin ein Mensch für mich, S. 84

[13] Ricarda Huch, In einem Gedenkbuch zu sammeln ..., hrsg. und eingeleitet von Wolfgang M. Schwiedrzik, Leipzig: Leipziger Universitätsverlag 1997, S. 77

[14] ebenda, S. 83

[15] ebenda, S. 87 u. 94

[16] Riemeck, »Von den Verächtlichen getötet zu werden ...«, S. 3

[17] Christa Dericum, Ulrike Marie Meinhof 1934–1976, in: *Freibeuter*, Nr. 67/1996, S. 3–8, S. 6

III. Fast wie ein Engel

[1] Wort des Bruderrats der Bekennenden Kirche, Darmstadt, 8. August 1947, nach: Hannes Karnick und Wolfgang Richter (Hrsg.), Niemöller: Was würde Jesus dazu sagen? Frankfurt am Main: Röderberg 1986, S. 76

[2] ebenda, S. 82 f.

[3] Riemeck, Ich bin ein Mensch für mich, S. 94–96

[4] ebenda, S. 98

[5] Renate Riemeck, 1789 – Heroischer Aufbruch und Herrschaft des Schreckens, Stuttgart: Urachhaus 1988

[6] Ich beziehe mich auf Unterlagen der Liebfrauenschule Oldenburg und auf schriftliche und mündliche Auskünfte von früheren Mitschülerinnen von Ulrike Meinhof.

[7] Riemeck, Ich bin ein Mensch für mich, S. 112 f.

[8] ebenda, S. 120

[9] ebenda, S. 127

IV. Die Unberatene

[1] Thomas Valentin, Die Unberatenen, Hamburg: Claassen 1963

[2] Riemeck, Ich bin ein Mensch für mich, S. 127 ff.

[3] ebenda, S. 144

[4] vgl. Riemeck, 1789, Heroischer Aufbruch ..., S. 115 f., sowie: Christoph Lindenberg, Rudolf Steiner, Reinbek bei Hamburg: Rowohlt 1992, S. 110 ff.

[5] vgl. auch Wolfgang Schoppet, Das Leben der Ulrike Meinhof in Weilburg, Artikelserie im *Weilburger Tageblatt*, 12., 13., 14. Mai 1976 (ein vierter, angekündigter Artikel ist nicht erschienen)

[6] Renate Riemeck, Wahres über Ulrike, in: Ulrike Meinhof, Dokumente einer Rebellion. Hrsg. von Klaus Rainer Röhl und Hajo Leib, Hamburg: konkret-Verlag 1972, S. 103–107, S. 103

[7] Riemeck, »Von den Verächtlichen getötet zu werden ...«, S. 3

[8] Jillian Becker, Hitlers Kinder? Der Baader-Meinhof-Terrorismus, Frankfurt am Main: Fischer 1978, S. 105 f.

[9] *Spektrum*, Schulzeitung am Gymnasium Philippinum, Nr. 2, Dezember 1952

[10] Mario Krebs, Ulrike Meinhof, Reinbek bei Hamburg: Rowohlt 1988, S. 24

[11] Röhl, Fünf Finger sind keine Faust, S. 123; ders., Die Genossin, Wien, München: Molden 1975, S. 34

[12] aus: *Mitteilungsblatt für die Mitglieder der Wilinaburgia*, Verein

ehemaliger Angehöriger des Gymnasiums zu Weilburg e. V., Nr. 195, 69. Jg., August 1994

[13] beide Dokumente sind abgedruckt im *Mitteilungsblatt für die Mitglieder der Wilinaburgia* vom August 1994, S. 653

V. Liebe, Atom und Politik

[1] dazu: Ulrike Meinhof/Jürgen Seifert, Unruhe in der Studentenschaft, in: *Blätter für deutsche und internationale Politik*, 3. Jg., 20. Juli 1958, S. 524–526

[2] hier und im Folgenden beziehe ich mich unter anderem auf: Helmut-Gerhard Müller, Die Christin und Pädagogik-Studentin Ulrike Meinhof in Marburg, in: Frauen in Marburg, hrsg. vom DGB Kreis Mittelhessen – Büro Marburg in Zusammenarbeit mit der Frauenbeauftragten der Stadt Marburg, Marburg: BdWi Verlag 1996; S. 109–119; sowie: Markus Bauer, Passage Marburg, Marburg: Jonas 1994, darin: »Zwischen den Kriegen«, Ulrike Meinhof, S. 240–251

[3] Hans Karl Rupp, Außerparlamentarische Opposition in der Ära Adenauer, Köln: Pahl-Rugenstein 1980, S. 73 ff.

[4] zitiert nach: Krebs, Ulrike Meinhof, S. 44

[5] Lorenz Knorr, Geschichte der Friedensbewegung, Köln: Pahl-Rugenstein 1984, S. 94

[6] nach: Peter Brückner, Ulrike Meinhof und die deutschen Verhältnisse, Berlin: Wagenbach 1995, S. 28

[7] Karnick/Richter, Niemöller: Was würde Jesus dazu sagen? S. 102 f.

[8] Riemeck, Ich bin ein Mensch für mich, S. 152 ff.

[9] Riemeck, Nach der Wahl, in: *Blätter für deutsche und internationale Politik*, 2. Jg., 20. Oktober 1957, S. 341–348; dies., Macht und Ohnmacht der öffentlichen Meinung, ebenda, 3. Jg., 20. Januar 1958, S. 1–10

[10] Becker, Hitlers Kinder?, S. 112

[11] dieses und die folgenden Zitate nach: Krebs, Ulrike Meinhof, S. 38

[12] ebenda

318

[13] Röhl, Fünf Finger sind keine Faust, S. 130
[14] ebenda, S. 131, sowie: Röhl, Die Genossin, S. 60 ff.

VI. Rikibaby

[1] Krebs, Ulrike Meinhof, S. 63
[2] Interview mit Günter Gaus vom 10. Juli 1967, abgedruckt in: Rudi Dutschke: Die Revolte, hrsg. von Gretchen Dutschke-Klotz, Jürgen Miermeister und Jürgen Treulieb, Reinbek bei Hamburg: Rowohlt 1983, S. 20–38, S. 23
[3] Rupp, Außerparlamentarische Opposition ..., S. 255
[4] Röhl, Fünf Finger sind keine Faust, S. 150
[5] Peter Rühmkorf, Die Jahre, die ihr kennt. Anfälle und Erinnerungen, Reinbek bei Hamburg: Rowohlt 1972, S. 171
[6] Röhl, Die Genossin, S. 68
[7] U. M., Der Friede macht Geschichte, in konkret, Nr. 19/20, 1959, abgedruckt in: U. M., Die Würde des Menschen ist antastbar. Aufsätze und Polemiken, Berlin: Wagenbach 1995, S. 7–13, S. 11
[8] die vollständige Liste ist abgedruckt in: Rupp, Außerparlamentarische Opposition ..., S. 297 f.
[9] U. M., Geschichten von Herrn Schütz, in konkret, Nr. 15/1960, abgedruckt in: U. M., Deutschland Deutschland unter anderm. Aufsätze und Polemiken, Berlin: Wagenbach 1995, S. 22–30
[10] Röhl, Fünf Finger sind keine Faust, S. 156
[11] Röhl, Die Genossin, S. 94 f. und 117
[12] Der Spiegel, Nr. 35/1961
[13] Krebs, Ulrike Meinhof, S. 78
[14] Röhl, Fünf Finger sind keine Faust, S. 234 und 395; ders.: Die Genossin, S. 146

VII. Wider das Vergessen

[1] Krebs, Ulrike Meinhof, S. 73
[2] U. M., Die Würde des Menschen, in konkret, Nr. 10, Oktober 1962, abgedruckt in: U. M., Die Würde ..., S. 27–30, S. 27 f.

³ U. M., Zum 20. Juli, in *konkret*, Nr. 7/8, August 1964, abgedruckt in: U. M., Die Würde …, S. 49–51, S. 50 f.

⁴ U. M., Auf Anhieb Mord, in *konkret*, Nr. 8, August 1962, abgedruckt in: U. M., Deutschland …, S. 55–61, S. 60

⁵ U. M., Hitler in euch, in *konkret*, Nr. 10, Mai 1961, abgedruckt in: U. M., Deutschland …, S. 38–42, S. 42

⁶ »Leid-Artikel«, in: *Der Spiegel*, Nr. 13/1962

⁷ Hans-Joachim Noack, Der Streit um den Kopf der Ulrike Meinhof, in: *Frankfurter Rundschau*, 16. August 1973, 29. Jg., Nr. 189, S. 3

⁸ U. M., Ottawa, in *konkret*, Nr. 6, Juni 1963, S. 6

⁹ U. M, Ostermarsch 64, in *konkret*, Nr. 3, März 1964, abgedruckt in: U. M., Die Würde …, S. 65–68, S. 65; sowie: U. M., Osterspaziergang, in *konkret*, Nr. 4, April 1963, abgedruckt in: U. M., Deutschland …, S. 31–32, S. 32

¹⁰ U. M., in *konkret*, Nr. 1, Januar 1963, S. 4

¹¹ U. M., Provinz und kleinkariert, in: Die Ära Adenauer. Einsichten und Ausblicke, Frankfurt am Main: Fischer 1964, S. 106–112, auch abgedruckt in: U. M., Die Würde …, S. 41–47

¹² Röhl, Fünf Finger sind keine Faust, S. 174

¹³ vgl. »In eigener Sache«, in *konkret*, Nr. 9, September 1964

¹⁴ Rühmkorf, Die Jahre, die ihr kennt, S. 176

¹⁵ U. M., Die Zivildienstfibel, in *konkret*, Nr. 1, Januar 1965, abgedruckt in: U. M., Deutschland …, S. 77–79

¹⁶ U. M., Notstandsgesetz, in *konkret*, Nr. 11, November 1964, abgedruckt in: U. M., Deutschland …, S. 74

¹⁷ U. M., Krach in Bonn, in *konkret*, Nr. 10, Oktober 1964, S. 3

¹⁸ *Mitteilungsblatt für die Mitglieder der Wilinaburgia*, Nr. 108, 40. Jg., April 1965, und Nr. 195, 69. Jg., August 1994

¹⁹ undatierter Brief an Anni und Klaus Gelbhaar

VIII. *Revolutionskasper*

¹ Rühmkorf, Die Jahre, die ihr kennt, S. 222 ff.

² Rotzoll, Frauen und Zeiten, München: dtv 1991, S. 91

³ Rühmkorf, Die Jahre, die ihr kennt, S. 224

[4] Röhl, Fünf Finger sind keine Faust, S. 232

[5] *Der Spiegel*, Nr. 3/1966, S. 22 f.

[6] Schwarzer, Warum gerade sie?, S. 264

[7] U. M., Vietnam, in *konkret*, Nr. 5, Mai 1965, abgedruckt in: U. M., Deutschland ..., S. 83–85; U. M., Vietnam und Deutschland, in *konkret*, Nr. 1, Januar 1966, abgedruckt in: U. M., Die Würde ..., S. 71–73

[8] U. M., Heimkinder in der Bundesrepublik / Aufgehoben oder abgeschoben?, in: *Frankfurter Hefte*. Zeitschrift für Kultur und Politik, 21. Jg. (1966), Heft 9, S. 616–626

[9] Brief von Ulrike Meinhof vom 12.10.1966, Sammlung Hans-Georg Meinhof

[10] Rotzoll, Frauen und Zeiten, S. 91

[11] in der Zeitschrift *Vorwärts*, 30. November 1966

[12] U. M., Große Koalition, in *konkret*, Nr. 12, Dezember 1966, abgedruckt in: U. M., Die Würde ..., S. 88–91

[13] vgl. dazu den Artikel »Elf kleine Oswalds«, in *Die Zeit*, Nr. 15, 14. April 1967

[14] U. M., Napalm und Pudding, in *konkret*, Nr. 5, Mai 1967, abgedruckt in: U. M., Die Würde ..., S. 92–95

[15] U. M., Offener Brief an Farah Diba, in *konkret*, Nr. 6, Juni 1967, abgedruckt in: U. M., Deutschland ..., S. 116–121

[16] nach: Karl A. Otto, APO. Die außerparlamentarische Opposition in Quellen und Dokumenten (1960–1970), Köln: Pahl-Rugenstein 1989, S. 236

[17] Herbert Marcuse, Versuch über die Befreiung, Frankfurt am Main: Suhrkamp 1969, S. 98

[18] Röhl, Fünf Finger sind keine Faust, S. 285 f.

IX. Ulrike Meinhof und die Brandstifter

[1] Rosa von Praunheim, 50 Jahre pervers, Köln: Kiepenheuer & Witsch 1995, S. 70

[2] Dorothea Hauser, Baader und Herold. Beschreibung eines Kampfes, Berlin: Alexander Fest 1997

[3] undatierter Brief an Anni und Klaus Gelbhaar

[4] vgl. Otto, APO, S. 240–250, sowie: Jürgen Habermas, Die Scheinrevolution und ihre Kinder, in: Oskar Negt (Hrsg.), Die Linke antwortet Jürgen Habermas, Frankfurt am Main: Suhrkamp 1968, S. 5–15

[5] U. M., Deutschland, deine Verächter, in *konkret*, Nr. 7, Juli 1962, S. 10; abgedruckt in: U. M., Dokumente einer Rebellion, S. 31

[6] U. M., Gegen-Gewalt, in *konkret*, Nr. 2, Februar 1968, abgedruckt in: U. M., Deutschland ..., S. 126–129

[7] Gretchen Dutschke, Es war ein barbarisches, schönes Leben. Eine Biographie, Köln: Kiepenheuer und Witsch 1996, S. 179 f.

[8] gekürzt abgedruckt in: Uwe Bergmann, Rudi Dutschke, Wolfgang Lefèvre, Bernd Rabehl, Rebellion der Studenten oder Die neue Opposition, Hamburg: Rowohlt 1968, S. 85–93

[9] Otto, APO, S. 188

[10] vgl. Urteil des Landgerichtes Frankfurt (»Brandstifterurteil«) vom 31. Oktober 1968, in: Reinhard Rauball, Die Baader-Meinhof-Gruppe, Berlin, New York: de Gruyter 1973, S. 167–210

[11] Ulrich Chaussy, Die drei Leben des Rudi Dutschke. Eine Biographie, Zürich: Pendo 1999, S. 7–12

[12] nach: Aust, Der Baader Meinhof Komplex, München: Goldmann, S. 70 ff.

[13] Bommi Baumann, Wie alles anfing, Frankfurt am Main: Anabas 1977, S. 38

[14] nach: Aust, Der Baader Meinhof Komplex, S. 73

[15] Becker, Hitlers Kinder?, S. 140

[16] Anonym, Gewalt in den Metropolen, in *konkret*, Nr. 6, Juni 1968, S. 25 ff.

[17] Gerd Koenen, Das rote Jahrzehnt, Köln: Kiepenheuer & Witsch 2001, S. 78

[18] U. M., Vom Protest zum Widerstand, in *konkret*, Nr. 5, Mai 1968, abgedruckt in: U. M., Die Würde ..., S. 138–141

[19] U. M., Notstand – Klassenkampf, in *konkret*, Nr. 6, Juni 1968, abgedruckt in: U. M., Die Würde ..., S. 142–145

[20] nach: *Frankfurter Rundschau*, 31. Oktober 1968, S. 3

[21] Otto, APO, S. 230

[22] nach: *Frankfurter Rundschau*, 1. November 1968, S. 17

[23] U. M., Warenhausbrandstiftung, in *konkret*, Nr. 14, November 1968, abgedruckt in: U. M., Die Würde ..., S. 153–156

X. Wahrheit und Wirklichkeit

[1] undatierter Brief an Anni und Klaus Gelbhaar

[2] ebenda

[3] U. M., Kolumnismus, in *konkret*, Nr. 2, Januar 1969, abgedruckt in: U. M., Die Würde ..., S. 166–169

[4] Das Konzept Stadtguerilla, in: Martin Hoffmann, Rote Armee Fraktion. Texte und Materialien zur Geschichte der RAF, Berlin: ID-Verlag, 1997, S. 27–48, S. 28

[5] U. M., Gustav, Gustav, in *konkret*, Nr. 7, März 1969, abgedruckt in: U. M., Deutschland ..., S. 149–151

[6] Bernward Vesper, Die Reise, Jossa: März bei Zweitausendeins 1977, S. 184

[7] Eine Chronik der missglückten Verlagsbesetzung erschien in *konkret*, Nr. 11, Mai 1969

[8] nachgedruckt in: Rühmkorf, Die Jahre, die ihr kennt, S. 229 ff.

[9] U. M., Revolutionsgerede, in: Hans Dollinger (Hrsg.), Revolution gegen den Staat? Die außerparlamentarische Opposition – die neue Linke; Berlin, München, Wien: Rütten + Loening 1968, S. 208

[10] U. M., Falsches Bewusstsein, in: U. M., Die Würde ..., S. 117–137, S. 128

[11] U. M., Wasserwerfer – auch gegen Frauen, in *konkret*, Nr. 4, April 1968, abgedruckt in: U. M., Deutschland ..., S. 130–137, S. 135

[12] Pieter Bakker Schut (Hrsg.), das info. Briefe der Gefangenen aus der RAF 1973–1977, Hamburg: Neuer Malik Verlag 1987, S. 271

[13] vgl. U. M., Revolutionsgerede, S. 208 f.

[14] Michael Rutschky, Erfahrungshunger, Frankfurt am Main: Fischer 1982, S. 42

[15] Theodor W. Adorno, Negative Dialektik, Frankfurt am Main: Fischer 1982, S. 40 und 161; sowie: ders., Minima Moralia, Reflexio-

nen aus dem beschädigten Leben, Frankfurt am Main: Suhrkamp 1982, S. 57

[16] Rutschky, Erfahrungshunger, S. 64

[17] Adorno, Minima Moralia, S. 21

[18] in Timon Koulmasis' Film: Ulrike Marie Meinhof, Lettre à sa fille, 1995

[19] Rühmkorf, Die Jahre, die ihr kennt, S. 228

[20] U. M., Bambule. Fürsorge – Sorge für wen?, Berlin: Wagenbach 1994, S. 8

[21] nach: Peter-Jürgen Boock, Abgang, Reinbek bei Hamburg: Rowohlt 1990, S. 35 ff.

[22] Brosch, Fürsorgeerziehung. Heimterror und Gegenwehr, Frankfurt am Main: Fischer 1971, S. 124 f. und 151 f.

[23] Becker, Hitlers Kinder?, S. 83

[24] nach Ruth Waltz, in Timon Koulmasis' Film: Ulrike Marie Meinhof

[25] Eberhard Itzenplitz, Über die Filmarbeit mit Ulrike Meinhof, in: U. M., Bambule, S. 111–135, S. 114

[26] Reinhard Mohr, »Revolutionäres Gewäsch«, in: Der Spiegel, Nr. 33/1996, S. 136–139, S. 137

[27] Helma Sanders-Brahms, Ulrike, in: Christiane Landgrebe, Jörg Plath (Hrsg.), '68 und die Folgen. Ein unvollständiges Lexikon, Berlin: Argon 1998, S. 125–128, S. 125

XI. Der Sprung in ein anderes Leben

[1] Bettina Röhl, Unsere Mutter – Staatsfeind Nr. 1, in: Der Spiegel, Nr. 29/1995, S. 88–109, S. 94

[2] Hans Magnus Enzensberger, Gemeinplätze, die Neueste Literatur betreffend, in: Kursbuch, Nr. 15, November 1968, S. 187–197, S. 196

[3] nach: Mohr, »Revolutionäres Gewäsch«, S. 136 f.

[4] nach: Aust, Der Baader Meinhof Komplex, S. 107; sowie: Röhl, Die Genossin, S. 252 f.

[5] nach: Der Spiegel, Nr. 24/1972, S. 27

[6] Regine Röhl, Jede für sich allein, in: *Der Spiegel*, Nr. 29/1995, S. 100

[7] Willi Winkler, »Natürlich kann geschossen werden«, in: *Die Zeit*, Nr. 20, 10. Mai 1996, S. 44

[8] nach: Röhl, Unsere Mutter – *Staatsfeind Nr. 1*, S. 97

[9] Vesper, Die Reise, S. 148 f.

[10] Till Meyer, Staatsfeind, Hamburg: Spiegel-Buchverlag 1996, S. 163

[11] Bertolt Brecht, Die Maßnahme, in: Die Stücke von Bertolt Brecht in einem Band, Frankfurt am Main: Suhrkamp 1978, S. 255–268, S. 263 und 267

[12] Camus, Der Mensch in der Revolte, S. 197, 191 und 270

[13] Hans Jonas, Das Prinzip Verantwortung, Frankfurt am Main: Suhrkamp 1984, S. 85 f. und 193

[14] Ulrike Edschmid, Frau mit Waffe. Zwei Geschichten aus terroristischen Zeiten, Berlin: Rowohlt 1996, S. 44

[15] in: *Der Spiegel*, Nr. 25/1970, S. 75 f.

[16] nach: Aust, Der Baader Meinhof Komplex, S. 126

[17] ebenda, S. 128

[18] nach: Edschmid, Frau mit Waffe, S. 116 f.

[19] Interview mit Peter Homann, in: *Der Spiegel*, Nr. 48/1971, sowie Homanns Bericht über die Tage im arabischen Guerilla-Camp, in: *Der Spiegel*, Nr. 44/1972

[20] Röhl, Unsere Mutter – *Staatsfeind Nr. 1*, S. 99

[21] nach: Aust, Der Baader Meinhof Komplex, S. 134 ff.

[22] nach: Röhl, Unsere Mutter – *Staatsfeind Nr. 1*, S. 99

XII. Drachenblut

[1] Pieter Bakker Schut (Hrsg.), das info. Briefe der Gefangenen aus der RAF 1973–1977, S. 256

[2] Carlos Marighella, Kleines Handbuch der brasilianischen Stadtguerilla (Auszug), in: Reinhard Rauball, Die Baader-Meinhof-Gruppe, Berlin, New York: de Gruyter 1973, S. 103–119

[3] nach Karl-Heinz Ruhlands Bericht über seine Zeit bei der Baader-

Meinhof-Gruppe in: *Die Welt*, Nr. 114/1975 – Nr. 131/1975; sowie: *Der Spiegel*, Nr. 5/1972, 6/1972, 7/1972

[4] Edschmid, Frau mit Waffe, S. 127

[5] nach: Rauball, Die Baader-Meinhof-Gruppe, S. 29 f.

[6] Beate Sturm über ihre Erfahrungen in der Baader-Meinhof-Gruppe, in: *Der Spiegel*, Nr. 7/1972, S. 57–63

[7] nach: Der Baader-Meinhof-Report. Dokumente – Analysen – Zusammenhänge, Mainz: v. Hase & Koehler 1972, S. 170 f.

[8] Margrit Schiller, Es war ein harter Kampf um meine Erinnerung, Ein Lebensbericht aus der RAF, Hamburg: Konkret Literatur Verlag 1999, S. 34

[9] nach: Das Konzept Stadtguerilla, in: Hoffmann, Rote Armee Fraktion, S. 27–48

[10] *Der Spiegel*, Nr. 9/1971, S. 27

[11] Der Baader-Meinhof-Report, S. 90

[12] Röhl, Fünf Finger sind keine Faust, S. 438

[13] Schiller. Es war ein harter Kampf …, S. 11–14

[14] Renate Riemeck, Gib auf, Ulrike! in: *konkret*, Nr. 24, 18. November 1971, S. 8 f.

[15] vgl.: Das Konzept Stadtguerilla, S. 40

[16] nach: Aust, Der Baader Meinhof Komplex, S. 209 f.

[17] Brückner, Ulrike Meinhof und die deutschen Verhältnisse, S. 179

[18] im Film von Timon Koulmasis: Ulrike Marie Meinhof

[19] Dem Volke dienen. Stadtguerilla und Klassenkampf, in: Hoffmann, Rote Armee Fraktion, S. 112–144

[20] ebenda, S. 148

[21] Heinrich Böll, »Will Ulrike Gnade oder freies Geleit?«, in: *Der Spiegel*, Nr. 3/1972; ders.: »Das Wort Intellektuellenhetze ist berechtigt«, in: *Frankfurter Allgemeine Zeitung*, Nr. 140/1972

[22] Rudolf Augstein, Haben wir mitgeschossen?, in: *Der Spiegel*, Nr. 25/1972, S. 32

[23] Gerd Koenen, Das rote Jahrzehnt, S. 336

[24] Tonbandprotokoll von dem Teach-in der Roten Hilfe, Frankfurt, in: Hoffmann, Rote Armee Fraktion, S. 148–150, S. 150

[25] nach: *Frankfurter Rundschau*, Nr. 138/1972, S. 3; *Der Spiegel*, Nr. 27/1972; *Die Zeit* Nr. 25/1972, S. 4

XIII. Kampf im Knast

[1] Astrid Proll, Hans und Grete, Die RAF 1967–1977, Göttingen: Steidl 1998, sowie: Edschmid, Frau mit Waffe, S. 131 f.

[2] *Der Spiegel*, Nr. 29/1995, S. 104, auch: Aust, S. 275

[3] nach Bettina Röhls Bericht in: *Der Spiegel*, Nr. 29/1995

[4] ebenda, S. 104 f., auch: Aust, S. 279 f.

[5] Hoffmann, Rote Armee Fraktion, S. 151–177, S. 151

[6] Ein Brief Ulrike Meinhofs aus dem Toten Trakt, in: Bundesrepublik Deutschland (BRD) – Rote Armee Fraktion (RAF). Ausgewählte Dokumente der Zeitgeschichte, hrsg. von der Gesellschaft für Nachrichtenerfassung und Nachrichtenverbreitung, Köln: Verlagsgesellschaft Politische Berichte m.b.H. 1987, S. 41

[7] Birgit Hogefeld, »Vieles in der Geschichte ist als Irrweg anzusehen«, in: Versuche, die Geschichte der RAF zu verstehen, Gießen: Psychosozial-Verlag 1996, S. 121–157, S. 149

[8] nach: Aust, S. 271

[9] ebenda, S. 286

[10] Bakker Schut, das info, S. 66

[11] nach: Butz, Peters, Terrorismus in Deutschland, Stuttgart: Deutsche Verlags-Anstalt 1991, S. 158

[12] *Der Spiegel*, Nr. 29/1995, S. 106, auch: Aust, S. 294 f.

[13] *Der Spiegel*, Nr. 29/1995, S. 104

[14] ebenda

[15] *Frankfurter Rundschau*, Nr. 164/1972, S. 3

[16] *Der Spiegel*, Nr. 29/1995, S. 104

[17] Bakker Schut, das info, S. 27

[18] ebenda, S. 203

[19] ebenda, S. 102

[20] Schiller, Es war ein harter Kampf ..., S. 146

[21] Bakker Schut, das info, S. 63 und 68

[22] ebenda, S. 77

[23] nach: Aust, S. 299

[24] Bakker Schut, das info, S. 205

[25] ebenda, S. 178

[26] ebenda, S. 185

[27] Birgit Hogefeld, Zur Geschichte der RAF, in: Versuche, die Geschichte der RAF zu verstehen, S. 32–34

[28] Inge Viett, Nie war ich furchtloser, Hamburg: Edition Nautilus 1997, S. 98 f.

[29] Axel Jeschke/Wolfgang Malanowski, Der Minister und der Terrorist. Gespräche zwischen Gerhart Baum und Horst Mahler, Hamburg: Spiegel-Verlag 1980, S. 71 f.

[30] *Stuttgarter Nachrichten*, Nr. 287/1974, *Rhein-Neckar-Zeitung*, Nr. 281/1974

[31] *Frankfurter Rundschau*, Nr. 30/293, sowie: Hoffmann, Rote Armee Fraktion, S. 174

[32] Pieter Bakker Schut, Stammhein. Der Prozeß gegen die Rote Armee Fraktion, Kiel: Neuer Malik Verlag 1986

[33] U. M., Briefe aus dem Trakt 73–76, o. O., o. J., Kopiensammlung, 60 Seiten

[34] nach: Aust, S. 366 f.

[35] Bakker Schut, Stammheim, S. 245 f.

[36] nach: *Der Spiegel*, Nr. 29/1995, S. 107

[37] U. M., Briefe aus dem Trakt, Brief vom Dezember 1975; Bakker Schut, das info, S. 144, 147, 103 und 24

[38] Bakker Schut, das info, S. 133

[39] U. M., Briefe aus dem Trakt

[40] ebenda

[41] ebenda; auch: Aust, S. 385

[42] *Wochenpost*, Nr. 20/1996, S. 17

[43] Der Tod Ulrike Meinhofs. Bericht der Internationalen Untersuchungskommission, Münster: Unrast 1997, S. 29

[44] nach: Horst Herold, Die Lehren aus dem Terror, in: *Süddeutsche Zeitung*, Nr. 116/2000, S. 8 f.

[45] in: Baragiola, Alvaro, Zwischenbericht zur Diskussion über die Politik der bewaffneten und militanten Linken in Europa, Berlin: ID-Verlag 1998, S. 217–237

Epilog

[1] Im Folgenden beziehe ich mich auf Zeitungsberichte über die Beerdigung in: *Frankfurter Rundschau*, 17. Mai 1976; *Die Tat*, 16. Mai 1976; *Süddeutsche Zeitung*, 17. Mai 1976; *Frankfurter Allgemeine Zeitung*, 17. und 20. Mai 1976; *Deutsche Volkszeitung*, 20. Mai 1976; *Die Zeit*, 21. Mai 1976

[2] Klaus Wagenbach, Grabrede für Ulrike Meinhof, in: Peter Brückner, Ulrike Marie Meinhof und die deutschen Verhältnisse, S. 197–199

[3] *The Times*, 10. Mai 1976, S. 17

[4] nach: *die tageszeitung*, 3. Mai 1996, S. 13

[5] Veranstaltung zum 20. Todestag von Ulrike Meinhof am 3. Mai 1996 im Auditorium Maximum der TU Berlin, in: www.nadir.org/nadir/archiv/Politische Stroemungen/Stadtguerilla…/va20podium.htm

[6] Interview mit Gerhard Richter, in: *taz journal*: die RAF, der Staat und die Linke. 20 Jahre Deutscher Herbst. Analysen, Recherchen, Interviews, Debatten, Dokumente von 1977 bis 1997, S. 19; sowie: Gerhard Richter, Meine Bilder sind klüger als ich, NDR 1992

Bildnachweis

(1, 2) Renate Riemeck; (3, 4) Verlag Klaus Wagenbach; (5, 6, 7, 8) Ullstein Bilderdienst

Danksagung

Viele haben mir bei meinen Recherchen zu diesem Buch ge-
holfen oder die Entstehung des Manuskripts kritisch begleitet. Wenn ich hier ihre Namen nenne, ist das nur ein kleiner
Dank:

Holde Bischoff und Renate Riemeck, Marc Böhmann, Eu-
gen Caspari, Eckhard Dönges, Pfarrer Christoph Dreyer, Dr.
Gerhard Fay, Dr. Monika Fetsch (stellvertretend für ehema-
lige Mitschülerinnen Ulrike Meinhofs an der Liebfrauen-
schule Oldenburg), Klaus und Anni Gelbhaar, Inge Hein,
Hubert Hellmann (Liebfrauenschule Oldenburg), Hans-
Helmut Hoos (Gymnasium Philippinum Weilburg), Dr. Dr.
Stefan Hülsmann, Rudi Kienzle (Deutsches Literaturarchiv
Marbach), Pfarrer Roland Klein (†), Thomas Lenk, Prof.
Dr. Werner Link, Constanze Mann (Stadtarchiv Jena),
Hans-Georg Meinhof, Renate Schoppet, Dr. Wolfgang Stal-
ling, Klaus Wagenbach, Schwester M. Ambrosine Wilms.

Mein besonderer Dank gilt meinem Lektor Frank Griesheimer, der mich wieder einmal besser gemacht hat, als ich
bin, und auf dessen Urteil ich blind vertrauen konnte.